멋 지 고
아름다운
화학세상

# 멋 지 고
*Better Looking*

# 아름다운
*Better Living*

*Better Loving*

# 화학세상

**존 엠슬리** 지음

**고문주** 옮김

북스힐

# 차례

## Chapter 1

**멋진 모습 (1)** 머리카락, 눈, 치아, 손톱

더 없는 영광 | 대머리 | 이제 깨끗하게 볼 수 있어… | 빛나는 미소 | 손톱

## Chapter 2

**멋진 모습 (2)** 의학적 발전

여드름, 습진, 건선 | 활발한 노년인가 허약한 노년인가?
치료제로서의 탄수화물 | 마취제

## Chapter 3

**편리한 삶 (1)** 주말을 유쾌하게

냄새의 화학 | 모든 걱정을 씻어내다 | 남성들이여, 문제는 겨드랑이야!
발한억제제 | 데오도런트 | 손님, 주말에 그것이 필요하세요?
엄마, 우리는 제정신이 아니었어요

# 옮긴이의 글

이 책은 존 엠슬리의《Better Looking, Better Living, Better Loving: How Chemistry can Help You Achieve Life's Goals》를 우리말로 옮긴 것입니다. 엠슬리는 킹스 칼리지에서 25년 동안 강의와 연구를 한 훌륭한 화학자이며 그 후 20여 권의 화학에 대한 책을 저술한 과학 작가입니다. 이미 우리에게 도《상품의 화학: 욕망·생명력·번식》,《세상을 바꾼 독약 한 방울 1: 죽음을 부르는 독극물의 화학사》,《세상을 바꾼 독약 한 방울 2: 제국을 멸망시킨 화학 원소 이야기》,《화학의 변명 1》,《화학의 변명 2》,《화학의 변명 3》과 같은 여러 권의 책이 번역되어서 널리 알려져 있습니다.

　이 책은 일상생활에서 우리가 매일 만나면서도 미처 깨닫지 못하거나 의문을 해결하지 못한 것들에 숨어 있는 화학에 대해 이야기합니다. 아침에 눈을 떠서 저녁에 잠자리에 들 때까지 우리가 보고, 냄새를 맡고, 맛을 보고, 만지고, 느끼는 모든 것이 화학물질입니다. 우리를 둘러싸고 있는 모든 것이 물질로 구성되어 있고 그 물질을 더 나누고 나누면 결국 분자나 원자에 도달합니다. 화학은 이런 분자와 원자의 이야기입니다. 즉 모든 물질의 이야기이고, 우리 주변의 모든 사물에 대한 이야기입니다. 이런 물질에는 자연에 원래 존재하던 분자들로 만들어진 것도 있고, 자연에 원래 있던 것으로부터 화학자들이 새로이 만든 것도 있습니다.

　이 책에서 소개되는 미용용품이나 콘택트렌즈, 여드름이나 습진 같은 피부의 고통을 해결해주는 약품, 식품 속의 성분, 세탁제는 우리가 매일 사용하는 것이며 그 속에 숨어 있는 화학 이야기를 알고 나면 그것들을 볼 때마다 다른 눈으로 보게 될 것입니다.

또한 우리 생활을 편리하게 해주는 데 필수불가결한 전기를 얻는 데도 화학이 역할을 하고 있습니다. 특히 환경친화적으로 태양광으로부터 전기를 얻는 데 화학재료들이 중요한 역할을 합니다. 이 책의 마지막 부분에서는 발걸음을 미술관으로 돌려서 우리가 아름답게 감상하는 미술품 속에 숨어 있는 화학에 대해 살펴봅니다. 색소와 분석, 미술품의 보존과 복원도 흥미로운 이야기입니다.

화학자들은 자신의 연구나 연구에서 만들어진 물질이 우리의 생활에 이익이 되고 편리함을 주기를 원합니다. 실제로 우리는 일상생활 곳곳에서 이러한 혜택을 누리고 있습니다. 각 장을 여는 미래 신문의 가상 뉴스를 통해 앞으로 화학이 우리 생활을 어떻게 변화시킬지 예상해볼 수 있습니다. 독자들이 화학과 가까워지고 화학을 이해하는 데 이 책이 도움이 되길 바랍니다.

2020년 6월

옮긴이 고문주

# 우리가 사용하는 것들

《멋지고 아름다운 화학세상》은 좀 더 나은 생활을 위하여 건강, 식품, 미용 분야에서 사용하는 제품들에 관한 책이다. 이러한 제품들에는 무엇이 들어있으며 그것들은 과연 안전할까? 그 화학물질들은 어떻게 작용하는가? 화려한 수상 경력의 과학 작가 엠슬리는 이러한 물음에 누구나 쉽게 이해할 수 있도록 답했다. 그리고 그는 우리에게 다음과 같은 질문을 남겼다. 그 제품들은 지속가능한 원천에서 비롯되는가? 더욱 나은 것을 개발할 수 있을까? 합성물이 아닌 천연물에서 추출할 수는 없을까?

피부병을 치료하는 새로운 약품, 햇빛을 전기로 바꾸는 물질, 새로운 세탁제, 유명한 작품을 원상태로 복구하는 새로운 방법과 같은 최신의 소식을 다루었으며, 더 많은 연구가 수행되면 실제로 일어날 수도 있는 가상의 뉴스로 각 장을 시작하였다. 그리고 상자글들을 통해 관련 주제를 깊이 생각해보도록 하였다.

# 감사의 글

각 분야의 전문가들이 이 책의 과학적 근거와 필자의 주안점을 검토해주었다. 그분들 모두에게 심심한 감사를 전한다. 그들의 이름과 근무처는 다음과 같다.

- 플라워 박사(Christopher Flower, Director-General, Cosmetic, Toiletry & Perfumery Association)
- 힐 박사(Howard Hill, Huntingdon Life Sciences)
- 럼블 박사(Garry Rumbles, Principal Research Scientist, National Renewable Energy Laboratory at Golden, Colorado)
- 요스트(Dave Yost)
- 글린-데이비스(Helen Glyn-Davies, Dietitian, Luton and Dunstable Hospital)
- 존스 교수(Tim Jones, Director, Centre for Electronic Materials and Devices of Imperial College London)
- 리프먼(Anthony Lipmann, Minor Metals Trade Association)
- 스틸(Fiona Steele)
- 베일리 박사(Alan Bailey, Analytical Services Centre, Forensic Science Service, London)
- 루이스(Dan Lewis, Research Director, Economic Research Council, Journalist and Broadcaster Specialising in Energy Issues)
- 피닉스(Alan Phenix, Getty Conservation Institute in California)
- 레이 박사 부부(Steve Ley and Rose Ley, Department of Chemistry, University of Cambridge)

● 모든 텔레비전 광고를 검열하는 영국 방송광고승인센터의 협조 덕분에, 6장에서 논의된 세탁제, 섬유유연제, 식기세척기 세제, 공기청정제에 대하여 잘 알게 되었고, 회사 담당자들에게 필자의 글에 대한 리뷰를 요청하였다. 익명을 원하여 언급은 하지 않았지만 그들에게도 감사드린다.

항상 그래왔던 것처럼, 아내 조안은 너무 전문적이라 이해하기 어려운 부분들을 독자의 입장에서 보완해주었다.

# 일러두기

## 식품 칼로리(열량)

인체의 에너지 필요량을 이야기할 때 흔히 사용하는 단위인 칼로리는 엄밀히 킬로칼로리를 의미한다. 1칼로리(cal)는 물 1그램의 온도를 $1^{\circ}C$ 올리는 양으로서 매우 작은 양이다. 1킬로칼로리(kcal)는 물 1킬로그램(= 1리터)의 온도를 $1^{\circ}C$ 올리는 양으로서 상당한 양이다. 사과 한 개가 40칼로리를 낸다는 말은 과학적으로는 옳지 않은 표현이지만 일상에서 큰 혼란을 야기하지 않는다. 이 책에서 사용하는 식품 칼로리라는 단위가 실제로는 킬로칼로리를 의미한다는 것을 기억하기 바란다.

## 유기적

이 말은 여러 의미를 가지지만 이 책에서는 화학적 의미로만 사용할 것이다. 따라서 유기분자나 유기용매는 탄소에 기반을 둔 물질을 나타낸다. 이러한 화학적 용도와 합성 화학물질을 포함하지 않는다는 의미의 대중적 용도를 혼동해서는 안 된다.

## 상표명

몇 가지 제품은 상표명으로 그대로 표기하였는데 상표명이 오히려 더 잘 알려졌기 때문이다. 필자는 상표명 소유자들의 권리를 인정한다. 책에서는 언급하는 제품명에는 다음과 같은 것들이 있다.

Acuvue, Actimel, Advance, Acuvue-1-day, Alopexil, Alphaderm, Avanti, Betnovate, Canesten, C-Film, Ciba Vision, Clearasil, Courtelle,

Dermovate, Durex, Duron, Enbrel, Encare, Exterol, Febreze, Fiber K, Finish, Focus-1-2-week, Gaio, Grecian 2000, Humira, Hyperol, Intercept, Lonolox, Lycra, Myocrisin, Naturalamb, Noxer, Nujol, Orlon, Perhydrit, PowerGlaz, Prexidil, Prexige, Propecia, Proscar, Regaine, Remicade, Ridaura, Rogaine, Rohypnol, Sensation, Sensodyne, Spandex, Vanish, Vaseline, Vioxx, Vistakon, Yakult.

### 화폐

환율은 시시각각 변하기 때문에 환산하지 않고 유로(€), 달러($), 파운드(£)를 그대로 수록하였다.

### 크고 작은 측정값들

여러 접두사를 활용해 1,000배 작은 양을 나타낸다. 그램의 1천분의 1은 밀리그램이고, 밀리그램의 1천분의 1은 마이크로그램이고, 마이크로그램의 1천분의 1은 나노그램이다. 따라서 마이크로그램은 100만분의 1그램이고, 나노그램은 10억분의 1그램이다.

더 커지는 경우에도 마찬가지이다. 그램의 1,000배는 킬로그램이고, 킬로그램의 1,000배는 메가그램이다. 그러나 메가그램 대신 흔히 톤이라는 단위를 사용한다. 더 큰 양에는 실제로 메가톤(= 100만 톤)과 기가톤(= 10억 톤)의 단위를 사용한다. 더 자세한 것은 용어집의 '무게 단위'를 참고하기 바란다.

### 화학명

화합물에 이름을 붙이는 데는 엄격한 규칙이 있지만 이것은 화학자가 아닌 사람에게는 별로 의미가 없다. 많은 물질에는 관용명이 있고 사람들은 흔히 이 관용명으로 알고 있으므로 이 책에서는 관용명을 택했다. 모든 사람에게 쉽게 이해되는 책을 쓰는 것을 목적으로 했기 때문이다. 화학에 관심 있는 독자들은 각주에서 화학식과 다른 명칭을 참고하기 바란다.*

## 미래 신문

필자가 인터넷을 검색한 바로는 '글로벌 타임스 뉴스'라는 신문은 존재하지 않는다. 그러나 가까운 미래에 개인이 접근하고 개인 단말기로 다운받을 수 있는 전 세계적 신문이 존재할 거라 생각한다. 화학의 진보로 실현될 수 있는 2025년 3월 21일(춘분)의 가상 뉴스로 각 장을 시작하였다. 한 개 이상의 미래 신문이 포함되는 장도 있다. 전 세계가 공통된 인간성을 발견하고 다함께 노력하길 바라는 마음으로 가상 뉴스에 등장하는 장소와 인물들을 다채롭게 설정하였다. 우리가 지금 그러하듯, 우리의 후손들도 지구의 모든 생명들을 위해 지속가능하고 평등한 미래를 위해 애쓰고 있을 거라 믿는다. 이러한 노력을 이어나가는 동안 가상 뉴스에서 언급되는 화학의 여러 혜택들도 성취해나가게 될 것이다.

## 용어집

본문 중 **고딕**으로 표시한 단어는 '용어집'에서 추가 정보를 확인할 수 있다. 용어집에서는 독자가 일정한 수준의 과학 지식을 가진 것을 전제하였다.

---

\* (역주) 우리말로 옮기면서 대한화학회에서 지정한 플루오린(플루오르, 불소), 타이타늄(티타늄, 티탄), 크로뮴(크롬), 저마늄(게르마늄), 브로민(브롬), 아이오딘(요오드) 등의 원소명을 사용하였으며, 자세한 사항은 대한화학회 홈페이지(http://new.kcsnet.or.kr/iupacname)를 참고하기 바란다.

# 서론: 올바른 화학

이 책은 화학 분야에서 생산되어 우리 생활에서 일상적으로 사용되는 제품들에 대하여 호기심을 가진 사람들을 위한 책이다. 이 책의 목표는 그것이 무엇이고 왜 그렇게 작용하는지를 설명하려는 것이다. 필자는 그들 중 몇 가지는 등장할 때 우려의 여지가 있었다는 것을 알고 있다. 따라서 오늘날 위험성 때문에 표적이 된 제품을 논의할 때도 찬성과 반대의 주장을 모두 제시하도록 할 것이다.

비록 그것이 불가능한 꿈일지라도 우리는 모두 굶주림, 질병, 가난이 없는 세상에서 살길 원한다. 역시 불가능하겠지만 우리는 모두 건강히 장수하고 안전하고 즐거운 삶을 살고자 한다. 마찬가지로 불가능한 꿈으로 여겨질지라도 우리는 모두 재생가능한 자원만을 이용하여 모든 필요를 충족하길 바란다. 화학 덕분에 수백만 명의 사람들이 혜택을 누려왔고 아직 그러한 혜택을 받지 못한 사람들에게도 기회가 주어져야 하는 것은 너무나 당연하다.

거의 매주 새로운 제품이 등장하거나 기존의 제품이 좀 더 나은 것으로 개선된다. 1만 가지 이상의 제품을 판매하고 있는 슈퍼마켓은 현대인에게 알라딘의 동굴과도 같은 곳이다. 그 많은 제품들 속에는 무엇이 들어 있을까? 성분표 속 이름들을 이해하지 못한다면 우리가 실제로 얻을 수 있는 정보는 전무하다시피 하다. 《멋지고 아름다운 화학세상》은 그 성분들이 무엇인지, 왜 포함되어야 하는지 살펴볼 것이다.

특히 사람들은 특정한 약품을 사용하여 건강이 더 나빠졌다는 소식을 접한다면 약품에 대해서도 거정하게 된다. 우리는 그런 뉴스 제목에 얼마만큼 걱정해야 할까? 10,000명 중 한 사람에게서 부작용이 일어났다면 우리는 같은 약품으로 도움을 받은 다른 9,999명의 이익을 부정해야 할까? 그러나 그 위험이 100분의 1 정도로 매우 크다면, 우리는 당연히 그런 약품 사용을 피하고 싶겠지만 수술을 받은 65명 중 1명만이 결과적으로 더 악화된다는 것도 간과해서는 안 된다.

때때로 우리는 화학물질에 대해 불안감을 주는 몇몇 보고서들을 읽으면서 과학과 추측을 구별하기 어렵다. 많은 사람들이 제물이 되는 위험한 상상을 하거나 작은 위험을 커다란 위협으로 받아들인다. 우리가 제한적이고 어쩌면 편견을 가진 정보만을 받는다면 어떻게 결정을 내릴 수 있을까? 필자는 미심쩍은 내용을 뒷받침하는 과학적 증거를 찾아보라고 충고하고 싶다. 과학적 실험의 시금석은 그 재현성이다. 다시 말해서 다른 실험실에서 다른 사람에 의해서 어떤 실험이 행해지거나 자료가 분석되더라도 같은 결론에 도달해야 한다는 것이다. 물론 완벽한 재현은 어렵고 약간의 편차가 허용되어야 할 것이며 조건이 정확하게 똑같은 것은 불가능하기 때문에 작은 실험 오차가 발생하는 것은 인정된다. 따라서 우리는 평균을 따르게 되며 정보의 신뢰성을 평가하기 위하여 과학자가 계산할 수 있을 정도의 불확실성도 존재한다는 것을 알아야 한다. 과학자들이 절대적으로 안전하다고 확신하는 무언가를 기다리는 사람들이 있겠지만 당연하게도 그러한 것은 없다.

우리는 경고의 방식으로 정보를 전하는 뉴스를 항상 경계해야 한다. 일부는 순전히 만들어진 뉴스이며 인체에서 부자연스러운 화학물질을 찾아내는 것이 그러한 예이다. 어떤 물질이 정치가나 연예인 같은 유명인에게서 발견된다면, 뉴스 소재가 되기도 한다. 화학물질이 아주 적은 양이라면 아무런 해를 끼치지 않을 수도 있지만 보도되는 내용은 다를 수도 있다. 그들은 심지어 10억분의 1 단위(ppt)까지 검출할 수도 있는데, 이 양은 3만 년 중의 1초에 해당할 정도로 적은 양이다. 우리 인체에는 매우 천연적이지만 우려할 만한 성분도 있다. 당신은 몸속 우라늄 원자가 1조에 이른다는 것을 알고 있는가? 이는 자료를 놀랄 만하게 제시하는 방법일 뿐이다. 평균적으로 수 마이크로그램의 우라늄이 신체에 존재한다는 사실에 근거한 이 자료는 실제로 그리 위협적인 것이 아니다. (1마이크로그램은 티끌 한 점에 해당하는 무게이다.) 이 우라늄은 우리가 먹는 식품으로부터 오며, 식품의 것은 우라늄이 완전히 천연적으로 존재하는 토양에서부터 온 것이다.

매일 사용하는 물건들의 편리함을 누리면서 자연친화적인 생활도 할 수 있을까? 필자는 이 책을 통해 두 가지가 서로 조화될 수 없는 것이 아니며 화학공업이 지속가능한 쪽으로 발전할 수 있고, 실제로 우리의 손주들이 우리가 즐기는 모든 놀라운 제품들을 즐기지 못할 이유가 없으며 다음 세기의 후손들도 그럴 수 있다는 것을 보여주고자 한다.

화학세상의 놀라움을 돌아보는 나의 여행에 함께 하는 여러분을 환영한다. 우리는 슈퍼마켓, 약국, 미용실, 화장품 가게, 에너지 발전소를 지나 마지막에는 미술관에 도착할 것이다. 가까운 미래에 화학으로 인해 실현될 수도 있는 가상 뉴스로 각 장을 시작하였고 관련 주제에 대해 깊이 생각해볼 수 있는 상자글들도 수록하였다.

화학물질에 대한 몇몇 오해들을 풀어나가는 동안 울퉁불퉁한 길을 달릴 때처럼 마음이 편치 않을 수 있으므로, 마음의 안전띠를 단단히 조이기 바란다.

앰프트힐에서<br>
지은이 존 엠슬리

# 멋진 모습 (1)

## 머리카락, 눈, 치아, 손톱

글로벌 타임스 뉴스, 2025년 3월 21일
## 치과의사 수 다시 감소

유럽의 등록된 치과의사 수는 5년째 감소하고 있으며 일부 지역에서는 치과 치료를 받기 위하여 50킬로미터나 가야 한다. 숫자 감소의 원인은 15년 전에 시판되기 시작한 러브스마일(LoveSmile)과 같은 새로운 치약의 성공이다. 이 제품은 치아를 하얗게 할 뿐 아니라 충치를 투과하는 나노입자를 함유하고 있기 때문에 치아 내부에서부터 충치를 치료하여 더는 치과에 가서 구멍을 뚫고 충진재를 채울 필요가 없어졌다.

로마치과대학의 주임교수는 다음과 같이 말한다. "현재 치과의 주된 업무는 교정 브레이스(brace)와 부러진 치아의 수선입니다. 제가 교수 생활 초기에는 학생들에게 충치를 치료하거나 보철하는 방법을 주로 가르쳤습니다. 그러나 오늘날에는 그런 치료를 거의 찾아 볼 수 없습니다. 심지어 치아 표백 같은 미백치료도 거의 필요하지 않습니다."

2010년부터 판매되기 시작한 현대 치약으로 인해 오늘날 유럽의 젊은이들은 훌륭한 치아를 가지고 있다. 그런 치약에는 보통의 세척제뿐 아니라 치아 상아질을 구성하는 천연 성분인 하이드록시아파타이트의 나노입자도 들어 있다. 나노입자 성분은 충치를 투과해 들어가서 치료를 한다. 러브스마일과 같은 제품은 미백제도 함유하고 있어서 얼룩을 방지하지만 초기 미백제와는 달리 치아 상아질을 얇게 만들지는 않는다.

3면: 충진재 제조업자들은 치약의 화학물질들이 노년층에서 골암을 유발할 수도 있다고 경고한다.

물론 러브스마일과 같은 제품은 존재하지 않으며 인터넷에서 검색해도 이러한 제품은 나타나지 않는다. 위의 뉴스에서는 과거에는 건강한 치아를 유지하려면 대부분의 사람들이 치과를 규칙적으로 방문해야 했던 것에 비해서 오늘날 태어난 아이들은 일생 동안 치과를 찾는 일이 드물어질 것이라고 한다. 뉴스에서 언급된 새로운 성분들은 이미 알려져 있다. 이 장의 후반부에서는 화학자들이 만들어낸 여러 제품들의 도움으로 우리의 외모가 멋지게 변하는 것을 살펴볼 것이다. 머리 염색제, 머리 복원제, 콘택트렌즈, 치아 미백제, 인조손톱이 그러한 제품이다. 많은 사람들이 가장 큰 자산으로 여기는 머리카락부터 시작해서 그것을 더 매력적으로 만들 방법도 찾아본다.

## 더 없는
## 영광

머리카락은 진한 검정에서부터 갈색, 다갈색을 거쳐 금발에 이르기까지 천연 색조가 다양하다. 이런 것은 두 가지 색소의 양에 따라 만들어진다. 색소는 멜라닌이라고 하는 약간 다른 두 가지 생물학적 **고분자**인데 한 가지는 검은 색의 유멜라닌이고 다른 것은 금색의 페오멜라닌이다. 검은색과 갈색 머리에서는 유멜라닌 입자가 더 많고 금발에서는 페오멜라닌 입자가 더 많다. 이러한 멜라닌 입자들은 머리카락이 성장하는 동안 들어가며 입자는 멜라닌 세포(melanocyte)라는 특수 세포에서 만들어진다. (이 세포들이 기능을 멈추면 머리카락은 무색이 된다.) 우리는 유전자에 의해서 생산되는 머리카락 색이 아닌 다른 색을 원하기도 하며 머리카락 색을 바꿀 방법을 찾는다. 이런 현상은 젊은이나 나이 든 사람 모두에게 유행이다. 많은 사람들이 모발전문가에게 조언을 구하고 전문가들은 그것을 할 수 있는 재료를 구하기 위해서 화학자를 찾게 된다. 우리는 직접 그런 화학물질들을 구입하여 머리카락 색을 바꿀 수도 있다.

전 세계 머리카락 염색 염료 시장이 연간 70억 달러를 넘는다는 것도 놀라운 일이 아니다. 시장은 매년 성장하고 있으며 그중 미국 시장이 약 4분의 1을 차지한다. 최초의 진정한 영구적 머리카락 염색약은 1907년에 프랑스무해머리카락염색약회사(French Harmless Hair Dye Company)를 설립한 프랑스 화학자 쉴러(Eugène Schueller)에 의해서 만들어졌다. 오늘날 이 회사는 로

레알(L'Oréal)로 바뀌었으며 지금도 전 세계 염색약 판매량의 3분의 1 이상을 생산하는 가장 큰 회사이다. 그 외의 회사로는 프록터앤갬블이 13%, 헨켈이 11%, 웰라가 9%, 호유가 6%를 차지하며 이보다 더 작은 회사들이 나머지 25%를 차지한다.

머리카락 염색약은 일시적, 반영구적, 영구적의 세 종류가 있다. 일시적인 것은 머리카락에서 쉽게 씻겨지며 반영구적인 것은 몇 번 씻는 동안 유지되지만 결국 연해지며 영구적인 것은 머리카락 축에 단단하게 고정되어서 머리카락이 자라야만 사라진다. 이런 염색약 종류의 차이는 그 화학에 있으며 영구적인 것이 화학적으로 가장 정교하다. 몇몇 사람은 이것에 대하여 걱정하기도 하지만 그 걱정은 곧 사라졌다. 아주 좋은 소식이다.

일시적 염색에 사용되는 염료는 린스, 젤, 무스, 스프레이 형태로 이용될 수 있다. 이것들은 머리카락 표면을 염료로 덮으며 대부분 머리를 감을 때 씻어진다. 우리가 파티나 휴일, 무대 공연 같은 특별한 이벤트를 위해 염료를 사용하다면 이렇게 씻겨나가길 원할 것이다. 전형적인 일시적 염색약은 FD&C* Blue No. 1 이라고 하는 **착색제**이다. 이것은 분자가 커서 머리카락에 침투하지 못하고 음전하를 띤 작용기가 세 개 있어 수용성이 강하여 물에 쉽게 씻긴다.

반영구적 염색약은 분자가 더 작아서 각피(cuticle)라고 하는 머리카락의 바깥층을 통과하여 외피에 머무를 수 있으며 다시 점차적으로 빠져 나와 씻긴다. 원하는 색조를 만들기 위해서는 일반적으로 염료의 조합이 필요하며 흔히 사용되는 착색제는 용어집에 수록하였다.

영구적 머리카락 염색약을 구성하는 화학물질들은 각피를 통과하여 들어간 후 서로 반응하여 빠져날 수 없는 훨씬 더 큰 분자를 형성한다. 이런 일이

---

* 미국의 연방식품의약품화장품법(Federal Food, Drug, and Cosmetic Act)의 약자이다.

일어나기 위해서 각질을 통과하려면 암모니아($NH_3$)의 도움이 필요하다. 암모니아로 pH를 약 10까지 높이면 각질 비늘이 열려 머리카락 축이 약간 부풀게 된다. 일단 머리카락 안으로 들어가면 분자들은 반응하고 마지막 헹굼 작용으로 비늘이 닫혔을 때 빠져나가기에는 너무 큰 분자를 형성한다. 두 가지 분리된 젤로 판매되는 영구적 머리카락 착색제는 사용하기 전에 혼합하여야 한다. 한 가지에는 과산화수소가 들어 있으며 이는 두 가지 역할을 한다. 한 가지는 천연 멜라닌을 표백하여 없애는 것이고 다른 한 가지는 PPD(파라페닐렌다이아민*)를 활성화하여 짝지음제라고 하는 두 번째 분자와 결합하여 염료를 형성하는 것이다. 실제로 머리카락 염료에는 한 가지 이상의 짝지음제가 들어 있다. 예를 들면 로레알의 염료인 '하바나'에는 세 가지 짝지음제가 들어 있으며** 함께 작용하여 연한 호박색이라고 하는 연한 고동색 색조를 만든다.

한때는 좋은 소식이었지만 이제는 나쁜 소식이 되어버린 것이 있다.

일반적으로 머리카락이 회색빛으로 변하는 남성들을 위한 또 다른 형태의 머리카락 착색제가 있는데 이것은 아세트산납에 기반을 둔 것이다. 이는 독성이 있지만 금속이 피부를 통해서 흡수되지 않기 때문에 안전하다고 여겨진다. 이 염료를 바르면 머리카락과 반응하여 검정 색소를 형성한다. 바를수록 머리카락이 점점 검어지는데 회색이 사라질 때까지 바른다. 이러한 방법은 로마시대까지 거슬러 올라간다. 당시에는 납으로 만든 빗을 식초에 담가서 사용했다. 식초의 아세트산이 납을 약간 녹이기 때문에 빗으면 머리카락에 약간 묻어나게 된다. 지난 200년 동안 선호된 방법은 아세트산납을 직접 머리카락에 두드려 바르는 것이었으며 그런 제품은 지금도 구할 수 있다. 그러나 이 방법은 납이 본질적으로 위험하다는 이유로 EU 내에서 곧 금지

---

*    1, 4-벤젠다이아민이라고도 한다.
**   4-아미노페놀, 4-아미노-2-하이드록시톨루엔, 3-아미노페놀의 3가지이다.

되었다.

더 신중하게 다루어야 할 내용은, 영구적 머리카락 염색약이 암을 유발할 수 있어서 이를 사용하는 사람을 사망하게 했다는 비난이다. PPD는 30년 이상 사용되어 온 염색약 성분이지만 몇몇 사람에게 알레르기 반응을 유도해 때때로 나쁜 평판이 있었다. 오늘날에는 이런 유형의 알레르기가 백만 명 중에서 세 명의 여성에게서 일어나며 그것이 드문 유전적 감수성 때문이란 것이 밝혀졌다. 오래 전에 100명 중 한 명의 여성이 PPD에 민감하다고 주장되었던 것은 약간 과장되었으며 순수한 PPD를 피부에 직접 바르고 플라스틱 조각을 덮어서 나온 결과였다. 그럼에도 불구하고 이런 염료에는 소비자들이 피부 알레르기 시험을 해야 한다는 경고가 붙어 있다. 흔히 귀 뒤의 피부에 작은 동전 크기 면적으로 염색약을 발라보라고 권한다. 그것이 마르면 두 번째로 염료를 바르고 48시간 놓아둔다. 그 후 어떤 식으로든 피부가 붉어지면 염색약을 사용해서는 안 된다.

2001년 5월에 영국 버밍엄에 살던 데비 여사(Narinder Devi)는 머리카락을 염색하기로 마음먹었지만 피부 시험을 생략하였고, 불행히도 그녀는 중증 과민성 쇼크로 사망했다. 이는 머리카락 염색약 사용에 따른 사망 사건의 희귀한 예로서 어떤 성분이 그것을 일으켰는지 전혀 밝혀지지 않았다. 이러한 치명적 결과는 좀처럼 생기지 않지만 다른 심각한 알레르기 반응의 경우가 계속 생기고 있다. 매우 드문 일이지만 일어나면 매체를 통해서 널리 공표된다. (희생자는 예외 없이 법정에서 해결된다.) 실제로 과민성 피부 시험을 한 여성들 중 약 2%는 약간 양성 반응을 경험할 것이고 머리카락 염색약 포장지에는 그런 경우 제품을 사용해서는 안 된다고 적혀 있다.

1970년대에 머리 착색제로 사용되는 여러 화학물질들을 실험동물에게 오랜 기간 다량으로 먹이면 암이 유발된다는 주장이 있었다. 세균에서 돌연변이를 유발한다는 다른 주장들도 있었다. 그 결과 의심되는 성분들은 제외되었다. PPD는 이런 시험에 전혀 포함되지 않았지만 EU는 심지어 PPD가 머리 착색제에 6% 이상 포함되어서는 안 된다는 제한치를 도입하였다. 시험에서 여성은 전형적인 머리카락 염색 기간 동안 약간의 PPD(기껏해야 36밀리그램)를 흡수하지만 어떤 경우든 이것은 재빨리 소변으로 배설되는 것으로 나타났다. PPD는 오랫동안 철저하게 시험되었지만 그럼에도 그 사용에 관해 퍼지고 있는 두려운 이야기들을 막지는 못하였다.

PPD는 미국의 거대 화학기업인 듀폰에서 대량으로 생산되며 주로 수지와 고분자의 제조에 사용된다. 머리카락 염색약에 들어가는 것은 절대적으로 순수하고 부작용을 일으킬 수 있는 부산물이 들어가지 않도록 특수한 공정으로 제조된다. 따라서 PPD에 노출되어 건강에 위협이 생긴다면 그것은 PPD 자체에 의한 것이지 다른 알려지지 않은 원인 때문이 아니라는 것을 의미한다. PPD에 대한 대용품은 TDS(황산 톨루엔-2,5-다이아민)이다. 이것은 피부에 덜 민감하지만 약간 더 붉은 기가 감도는 갈색 색조를 만든다.

머리카락 염료는 장기간 사용하면 암을 유발할 수도 있다고 생각하는 사람들로부터 수차례 공격당하였다. 2001년에 한 **역학**(疫學)보고서가 그것들을 방광암과 연관시켰으며 2004년에는 백혈병과 연관시켰다. 비슷하게 수행되었거나 때때로 더 훌륭히 수행된 연구들이 연관성을 찾아내지 못했음에도 불구하고 두 보고서는 모두 매체들의 흥미를 끌었으며 계속 인용되었다.

백혈병 공포는 급성백혈병에 걸린 769명의 성인과 백혈병에 걸리지 않은 623명의 성인을 비교한, 미국피부학회지(American Journal of Epidemiology)에 실린 논문으로 시작되었다. 비록 위험이 작기는 하지만 1980년대의 구형 영구적 염색약을 사용한 사람들의 백혈병 발병확률이 더 높다는 발견이 실려 있었다. (비영구적 염색약을 사용한 사람들은 위험이 더 높지 않았다.) 이 논문은 과거의 것에 대한 분석이었고 거기서 언급한 염료들은 20년 전 이미 사라진 것들이었지만 전 세계적 주목을 끌었다.

2000년에 서던캘리포니아대학 연구진이 로스앤젤레스에서 수행한 조사에서 방광암과의 연관성이 밝혀졌다. 이 병에 걸린 1541명을 병에 걸리지 않은 897명과 비교하였다. 이 병에 더 걸릴 위험이 높은 흡연자에 대한 보정을 하였으며 매달 영구적 머리카락 염색약을 사용한 사람, 특히 염색약을 15년 이상 계속 사용한 사람은 방광암에 대한 위험이 약간 더 높다는 것이 밝혀졌다. 미용사들은 더 위험이 높았다. 이 사실은 EU의 화장품과 비식료품 과학위원회(SCCNFP)에 보고되어 2002년 2월에 토의 서류가 발행되었다. 이어서 같은 해 12월에 제조업자들이 머리카락 염색약에 대한 모든 자료와 함께 암과 독성에 관한 안전성 평가연구를 2005년 7월까지 제출해야 한다는 권고가 뒤따랐다. 이 결과는 아직 발표되지 않았지만 승인된 머리카락 염색약 목록 형태로 2007년에 발표될 것이다.*

2004년에 레바논 시에 있는 다트머스의과대학 연구진은 미국 뉴햄프셔에서 459명의 방광암 환자에 관한 또 다른 역학 연구를 수행했다. 그들은 병을 앓지 않은 665명의 상대와 비교를 하였다. 이 연구에서는 비록 통계적으로 의미가 있을 정도는 아니었지만 머리카락 염색약을 사용하는 남자들이 방광암에 덜 걸리는 경향이 있고 여자의 경우에는 위험이 약간 더 높다는 것이 밝혀졌다. 미국 암학회에서 수행한 50만 명 이상의 여성을 상대로 한 조사에서는 염색약과 방광암 사이에 연관성이 전혀 없다는 것이 발견되었다.

예일공중보건대학원과과 이탈리아의 유럽종양학회, 캐나다의 맥길대학, 미국국립암연구소의 공동 연구로 수행된 코네티컷 주의 유방암 환자 608명과 병에 걸리지 않은 609명 여성에 대한 조사가 이루어졌다. 이 비중 있는 국제적 의학팀은 일시적이나 영구적 머리카락 염색약을 사용한 사람이 유방암 위

---

* (역주) 2006년 6월 20일 SCCP(소비자 제품에 관한 과학위원회)에서 채택된 SCCNFP 의견서에서는 제출된 정보가 충분하지 않아 안전한 사용에 대하여 평가할 수 없다고 발표되었다 (SCCP/0959/05).

험률이 높아진다는 증거를 전혀 발견하지 못하였으며 그 결과를 2002년 8월 유럽암잡지(European Journal of Cancer)에 발표하였다.

2003년에 세계적으로 유명한 스웨덴의 카롤린스카 연구소가 또 다른 연구를 수행하였는데 특히 위험에 가장 노출되었을 것으로 생각되는 스웨덴 미용사들에게서 모든 유형의 발암을 조사하였다. 여성 38,800명과 남성 6,800명의 건강기록을 40년 동안 거슬러서 검토한 결과 1960년대에는 암의 위험성이 더 높았지만 그 다음부터는 그렇지 않았으며 미용사들을 나머지 다른 사람들과 비교하였을 때 방광암 증가도 전혀 없었다.

그렇다면 이 모든 것에서 우리는 어떻게 결정해야 할까? 이런 모든 분석의 결론은 현대의 머리카락 염색약은 그것을 다루는 사람이나 머리카락에 염색한 사람에게 암에 대한 위험성을 전혀 나타내지 않은 것으로 보인다. 당신이 여전히 합성 화학염료의 안전성을 확신하지 못하면서도 머리카락을 염색하거나 색을 바꾸고 싶다면 천연 염료를 사용해야겠지만 그 방식의 제품 중 일부에도 역시 시험용 패치와 경고문이 들어 있을 것이다.

## ● '천연' 머리카락 염료

전통적 머리카락 염료 헤나(henna)는 쥐똥나무와 비슷한 관목(Lawsonia inermis)에서 추출된다. 이것은 인도, 파키스탄, 이집트에서 재배되며 로손(lawsone)이라는 화학물질을 만든다. 헤나는 염료 분자로 작용하며 화학명은 2-하이드록시-1,4-나프토퀴논이며 천연 주황색6호라고도 불린다. 만일 이것을 화학회사에서 생산한다면 오늘날의 엄격한 건강 및 안전 규정을 통과하지 못해 폐기될 것이다. 이것은 몇몇 사람에게서 알레르기와 천식을 일으킬 수 있다. 더욱이 착색제로서 예측 불가능한 결과를 나타낸다. 그것 때문에 소위 '그린' 제품 편을 들어서 운동을 하는 사람들이 헤나를 안전한 천연 염료로 옹호하는 것을 포기하지는 않았다. 헤나를 추천하는 사람들은 그것이 비듬을 방지하고 머릿니를 죽이고 백선을 치료하는 것 같은 다른 이점을 가지고 있다고 주장하지만 이런 주장들은 분명히 믿을 만하지 못하다.

수 세기 동안 사용되어 온 또 다른 '천연' 머리카락 염료에는 콩 과에 속하는 식물인 인디고풀(indigofera)에서 추출되는 인디고(화학명으로는 2-[1.3-다이하이드로-3-옥소-2H-인돌-2-일라이덴]-1,2-다이하이드로-3H-인돌-3-온)와 호두 껍데기에서 추출되는 파이로갈롤(화학명으로는 1,2,3-트라이하이드록시벤젠)이 있다. 파이로갈롤은 1992년에 EU에서 폐기되었다.

레몬즙, 사프란, 클로버, 차는 머리카락의 색이나 색조를 바꾸는 데 이용되는 식물 추출물들이지만 이것들은 약간 믿음직하지 못하며 전혀 효과가 없을 수도 있다.

## 대머리

멋진 스타일의 머리보다 눈길을 사로잡는 것은 거의 없을 것이며 이것은 남성과 여성 모두에게 공통이다. 그러나 여성의 머리카락은 생애 마지막까지 귀중한 자산으로 남아 있지만 많은 남성들은 30세 이후 머리카락이 빠지기 시작한다. 특히 여전히 젊고 멋지게 보이기를 원하지만 밝히고 싶지 않은 대머리 때문에 곧 탄로가 난다.

구약 성서의 선지자 엘리사 역시도 많은 남성들처럼 자신의 외모에 무척 민감했다. 그가 기원전 850년 경 벤엘로 여행할 때 대머리 때문에 어린 아이들에게 놀림을 받자 그 비판에 너무 화가 나서 그들을 저주했다. 그러자 갑자기 암곰 두 마리가 나와서 아이들 중 42명을 잔혹하게 죽였다. 성경에서는 그렇게 이야기하고 있다.*

저주도 기도도 대머리에 대한 대답은 아니지만 화학은 시간에 의한 파괴를 되돌릴 기회를 실제로 줄 수 있다. 보통의 머리에는 모낭이 10만 개가 있으며 거기에서 매일 0.37밀리미터의 속도로 머리카락이 자라고 있어서 일 년에 약 14센티미터가 자란다. 매일 약 50개의 머리카락이 빠지는데 이는 매우

---

* 열왕기하 2 : 23.

자연스러운 현상이며 모낭이 3년 정도 활동을 하다가 몇 주 동안 휴지기에 들어가기 때문에 생긴다. 오래된 머리카락이 빠지고 새로운 성장 단계가 시작되지만 새 머리카락은 예전 머리카락과 약간 다를 수 있다. 멜라닌이 부족해서 백색으로 보이거나 더 가늘어질 수 있는데 다음 휴지기를 지나고 나면 더 가늘어지는 것 같아지며 결국 전혀 보이지 않게 된다.

머리카락 세포는 모낭 아래 있는 모구(毛球)에서 분열하고 위쪽으로 이동하면서 **케라틴** 층을 침전시켜서 원통형 구조를 형성한다. 세포는 하루 한 번 분열하며 자연스러운 신체의 세포 중에서 빠른 편에 속한다. 이 때문에 항암 화학요법 치료의 영향을 받게 된다. 암세포는 머리카락 세포만큼 빠르게 분열하며 암세포가 분열하지 못하도록 하는 약품은 머리카락 세포가 작동하는 것도 중지시킨다. 세포들이 분열할 수 없게 되면 모낭이 휴지기에 들어간 것처럼 행동하여 있던 머리카락이 빠진다.

남성 대머리는 관자놀이와 머리 정수리에서 분명하게 나타나며 대부분 머리카락이 없어질 때까지 진행된다. 이런 탈모는 생활양식과는 거의 상관이 없지만 부분적으로는 인종과 관련이 있다. 백인 남성에서는 50%, 동양인 남성의 22%, 흑인 남성의 18%가 대머리를 가진다. 마찬가지로 중요한 것이 남성 호르몬인 테스토스테론 생산과 그것이 활성이 더 강한 다이하이드로 테스토스테론*으로 전환하는 것을 지배하는 남성의 유전자이다. 이 전환은 생식기와 머리카락 성장을 비롯한 남성 신체의 몇 가지 부분의 기능을 조절하는 5-α-환원효소에 의하여 이루어진다. 이 효소가 결국 활성인 모낭의 수를 감소시키는 원인이 되며 활성인 모낭들이 성장기에 있는 시간을 줄여주어 머리카락을 가늘게 만든다. 다이하이드로테스토스테론의 모순 중 한 가지는 그것이 머리에 있는 모발의 성장은 감소시키지만 뺨, 가슴, 서혜부의 모발 성장

---

* 이름이 나타내듯이 테스토스테론에 두 개의 수소가 결합된 것이다.

은 촉진한다는 점이다. 자연적으로 5-α-환원효소 수준이 낮은 남성은 나이가 들더라도 대머리가 되지 않으며 정상적인 사람보다 몸에 털이 훨씬 적다. 대머리는 남성의 부모로부터 유전되며 1980년대까지는 그 점에 대해서는 본인이 할 수 있는 일이 아무것도 없었다. 1980년대에 몇몇 대머리 남성의 머리가 다시 자라기 시작하였다는 이상한 일이 보고되었다.

역사의 어느 때라도 머리가 빠진 사람에게 값비싼 치료제를 팔아서 이익을 취하는 사람들이 있어왔지만 그중 한 가지도 제대로 작용하지 않았다. BC 400년경 히포크라테스는 비둘기 배설물, 서양 고추냉이, 쐐기풀로 만든 찜질약을 권장하였다. 오늘날 남성들은 두 가지 우연한 발견, 실제로는 매우 다른 병으로 인해 의사로부터 처방받은 두 가지 약품의 부작용으로부터 혜택을 받고 있다. 처방을 받은 남성들의 머리카락이 다시 나기 시작했다고 보고하였다. 이 제품들은 오늘날 광범위하게 사용되며 리게인(Regaine, 미국명은 로게인)과 프로페시아(Propecia)라는 이름으로 판매되고 있다.

프로페시아는 정액의 유체 부분을 생산하는 샘인 전립선의 비대증을 치료하기 위하여 설계된 피나스테리드(finasteride)에 대한 효과를 이용하는 머리카락 복원제이다. 전립선 비대증은 다이하이드로테스토스테론의 과잉 때문에 생기며 65세 이상의 남성에게서 흔히 나타나는 병이다. 피나스테리드는 머크 샤프 앤 돔(Merck Sharp & Dohme) 제약회사의 화학자들에 의해서 발명되었으며 그것을 만드는 과정은 1986년에 의학화학잡지(Journal of Medicinal Chemistry)에 발표되었다. 또 그 분자가 5-α-환원효소 자체에 결합하여 이 효소를 억제함으로써 다이히아드로테스토스테론의 수준이 낮아진다고 보고하였다. 거세한 남성은 전립선 비대증에 전혀 걸리지 않는다는 사실로부터 이 호르몬과 전립선 비대 사이의 연관은 100년 전부터 알려졌다. 전립선이 커짐에 따라서 방광에서 소변이 배출되는 요도를 압박하고 이 때문에 배뇨가 어려워지고 자주 소변을 누게 된다. 전립선에는 암이 생기기도 있는데 이 암은 특별히 치명적은 아니지만 문제를 더 악화시킨다.

피나스테리드 분자는 테스토스테론과 똑같은 분자 모양을 가지며 탄소 원자 자리에 질소 원자가 있지만 효소의 활성자리에 꼭 들어맞는다. 결과적으로 효소는 그 분자를 테스토스테론으로 생각하고 둘러싸지만 수행해야 할 변형 작용은 할 수 없다. 효소는 그것이 옳은 분자라고 생각하여 계속 붙잡고 있어서 결과적으로 정상적 기능을 전혀 수행할 수 없게 된다. 피나스테리드는 주로 생식기 지역의 5-α-환원효소에 작용하지만 두피에 있는 테스토스테론도 조절하여 다시 머리카락을 자라게 한다. 이 예상하지 못한 부작용 덕분에 피나스테리드는 프로스카(Proscar)와 프로페시아(Propecia)의 두 가지 상표명으로 사용되고 있다.

프로스카는 전립선 비대증 치료제로 처방되고 프로페시아는 대머리 치료제로 처방된다. 몇 년 안에 프로스카는 미국에서만 5억 달러의 수입을 올렸으며 프로페시아도 결국 같은 수입을 올리게 되었다. 프로스카 알약은 청색이며 사과 모양이다. 프로페시아 알약은 갈색이며 팔각형이며 용량은 1밀리그램이다. 피나스테리드를 복용하는 사람들에게는 효과를 보려면 3개월을 복용해야만 한다는 경고가 주어진다.

프로페시아는 머리카락 복원제로 효과가 있을까? 플라시보(僞藥)와 비교한 결과에 의한다면 답은 그렇다는 것이다. 위약을 복용한 7% 남성만이 재성장의 신호를 느꼈다고 말한 데 비해서 진짜 약을 복용한 66%의 남성이 새로운 머리카락에 대한 가시적 효과가 있다고 하였다. 남성 호르몬 억제가 성적 충동 저하 같은 다른 부작용이 있다고 예상되었으나 프로페시아를 복용한 남성의 2%만 그렇다고 보고하였다. 그럼에도 불구하고 수정된 난자가 남성일 경우 그것이 약간 여성적 성격을 가진 소년으로 발달할 수 있기 때문에 프로페시아를 복용한 남성은 임신이 되지 않도록 주의해야 한다. 물론 피나스테리드는 리게인(로게인) 같은 다른 머리카락 복원제와는 달리 남성에게만 사용되어야 한다.

리게인은 미녹시딜(minoxidil)의 상표명이다. 미녹시딜은 원래 고혈압을 낮추기 위하여 설계된 약품으로서 미국 업존(Upjohn) 사에서 생산하고 고혈압에 잘 듣는다. 피나스테리드처럼 사용자들은 머리에 머리카락이 재생되리라고는 전혀 기대하지 않았다. 미녹시딜은 1967년에 특허를 받았지만 대머리 치료를 위한 임상 시험은 1980년대까지도 수행되지 않았다. 이 약품은 수축된 혈관을 이완시켜주는 혈관 이완제로서 신체의 혈액 흐름을 쉽게 해준다. 하루에 5~50밀리그램을 처방하며 환자들은 일반적으로 낮은 용량부터 시작해서 점차로 복용량을 늘려간다.

처방약으로서 미녹시딜은 로니텐(Loniten)으로 알려져 있으며 하루에 두 번 알약으로 복용한다. 이것은 다른 혈압약이 환자의 고혈압을 조절하는 데 실패한 경우나 혈압이 급속하게 오를 때에 사용된다. 미녹시딜은 즉시 작용하여 한 시간 안에 혈압이 뚜렷하게 떨어진다. 한 가지 부작용은 체액 분비 정지이며 흔히 발목이 붓는 것으로 나타나기 때문에 신체의 소변 배설을 증가시키기 위하여 동시에 이뇨제도 처방된다. 미녹시딜을 몇 주 동안 복용하면 나타나는 다른 부작용은 얼굴 주변의 체모이다. 이 때문에 몇몇 여성은 고혈압에도 이 약을 복용하기를 꺼린다.

미녹시딜이 혈액에 들어가면 그것을 혈관 벽에 이완하라는 전령을 전달한다. 그것은 이런 일을 몇 단계로 수행하며 결국 통로를 열어서 칼륨 이온이 세포막을 통과하여 원하는 반응을 촉발하도록 한다. 이런 일이 분명히 모낭에서도 일어나며 혈액 공급을 증가시켜서 케라틴의 형성에 새로운 힘을 준다. 미녹시딜을 복용하는 사람들이 머리에서 머리카락이 왜 다시 자라기 시작하는지 이유는 잘 알려지지 않았지만 그런 일이 일어나며 업존 사는 이 약품을 여성용 2% 로션과 남성용 5% 로션으로 판매하고 있다.* 이것은 두피에 직접 사용하며 매일 사용해야 한다. 이것은 FDA가 모발 손실 치료제로 최초로 승인한 것으로서 1980년대에 승인되었다. 오늘날 알로펙실, 로놀록스, 프렉시딜 같은 몇 가지가 일반약품 형태로 판매되고 있으며 처방전 없이 살 수 있다. 그러나 리게인이 판매 시장의 선두를 달리고 있다.

리게인은 사용 남성의 80%가 경험하듯이 모발 손실을 막아줄 뿐 아니라 심지어 몇몇 경우에서는 머리카락의 재성장을 촉진하는 것으로 나타났다. 매일 두 번씩 머리에 바르면 석 달 안에 눈에 보이는 결과가 나타나기 시작한다. 그러나 일부 경우에는 기간이 두 배 정도 길게 걸리기도 하며 몇몇 경우에서는 전혀 효과가 없다. 가장 뚜렷한 부작용은 가려움증이지만 일주일 정도 지나면 가라앉는다. 1985년에 스코틀랜드의 글래스고 왕립병원은 18~50세의 자원자들에게 리게인을 시험했다. 절반에게는 리게인을 주고 절반에게는 위약을 주어서 대머리 두피에 바르게 했다. 처음에는 결과가 실망스러웠지만 리게인을 하루에 두 번 바르게 하자 효과가 나타났으며 이것은 오늘날 치료법으로 권장되었다.

기대에 약간 어긋나게도 리게인을 사용하기 시작한 사람들에게서 모발 손상이 더 심해지는 것으로 나타났다. 이것은 실제로 그것이 작용하고 있다는 신호이며 그들이 본 것은 휴면 중이던 모낭이 다시 활성화되어 오래된 머리카락이 교체 중인 것이다. 새로운 머리카락이 부드럽고 솜털 같다고 걱정하지 않아도 된다. 치료를 계속하면 머리카락은 점점 굵어지고 강해진다. 그러나 리게인 사용을 중단하면 몇 주 안에 효과가 멈추고 그 성과가 사라진다. 리게인이나 프로페시아나 모두 대머리의 영구적 치료제는 아니지만 최

---

* 미녹시딜은 백색 결정성 고체로서 녹는점은 248℃이고 물에 잘 녹지 않지만 프로펜 글라이콜에는 잘 녹아 이것을 로션에 첨가하고 있다.

소한 영구적 대머리가 된 남성들에게 더 젊은 모습을 간직할 수 있다는 약간의 희망을 준다.

## 이제 깨끗하게
## 볼 수 있어…

안경을 쓰는 사람이라면 안경 없는 하루를 한 번 쯤 생각해본 적 있을 것이다. 새로운 소재들이 연구되고 안경의 렌즈와 테가 발전하면서 좋지 않은 시력을 극복하는 것뿐만 아니라 햇빛과 바람, 먼지 등을 차단하는 것과 같은 특수한 목적에도 안경을 활용할 수 있게 되었다. 그러나 착용상의 불편함과 사용 환경에 따른 제약은 개선되고 있지만 여전히 남아있기 때문에 안경을 사용하기 어려운 경우가 있다. 오늘날에는 안경을 대신해 콘택트렌즈를 대안으로 고려해볼 수 있다.

콘택트렌즈는 다양한 종류가 있다. 소프트렌즈와 하드렌즈가 있다. 한 달 또는 그 이상 사용할 수 있는 렌즈도 있으며 하루 동안 사용하고 버리는 일회용 렌즈도 있다. 숨 쉬는 렌즈도 있으며 쌍초점 렌즈도 있다. 심지어 모든 물체를 흐릿하게 보이게 하는 수정체 이상인 난시를 교정하는 렌즈도 있다. 이 제품들은 노바티스, 시바 비전, 웨슬리 젠센 같은 화학회사의 오랜 연구의 결과물이다. 또 청색 안구를 더 청색으로 보이게 하는 컬러 렌즈도 있으며 주위보다 테니스공의 노란색을 강조하여 눈을 공에 집중하게 해주는 스포츠용 렌즈도 있다.

콘택트렌즈의 아이디어는 새로운 것이 아니다. 레오나르도 다빈치는 비록 제조는 전혀 하지 못하였지만 1508년에 이미 그것을 제안하였다. 1888년이 되어서야 독일 비스바덴의 뮐러(F. A. Muller) 박사가 유리로 그것을 만들었으며 눈꺼풀이 없는 자신의 환자에게 착용시켰다. 그 렌즈는 한쪽 눈의 시력을 보존시켜서 20년 동안 그것을 착용하였다고 한다. 같은 해에 취리히 안과의 프릭(Adolph Frick) 박사가 전체 안구를 덮도록 설계된 지름 1.4센티미터의 유리 콘택트렌즈를 6명의 환자에게 맞추어주었다. 그는 주형으로 사용하기 위하여 시체의 눈을 석고로 본을 떴으며 심지어 자신의 눈을 본뜨기까지 하였지만 완전히 들어맞게 할 수 없었기 때문에 성공을 거두지 못하였다. 그의 콘택트렌즈는 착용하기에는 너무나 고통스러웠다.

안구에 밀착되는 콘택트렌즈를 만들기 위한 다른 의사들의 노력에도 불구하고 다음 50년 동안 콘택트렌즈 기술에는 커다란 진보가 없었다. 마침내 콘택트렌즈가 1920년대에 독일 롬앤하스(Rohm & Haas)의 연구실에서 발견된 **PMMA**[폴리(메타크릴산 메틸)의 약자]라는 **고분자**로 콘택트렌즈를 만들 수 있게 되었다. 그들은 새로운 고분자를 플렉시글라스라고 불렀지만 그것을 제조하는 화학물질의 가격이 너무 비쌌기 때문에 호기심으로만 남아 있었다. 그런데 영국의 ICI에서 근무하던 화학자 크로퍼드(John Crawford)가 아세톤으로부터 메타크릴산 메틸을 값싸게 제조하는 방법을 발견하면서 변화가 일어나기 시작했으며 회사는 그것에 PMMA 퍼스펙스(PMMA Perspex)(미국에서는 루사이트라고 함)라는 이름을 붙였다. PMMA는 곧 이윤이 가장 많이 남는 고분자가 되었으며 조명 신호등, 병원 인큐베이터, 자동차 헤드라이트, 비행기 창문 같은 모든 종류의 물건에 적합했다.* 그것은 콘택트렌즈에도 이상적이었다.

콘택트렌즈는 어떤 특징을 가져야 할까? 그것은 유리처럼 투명하고 눈 각막 모양에 완전히 맞아야 하고 착용하기 편해야 한다. 눈에 감염을 일으킬 수 있는 미생물이 자라서도 안 되며 바꾸지 않고서도 여러 날 착용할 수 있어야

---

* 제2차 세계대전 중 스핏파이어 전투기는 퍼스펙스 창을 장착했다. 비행기의 퍼스펙스 창이 깨져서 부상을 당한 비행사들의 생체 조직은 이 플라스틱과 반응을 하지 않았기 때문에 의사들은 신체 안에 퍼스펙스 조각이 남아 있는 것을 발견할 수 있었다.

한다. 눈의 각막은 산소 공급이 꼭 필요하기 때문에 산소 투과를 막아서는 안 된다. 일회용이라면 값이 비싸도 안 된다. 이런 모든 장점을 가진 플라스틱을 만드는 일이 고분자 화학자들 덕분에 거의 이루어졌다. PMMA가 전진을 위한 첫 번째 중요한 단계였다. 이것은 굴절률이 유리와 비슷하다. 다시 말해서 이것은 광선을 모으고 초점을 맞출 수 있어서 좋은 렌즈가 될 수 있다. 이것은 주조로 모양을 만들 수 있고 또 세균이 번식하기도 어렵다.

미국인인 웨슬리(Newton Wesley)는 1944년에 PMMA로 콘택트렌즈를 만들기 시작하였으며 이를 스스로가 이용하였다. 그는 눈이 붓는 것 때문에 고생하였지만 일리노이 주 시카고의 먼로안과대학 교수였기 때문에 콘택트렌즈에 대한 연구를 올바른 방향으로 진행할 수 있었다. 웨슬리는 똑똑한 대학원생 예센(George Jessen)과 연구팀을 만들어 자신이 살던 하숙집의 지하실에서 작업을 하였다. 그들은 루사이트 조각을 가공하는 선반으로 재봉틀을 이용하였다. 그의 PMMA 콘택트렌즈는 눈 전체를 덮도록 만들어졌으며 성공을 거두었다.

1949년에 웨슬리와 예센은 렌즈를 제작하는 기능공들에게 제작법을 가르치고 안과 의사들에게 맞춤으로 조정하는 법을 가르치기 시작하였다. 1955년에 이미 그들의 회사인 웨슬리–예센은 성공을 거두었으며 일 년에 광고비로 50만 달러를 지출하였다. 그들은 장기적 연구에 착수하여서 350명의 렌즈 사용자들을 규칙적으로 조사하였다. 그러는 동안 연구를 하던 투오히(Kevin Tuohy)는 더 간단한 아이디어를 내놓았다. 그것은 각막만 덮는 콘택트렌즈였으며 그는 1960년 6월에 그것으로 특허를 얻었다. 투오히의 렌즈는 더 잘 맞았고 착용하기에 더 편리하였고 무엇보다도 예측한 것과는 달리 그것은 한곳에 자리를 잡고 안구 주위를 돌아다니지 않았다.

PMMA로 만든 콘택트렌즈는 오늘날 역사로만 남게 되었다. 그 이유는 그것이 각막의 산소를 고갈시키기 때문이다. 각막은 혈관이 없어서 공기와 직접 접촉하여야만 산소를 얻을 수 있으며 산소가 부족하면 결국 손상을 입는다. PMMA를 대치한 것은 **기체 투과성 고분자**였는데, 이 투명한 플라스틱은 1950년대 초반에 체코슬로바키아의 프라하에서 발견되었다. 고분자 화학자인 뷔흐털레(Otto Wichterle)와 림(Drahoslav Lim)은 고분자 사슬에 친수성 원자단을 결합시켜서 PMMA를 변형시켰다. 이 새로운 재료를 **HEMA**(메타크릴산 하이드록시에틸메틸의 약자)라고 하는데 이것은 원래 인공혈관으로 이용하려고 개발된 고분자였지만 뷔흐털레는 시험관 바닥에 굳어 있는 것을 청소하면서 그것이 콘택트렌즈와 비슷하게 생겼다는 것을 발견하였다. 그는 우연하게 최초로 소프트 콘택트렌즈를 만든 것이었다. HEMA를 하이드로젤이라고도 하는데 이것은 물을 끌어당겨서 고분자 구조 안에 붙잡는 재료라는 것을 의미한다.

HEMA는 PMMA보다 부드러워 조금 더 유리하기는 하지만 여전히 각막으로 많은 산소를 투과하게 해주지는 못하였다. 그럼에도, 바슈롬(Bausch & Lomb)이 소프렌즈(Soflens)라는 이름으로 판매한 렌즈들이 1971년에 시장에 등장하여 큰 성공을 거두었다. 단점은 세균들이 기생할 수 있어서 매일 밤 **과산화수소**로 청소해야 하고 일주일에 한 번은 파파인(파인애플에서 추출)이나 판크레아틴(돼지에서 얻음) 효소 용액으로 지방과 단백질을 제거해야 하는 점이었다. 지방과 단백질은 눈의 윤활제와 보호제 역할을 하는 눈물에서 렌즈 표면으로 침전된 것으로서 미생물이 성장할 수 있게 해준다.

고분자 화학자들은 일정한 양의 다른 고분자 선구 물질을 추가한 혼합물을 중합한 **공중합체**라는 구조를 만들어서 HEMA를 변형시켰다. 모든 적당한 특징이 얻어질 때까지 공중합체의 비율을 변화시켰는데 특히 표면에 음전하를 가지면 콘택트렌즈가 눈 표면의 눈물막에 달라붙을 수 있었다. 오늘날 콘택트렌즈 착용자들은 개선된 하이드로젤 유형을 선택할 수 있는데 이것들은 예전 형보다 더 좋아지기는 하였지만 여전히 눈에 산소를 전달하는 데 물을 이용하였다. 몇몇은 75%까지 수분을 함유하는데 장기간 렌즈를 착용하려면 이 비율이 높여야만 하였다.

소프트렌즈를 '숨 쉬게' 만드는 문제는 결국 PMMA 중합체에 실리콘기를 결합시켜서 해결되었다. 실리콘은 산소를 매우 잘 녹이지만 실리콘을 너무 많이 첨가하면 렌즈가 소수성(물에 반발함)이 된다. 실리콘은 방수 재료를 만드는 데 흔히 사용되기 때문에 이것을 어느 정도 예상할 수 있다. 이 새로운 렌즈는 1974년에 특허를 받았으며 1979년에 시판되었다. 그것을 경질 기체 투과성 렌즈라고 한다. 장기간 눈에 손상을 주지 않는 대신 예전 HEMA 렌즈보다 부드러움과 편안함이 줄어들었다. 그 렌즈들은 착용하기 편하게 하려면 각 개인에게 맞춤으로 만들어져야 한다. 실리콘이 도입된 더 부드러운 하이드로젤 콘택트렌즈를 1998년부터 이용할 수 있게 되었으며 즉시 인기를 끌어서 5년 안에 판매액이 1억 5천만 달러를 넘었다. 문제는 그것들이 때때로 안구에 부착되는 것이었는데 렌즈가 각막에서 흡수한 지질 분자가 접착제로 작용하기 때문이었다.

존슨앤존슨과 노바티스 같은 회사의 화학자들은 어떻게 서로 조화되지 않을 것으로 보이는 고분자를 조합하여 거의 불가능해 보이는 기능을 만들어냈을까? HEMA는 물을 끌어당기지만 산소를 잘 흡수하지 않고, 실리콘은 물에 반발하지만 어느 정도 산소를 흡수한다. 처음에 실리콘과 하이드로젤의 조합에서 불투명한 재료만 생겼지만 그것은 빛의 파장보다 더 작은 나노 크기의 성분들을 집어넣어 투명하게 보이도록 하여서 해결되었다. 오늘날 수분 함량이 25~45%에 이르는 여러 가지 실리콘-하이드로젤 재료가 시판되고 있으며 모두 훌륭한 산소 흡수와 전달 능력을 가지고 있다.[*] 몇몇 콘

---

[*] 세인트루이스에 있는 워싱턴의과대학의 라비(Nathan Ravi)는 눈 안에 주입하여 거기에서 병에 걸리거나 노화된 수정체를 대신하여 새로운 수정체를 형성할 수 있는 하이드로젤을 개발하였다. 이 연구는 아직 초기 단계에 있다.

택트렌즈는 산소를 흡수하는 데 특히 우수한 화학물질인 플루오로에터를 함유하고 있다.

실리콘-하이드로젤 콘택트렌즈는 착용하고 잠을 잘 수도 있지만 몇 가지 단점도 있다. 단점 중 하나는 딱딱하다는 점인데, 비록 아큐브 어드밴스(Acuvue Advance) 같은 것은 약간 딱딱하지만, 딱딱할수록 렌즈를 다루기가 더 쉽기 때문에 딱딱함이 꼭 문제가 될 필요는 없다. 또 다른 업체인 존슨 앤존슨은 실리콘의 양을 감소시켜서 딱딱함을 최소화시켰으며 표면에 PVP[(폴리)바이닐 피롤리돈의 약자] 층을 '젖음제'로 입혔다. 이 PVP층은 소프트렌즈의 단점 중 한 가지인 눈을 건조시키는 것을 극복하려고 첨가되었다. 절반가량의 사용자가 이런 불편을 신고했으며 그들 중 많은 사람이 계속 착용하는 것을 중단한 원인이 되었다. 건조함을 극복하는 또 다른 방법은 렌즈를 기체 플라스마에 노출해서 표면에 실리콘으로 생성된 영구적인 규소산(실리콘산) 박막층을 만드는 것이다. 생성되는 규소산은 지질을 끌어당기지 않으며 젖음성도 향상시킨다.

이뿐만 아니라 아큐브 어드밴스는 **자외선**(UV)을 막아준다. 이것은 UVA를 90% 이상, 눈에 더 해로운 UVB를 99% 걸러준다. (이 렌즈가 일부 작업자들이 눈에 들어오는 자외선을 막으려고 착용하는 보호용 고글을 대체할 수는 없다.) 아큐브-1-데이 같은 몇몇 일회용 렌즈는 매일 교환해야 하는 것이며 시바 비전이 생산하는 포커시-2-위크 같은 것은 좀 더 오래 간다.

콘택트렌즈는 매일 세척해야 하기 때문에 착용을 미루는 사람도 있지만 일부 제품은 안전하게 일주일 동안 눈에 계속 착용할 수도 있다. 삼 개월까지도 눈에 계속 착용되는 몇몇 실험용도 있었다. 러복에 있는 텍사스공과대학 건강과학센터의 레이드(Ted Reid)는 렌즈를 분자 하나 두께 정도로 얇게 셀레늄 화합물로 코팅한다면 이것이 가능하다는 것을 알았다. 그 코팅은 렌즈에 스스로 화학적으로 결합하며 시험 결과 2년까지도 제자리에 그대로 있을 수 있다는 것도 알았다. 그러나 이 렌즈의 시중 판매는 FDA에 의해서 아직 승인이 되지 않았다.

## 빛나는
## 미소

머리카락과 콘택트렌즈로 신경 써서 단장했지만 변색된 치아로 미소 짓는 바람에, 꿈에 그리던 이상형과의 만남을 망친 적이 있는가? 그렇다면 다음의 내용이 당신을 도울 수 있다.

치아가 보기 흉하든지 아니든지 당신은 이 시대에 태어난 것을 다행으로 여겨야 할 것이다. 훨씬 더 예전 세대들은 치아를 깨끗하게 보존하기 위해 훨씬 더 어려운 시절을 보냈다. 4,000년 전 이집트에도 치과의사가 있었지만 미라에서 볼 수 있듯이 옛날에는 치과 치료의 도움을 받은 사람은 거의 없었다. 비록 그들이 썩은 이를 뽑아낸 것 이외에는 거의 할 일이 없었지만 때때로 이를 뽑은 자리를 금으로 메우고 상아로 만든 의치를 부착하기도 하였다. 그들의 기술은 에트루리아와 로마 같은 후세 문명에까지 전수되었으며 거기에서 더 정밀한 기술이 발전하였다.

기원전 6세기 에트루리아 치과의사들은 이를 뽑은 자리에 뼈나 상아로 만든 인공치아를 붙이려고 금 연결법을 최초로 사용하였다. 이것은 보기에도 좋았을 뿐 아니라 음식을 씹을 수 있을 정도로 튼튼하였을 것이다. 중세 (500~1000) 암흑시대에 서구에서는 치과의술이 쇠퇴하였으며 1600년 이후 여러 나라의 농장에서 값싼 설탕이 수입되기 시작하면서 생긴 충치와 치통이 중요한 문제가 될 때까지 실제로 발전하지 못하였다. 설탕은 세균에 의해서 산으로 바뀌고 이 산이 치아의 상아질에 구멍을 내고 그 구멍에 더 많은 세균이 서식하게 된다.

치과의사들은 많은 사람의 썩고 아픈 이를 뽑는 치료 이외에 거의 할 일이 없었지만 마침내 구멍을 메울 의치를 만들기 시작하였다. 심지어 몇몇은 이런 목적으로 사람의 이를 사용하였으며 1781년에 런던 제라드가의 한 의사는 진짜 이를 한 개에 2파운드에 사겠다고 제시하였다. 이 금액은 오늘날 약 700달러에 해당하는 매우 좋은 조건이었다. (시체발굴자들이 갓 매장한 시체에서 그런 이를 뽑았다. 발굴자들은 발굴한 시체를 외과의사들에게 해부 강의용으로 팔았다.) 다른 치과의사들은 도자기로 의치를 만들었다. 이것은 1774년에 도입되었지만 부서지기 쉽고 씹을 때 듣기 좋지 않은 삐걱거리는 소리가 났다. 대서양 건너에 있던 조지 워싱턴은 하마 상아에 말과 당나귀의 이를 심어 놓은 틀니한 벌을 가지고 있었다.

사람 치아의 가장 큰 공급원은 대형 전투 뒤에 시체를 노략질하는 약탈자들이었다. 1815년 6월 18일에 일어난 워털루 전투는 특히 풍부한 사냥터였다. 약 5만 명의 사상자로부터 이를 뽑았는데 사망한 젊은이들은 비교적 더 좋은 상태의 이를 가졌을 것이다. 수천 개의 이가 뽑히고 다음에 치과의사들이 이것을 이용하였다. 그것으로 만들어진 틀니를 워털루 틀니라고 하였으며 사람들은 그것을 착용하는 것을 자랑으로 여겼다. 일부는 미국으로 수출되기도 하였다. 1850년대에는 크림전쟁에서, 1860년대에는 미국남북전쟁에서 이가 공급이 되었으며 그 이후 1837년에 런던에서 발명된 더 강한 형태의 도자기로 만든 틀니가 유행하게 되었다.

옛날부터 인간은 치아를 깨끗하게 보존하고자 하였다. BC 4세기까지 거슬러 올라가면 히포크라테스는 대리석 가루로 이를 닦으라고 제안했다. 대리석 가루는 탄산칼슘으로서 실제로 아직도 치약의 온화한 연마제로 사용되고 있다.

칫솔은 1498년에 중국에서 발명되었으며 1600년대에 유럽에 알려지게 되었다. 버니경(Sir Ralph Verney)이 파리를 방문하는 동안 다른 사람들이 칫솔

구입을 부탁한 편지에서 알 수 있듯이 그 당시 파리에서는 칫솔이 유행하고 있었다. 그 시절에는 치약가루를 사용하였다. 더 편리한 초기 치약이 분필 가루, 비누, 설탕시럽으로 만들어졌다. 처음에 치약은 용기에 담아서 판매되었으며 그 후 미국의 화가인 란드(John Rand)가 1841년에 유성물감을 담기 위하여 발명한 접을 수 있는 통에 담아서 판매되었다.

현대 치약은 몇 가지 성분으로 구성되어 있다. 세척제는 아마도 분말 인산칼슘(투명한 젤 형태 치약은 실리카)이며, 거품을 내는 것은 라우릴황산나트륨*일 것이다. 이온화한 계면활성제는 칫솔질 하는 동안 입에서 치약의 분산을 돕기 위하여 첨가되는데 치석을 용해하고 제거된 찌꺼기가 다시 치아에 달라붙지 못하게 한다. 치약은 몇몇 사람에게서는 혀에 있는 쓴맛 수용체를 자극해 양치질 후 바로 오렌지 주스 같은 것을 마시면 매우 쓰게 느끼는 이상한 부작용을 나타낼 수도 있다. 또 다른 중요한 성분은 치약에 수분을 보존시키는 습윤제이며 이것은 함량의 3분의 1을 차지한다. 이런 목적으로 가장 흔히 사용되는 것은 글리세롤이나 PEG(폴리에틸렌 글리콜의 약자)이다. 중요한 치약에 들어 있는 소량 성분은 다음과 같다.

- 사카린 같은 인공감미료나 소비톨 같은 천연 감미료
- 카복시메틸셀룰로스나 알긴산나트륨(해초에서 추출하는 탄수화물) 같은 농후제
- 세균이 성장하는 것을 막아주는 벤조산나트륨
- 충치로부터 이를 강화시켜주는 플루오린화 이온
- 페퍼민트 같은 향수나 동록유(冬綠油)

양치질을 규칙적으로 하는 것은 치아에서 세균을 제거하고 희게 보이게

---

* 이것에 대해서는 3장에서 더 상세하게 다룬다.

하기 위해서이다. 그러나 변색을 느리게 진행시킬 뿐 양치질만으로 모든 것을 해결할 순 없다.

치아는 두께 2밀리미터 정도의 투명한 바깥쪽 법랑층을 가지고 있으며 그 안쪽의 흰색 상아질이 신경이 자리 잡고 있는 제일 안쪽 치수를 감싸고 있다. 법랑질과 상아질은 모두 인산칼슘으로서 인산칼슘은 여러 가지 형태로 존재할 수 있으며 법랑층은 하이드록시아파타이트 형태로서 이것은 천연으로 존재하는 매우 단단한 무기질 중 한 가지이다. 이것이 플루오린화 이온에 노출되면 더 단단한 무기질인 플루오로아파타이트를 형성한다. 불행하게도 플루오로아파타이트와 하이드록시아파타이트는 모두 다공성이며 이 때문에 이가 커피, 차, 적포도주, 월귤, 블루베리, 담배 연기에 들어 있는 폴리페놀이나 다른 진한 색을 지닌 물질에 의해서 착색이 된다. (특히 이가 성장 중인 어린이의 경우 섭취한 테트라사이클린 항생제에 의해서도 착색이 일어날 수 있다. 이런 유형의 착색은 영구적이며 이런 이유 때문에 그런 항생제는 어른에게만 처방된다.)

착색에 대한 해결책은 치아 미백제를 사용하여 색을 탈색하는 것이다. 이렇게 하는 초기 방법에는 산화제이며 그런 색을 없앨 수 있는 질산을 이용했지만 이것은 법랑질까지 제거하였다. 오늘날 치아 미백제는 **과산화수소**를 이용하며 판매액은 미국에서만 일 년에 15억 달러를 넘는다. 다른 나라들에서도 텔레비전과 영화에 나오는 젊은 스타들에 의해 대중화되어서 반짝이는 하얀 이에 대한 유행이 일어나고 있다. 치과의사들은 35% 과산화수소를 함유한 연고를 이용하여 매우 빠르게 표백할 수 있으며 때로는 레이저를 함께 이용하여 한 시간 안에 얼룩을 없앤다. (레이저가 이 과정을 가속시킨다고 여겨지지만 이에 대한 필요성은 의문이다.) 처치하는 동안 연고를 몇 차례 바르고 씻어내는 것을 반복하는데 이 정도 농도의 과산화수소는 조심스럽게 다루지 않으면 구강 점막에 손상을 입힐 수 있기 때문에 치과의사에 의해서 행해져야 한다. 치과의사들은 집에서 사용할 수 있는 치료제도 제공한다. 의사들은 치아

틀을 만들어 과산화수소 젤 조각을 넣은 후 이것을 치아에 붙이게 한다. 이런 '야간용'은 취침 중에도 사용할 수 있으며 이러한 방법으로 미백 효과를 볼 수 있다.

치아를 표백하는 데 더 값싼 방법을 원하는 사람을 위하여 물과 반응하여 과산화수소를 방출하는 화학물질을 함유한 제품들도 있다. 이런 화학물질은 과산화**요소**\*라고도 하는 과산화카바마이드로서 몇 가지 일반의약품 미백제의 성분이다. 과산화카바마이드는 요소와 과산화수소로부터 만들어진다. 요소는 신체 대사의 정상적인 산물이며 우리가 불필요한 질소 물질을 소변을 통해서 배출하는 방법 중 한 가지이기 때문에 매우 안전하다. 심지어 초기에 의사들은 요소의 이뇨 효과 때문에 이것을 처방하기도 하였다. 즉 신장을 자극하여 체내의 과도한 수분의 제거를 촉진하고자 하였다.

과산화카바마이드가 물과 접촉하면 과산화수소가 발생하며 이 과산화수소는 실제로 대부분은 작용하기 전에 효소에 의해서 분해되지만 분해되지 않은 것이 작용하기 시작한다. 이 때문에 일반의약품으로 팔리는 미백제를 사용하여 충분한 효과를 얻으려면 여러 번 사용해야 한다. 가장 편리한 치아 표백 방법은 과산화물 젤이 들어 있는 폴리에틸렌 조각을 치아에 30분 정도 붙여두는 것이다. 이 과정을 매일 반복하면 몇 주 후에 치아가 훨씬 희게 된다.

치아 미백을 하려는 사람은 그것이 법랑질을 약화시킨다는 것을 알아야 한다. 이 사실은 미니애폴리스의 기기제조회사인 히시트론의 디킨슨(Michelle Dickinson)에 의해서 2005년 11월에 미국 보스턴에서 열린 미국 재료연구학회에서 보고되었다. 이 회사는 법랑질과 상아질 경계를 가로지르는 치아의 세기를 측정할 수 있는 장치의 일부를 개발하였다.

디킨슨은 뽑아낸 치아에서 일반의약품 미백제에 함유된 과산화 카바마이

---

\*  이것은 엑스테롤, 하이퍼롤, 퍼하이드리트 등의 상표명을 가지고 있다.

드 용액과 훨씬 더 강력한 치과의사가 사용하는 연고의 효과를 조사하였다. 그녀는 이를 한 시간씩 일곱 번 각 종류의 미백제에 담가 조사한 결과 카바마이드 용액은 이의 세기를 22% 감소시키며 치과 연고는 82%나 감소시킨다는 것을 알았다. 그 결과 치아는 뜨거운 것과 차가운 것에 민감해질 것이다. 이 발견은 더 확인되어야 하겠지만 치아 미백을 너무 자주해서는 안 된다는 경고일 수 있다.

치아에 수지나 도자기판을 씌워서 즉시 반짝이는 효과를 볼 수 있는 방법도 있다. 그러나 도자기제가 플라스틱제보다 가격이 두 배 정도 더 비싸다. 시간이 지나면 여기에도 얼룩이 생긴다.

그렇다면 우리는 미래에 어떤 것을 기대할 수 있을까? 원칙적으로는 우리는 얼룩에 비투과성인 치아 법랑질을 만들려고 시도할 것이다. 곧 이용할 수 있는 한 가지 제품은 칼슘과 인산을 함유한 씹는 껌인데 침 속에 이런 성분을 증가시켜서 이가 동공을 수선하는 데 도움을 준다. 이를 수선하는 것도 침의 역할 중 하나이다. 그러나 치아를 강화시키는 가장 좋은 것은 여전히 플루오르화 이온이다. 치아가 자연적으로 약간의 플루오린화 이온을 함유한다는 것이 200년 전 이상부터 알려져 왔으며 지금까지 이 원소가 플루오로아파타이트를 형성하는 것이 알려졌다.

플루오로아파타이트는 구강 세균이 형성하는 산의 효과에 저항성을 나타내서 법랑질을 강화시킨다. 또 플루오린화 이온은 세균이 번식하는 것을 막는다. 이런 이유 때문에 치약과 수돗물에 플루오린화 이온을 첨가한다. 우리는 식사를 통해 하루에 약 3밀리그램의 플루오린화 이온을 제공받는데 닭, 정어리, 고등어, 연어, 달걀, 감자 같은 플루오린화 이온이 포함된 식품을 얼마나 많이 섭취하느냐, 차를 얼마나 많이 마시느냐에 달려 있다. 차 한 잔에는 0.4밀리그램이 들어 있다. 해수는 1리터에 1밀리그램을 함유하고 있어, 천일염을 양념으로 사용하면 식품에는 플루오린화 이온이 더 많이 포함된다.

프록터앤갬블 사는 최초로 플루오린화 치약인 크레스트를 1955년에 개발하였으며 제품에는 법랑질에 효과가 더 큰 플루오린화 주석($SnF_2$)이 함유되어 있다. 1940년대에 인디애나대학의 멀러(Joseph Muhler)는 플루오린화 주석이 가장 잘 효과적인 형태라는 연구 결과를 발표하였다. 그러나 그 후 더 효과적인 모노플루오로인산나트륨($Na_2PO_3F$)으로 대치되었다.

## ● 침의 화학

보통 입에서는 하루에 약 0.5리터의 침이 분비된다. 이것은 입안을 부드럽게 하고 소화를 도울 뿐 아니라 칼슘 이온(침 1리터당 120밀리그램)과 인산(침 1리터당 14,000밀리그램) 같은 이에 도움이 되는 성분도 함유하고 있다. 침의 pH는 6.8로서 중성이며 이것은 치아 법랑질로 하여금 칼슘과 인산을 재흡수하여 스스로 수선하는 데 이상적인 pH이다. pH가 5.5 이하로 떨어지면 역과정이 일어나서 이에서 이런 성분들이 빠져나간다.

또 침 때문에 300가지 이상의 세균 수백만 마리가 입안에서 생장할 수 있다. 이것은 놀랍게 들리지만 그들 대부분은 해가 없으며 일부는 입을 보호하기 때문에 너무 걱정할 필요는 없다. 1683년에 이미 레벤호크(Anthony van Leeuwenhoek)는 자신이 발명한 현미경으로 최초로 치아의 세균을 발견하고 그것을 다음과 같이 설명하였다.

"… 앞의 물질(치석)에는 많은 작은 소동물이 있다. 사람 입의 치석에는 한 국가에 살고 있는 국민보다 더 많은 동물이 살고 있다. 특히 이를 전혀 닦지 않은 사람에서는 그것으로부터 같이 대화를 나누기 어려울 정도로 악취가 나며 …"

300년 전에 그러했던 것처럼 구강 위생은 여전히 문제가 되고 있다. 해결 방법은 치아와 잇몸을 칫솔로 잘 닦고 헹구는 것이며 껌을 씹어서 침의 분비를 촉진시키는 것이다.

또 다른 보호 원소는 스트론튬이다. 보통의 센소다인 치약은 10%의 염화스트론튬을 함유하고 있으며 이것은 특히 잇몸 주위의 법랑질을 형성하는 데 도움이 된다. 나이가 들어 잇몸이 늘어지면 상아질이 노출되어 치아가 양치질, 열, 차가움, 산에 매우 민감해질 수 있다. 상아질에는 많은 작은 관들이 있어서 그 안에 온도나 압력에 따라 변하며 치아 신경에 신호를 전달하여 강한 통증을 유발하는 유체가 들어 있다. 스트론튬은 이것을 막는 데 도움을 준다.

치약에는 하이드록시아파타이트 나노입자*라는 다른 성분도 있을 수 있다. 이것은 치아의 법랑질과 같은 성분이지만 입자들이 충분히 작아서 구멍에 들어가서 그것을 봉할 수 있으며 또 다행스럽게도 흰색이다. 대형화학기업 BASF의 뇌렌베르크(Ralf Nörenberg)는 새로운 형태의 인산칼슘을 2003년에 보고하였다. 최근에 도쿄의 FAP 구강연구소의 야마기시(Kazue Yamagishi)가 이끄는 다른 연구진이 같은 나노입자에 기반을 둔 합성 법랑질을 개발하였다. 그들은 이것을 과산화수소와 함께 치아에 바르면 상아세관 안에 새로운 결정이 자라기 시작하며 15분 안에 이 새로운 결정은 천연 치아 법랑질과 결합한다. 언젠가 하이드록시아파타이트 나노입자에 기반을 둔 치약이 나타날 것이다.

## 손톱

처음 만나는 사람들은 서로를 몰래 살펴보기 시작한다. 패션, 얼굴, 머리, 치아를 속속들이 알아보는데 우리는 이미 이것 중 몇몇을 더 좋게 보이는 방법을 설명하였다. 상대방의 손과 손톱의 상태를 보고서 사람을 판단할 수도 있다. 깨끗하고 잘 다듬어진 손톱은 자기 확신과 조심스러운 주의력을 암시한다. 잘 안보이기는 하지만 손톱의 상태를 보고 그 사람을 평가할 수 있다. 긴 손톱을 가진 남자는 약간 이상하거나 아마도 파트너가 없다고 여겨지며 손톱을 깨무는 사람은 신경질적이고 스트레스를 받은 것으로 보이며 더러운 손톱

---

\* 100만 개의 나노 입자 크기는 약 1밀리미터가 된다.

은 단정치 못하고 개인위생이 부족하다는 것을 알 수 있다. 남성들은 규칙적으로 손톱을 자르고 깨끗하게 유지하는 것 이외에는 손톱에 거의 신경을 쓰지 않는다. 반면에 여성들은 손톱을 작은 예술 형태로 인식하고 있다.

많은 여성들은 단지 단정한 모양을 가지고 매니큐어를 잘 칠한 손톱을 원하며 대부분은 겸손한 색조를 사용하여 손톱에 칠을 한다. 반면에 화려한 색의 매니큐어로 칠하거나 심지어 정교한 디자인을 한 무늬로 칠해진 인조손톱을 붙인 손톱을 과시하기를 즐기는 사람도 있다. 매체에 출연하거나 유명한 스포츠맨들의 아내는 특히 손톱을 매혹적인 액세서리로 장식하기를 좋아한다. 영국과 미국의 전역에는 네일 살롱이나 손톱 미용실이 있으며 요즘은 손톱전문가라고 불리기를 원하는 매니큐어 미용사들에 의해서 운영되고 있다. 심지어 필자가 살고 있는 구도심에도 두 군데의 네일 살롱이 있다. 그 고객은 자신들의 필요성을 충족시켜주는 화학자들의 수고를 깨닫지 못할 수도 있지만 많은 연구자들이 손톱 매니큐어와 인조손톱을 연구하고 있다.

손톱 매니큐어는 손톱에 빠르게 달라붙고 벗겨지지 않는 광범위한 색과 재질을 제공해야 한다. 또 방수여야 하지만 손톱, 피부, 환경에 해를 주지 않는 위험하지 않은 용매로 쉽게 벗겨져야 한다. 이런 모든 조건이 색, 고분자, 소성제, 용매의 혼합물과 맞아야 한다. 손톱 매니큐어는 색소나 염료 이외에 광택을 위한 나이트로셀룰로스, 건조되었을 때 벗겨지지 않도록 매니큐어를 유연하게 해주는 스테아르산 뷰틸 소성제를 함유한다. 톨루엔 설폰아마이드 폼알데하이드(TSF)는 강하고 내구력이 있기 때문에 최종적인 얇은 막의 강도를 증가시키기 위해서 첨가될 수도 있다.

나이트로셀룰로스를 포함하지 않는 손톱 매니큐어도 몇 가지 있는데 나이트로셀룰로스는 매우 가연성이 높고 대량으로 취급시 폭발성이 있기 때문에 제조업사들은 이것 대신에 메타크릴산 고분자를 사용한다. 손톱 매니큐어의 여러 성분들은 아세톤, 톨루엔, 아이소프로판올, 아세트산 펜틸 같이 매니큐어가 쉽게 발라지며 쉽게 건조되도록 설계된 용매 혼합물과 섞이게 된다. 아이소프로판올은 반짝이는 입자들을 매니큐어 용액에 녹이는 데 특수하게 이용된다. 손톱 매니큐어를 바르기 전에 표피를 제거하는 것이 필요하며 그런 용도로 이용하는 용액은 12% 글리세롤과 88% 물의 혼합용매에 수산화칼륨(KOH)을 녹인 것이다. 시간이 지나면 사용자들은 오래된 손톱 매니큐어를 제거하기를 원하게 되는데 이때는 아세톤이나 아세트산에틸 같은 용매로 그것을 벗겨내는 일이 필요하다. 여기에는 소량의 글리세롤과 라놀린도 함유되는데 이것들은 손톱과 주위 피부에 습기를 제공하고 천연 기름기를 보충해 준다.

인조손톱을 위한 고분자는 1970년대에 최초로 등장하였다. 그전에는 도자기제가 있었지만 부서지기 쉬웠다. 새로운 고분자 손톱은 훨씬 더 좋았으며 가위로 다듬을 수도 있고 줄로 부드럽게 모양을 잡을 수도 있었다. 인조손톱은 손톱 문화에서 기술적 측면이 더 강한 분야이다. 이것은 여러 가지 플라스틱으로 만들어지지만 흔히 폴리아크릴산 또는 공중합체인 ABS[폴리(아크릴로나이트라일-뷰타다이엔-스타이렌)의 약자]를 이용하는데 이것은 단단함과 유연성이 천연 손톱과 매우 비슷하다.

이상적으로 인조손톱은 진짜 손톱의 약 절반을 덮어야 하며 이것을 붙이기 전에 붙일 진짜 손톱의 표면을 약간 거칠게 해야 한다. 손톱을 얼마나 늘릴 것인가는 고객에게 달렸지만 천연 손톱이 자랄수록 그 길이는 길어질 것이다. 이 때문에 인조손톱을 자를 수 있고 다듬을 수 있어야 한다. 인조손톱은 진짜 손톱에 송진(로진) 같은 접착제로 붙일 수 있다.

송진은 수액을 증류하여 휘발성 기름을 제거하고 남은 끈적거리는 물질이다. 다른 방법으로는 인조손톱을 사이아노아크릴산메틸(흔히 순간접착제라고 함)로 붙일 수 있다. 이것은 공기 중의 수분과 접촉하기 전까지는 안정하며 수분과 접촉하면 중합을 시작하여 양 표면을 영구적으로 붙여주는 단단한 수지를 만드는 화학물질이다. 이 접착제는 10초 이내에 작용한다. 같은 성능을 나타내는 것에 사이아노아크릴산과 사이아노아크릴산뷰틸이 있다. 순간 접착제의 증기는 호흡하면 좋지 않으며 공기 중에 2 ppm 이상 존재하면 강한 자극성 때문에 휘발성이 약한 에틸형을 가끔 사용한다. 그러나 사이아노아크릴산에틸이 더 유리한 접착이기는 해도 어떤 사람은 그 접착 반응에서 천연 손톱이 부식되거나 손가락에 습진이 발병하기도 한다. 세 가지 그런 경우가 1998년 아칸서스대학의 의과학과에서 밝혀졌다. 미국국립직업안전건강연구소(NIOSH)는 손톱전문가를 위한 지침서를 발행하였다. 중요한 규정은 그들이 사용하는 화학물질에서 나오는 모든 증기를 배출할 수 있는 특수한 공기 배출 장치가 된 탁자에 앉아야 된다는 것이었다.

안전한 인조손톱을 사용하면서 그것이 진짜 손톱과 만나는 곳에서 만드는 흔적을 감추려면 다음 작업은 두 부분을 눈에 띄지 않게 합쳐주는 얇은 막으로 전체를 덮는 것이다. 이를 위해서 손톱 위에 바르면 공기 중의 산소를 흡수하여 굳어지는 분말 메타크릴산 고분자로 된 연고를 바른다. 때때로 그 과정을 가속시키기 위하여 소량의 과산화 벤조일이 첨가될 수도 있으며 자외선에 노출시켜서 경화시킬 수도 있는데 보통의 가시광선에서도 굳어지는 몇몇 필름도 있다. 손톱 뿌리에서부터 끝까지 원하는 부드러움이 나올 때까지 젤을 몇 겹으로 바른다. 마지막으로 손톱에 칠을 하고 장식을 하고 때로는 작은 다이아몬드로 놀랄 만큼 아름다운 효과를 내기도 한다.

물론 그런 손톱이 자라서 손가락에서 멀어져 가고 결국은 제거해야 하는 것을 막을 방법은 없다. 제거용 용매는 아세토나이트라일*이다. 이것은 피부를 통해서 흡수될 수 있기 때문에 조심스럽게 다루어야 하며 이 때문에 손톱 살롱에서만 사용된다.

---

\* 화학식은 $CH_3CN$이다.

물론 인조손톱을 사용하는 데 위험도 있다. 몇 년 전에 인조손톱이 가연성이 커서 위험하다는 걱정이 화학교육잡지(Journal of Chemical Education)의 논문에 실려서 미국 화학자들의 주목을 끌었다. 젊은 화학자가 플라스틱 인조손톱을 부착하고서 온도가 500℃ 정도 되는 분젠버너 같은 노출된 불꽃을 사용하면 심각한 위험이 생길 수도 있다. 그 논문은 인조손톱이 1초 안에 점화될 수 있다고 보고하였다. 인조손톱은 온도가 훨씬 더 낮은 생일 케이크의 불꽃에라도 접촉되면 몇 초 안에 역시 점화가 된다. 일단 점화가 되면 그것은 말리기 시작하고 플라스틱이 녹은 액체 방울이 떨어진다. 흔히 자연스럽게 하게 되는 것처럼 불붙은 손톱을 흔들면 더 악화된다. 결과적으로 화학실험실에서는 그런 인조손톱을 부착해서는 안 된다는 것을 깨닫게 된다. 분명히 가스레인지 앞에서 요리를 하거나 성냥을 켜는 것 같이 이런 손톱을 착용해서는 안 되는 다른 상황들도 있으며 손톱전문가들은 분명히 그런 사고로 고생한 고객들의 이야기를 들었을 것이다.

세균은 불보다도 더 큰 위협이 된다. 손에 있는 미생물의 80%가 천연 손톱이나 그 밑의 티끌에 살고 있다. 거기에 살고 있는 세균, 효모, 진균류 중 일부는 위험할 수 있다. 인조손톱은 특히 건강을 보살피는 노동자나 간호사들이 착용한다면 더 위험할 수 있다. 더 많은 세균이 살 뿐 아니라 고무장갑에 구멍을 낼 수도 있다. 이런 이유 때문에 미국에서 간호사, 의사, 치료사 같은 의료전문가들이 인조손톱을 착용하는 것은 불법이 되었다. 2000년에 미국 질병통제센터에서 발행된 지침서에 의하면 이런 부류의 직업을 가진 사람들은 항상 손톱을 손가락보다 짧게 자르고 잘 다듬어야 한다.

실제로 그런 사람들의 인조손톱 때문에 병이 발생한 경우가 있었다. 2004년에 미국에서 간호사의 인조손톱에서 나온 세균이 원인이 되어 중환자보호실에 있던 조산아들 중에서 폐렴간균(*Klebsiella pneumoniae*)에 의한 폐렴이 발병하였다. 그 몇 년 전에는 뉴욕의 한 병원에서 녹농균(*Pseudomonas aeru-*

*ginosa*)이 신생아 몇 명의 생명을 위협하였으며 추적 결과 같은 이유 때문이었다. 캐나다에서는 척수수술을 받은 환자 세 명에서 척추 추간판에 칸디다균(*Candida*) 감염이 발생하였는데 이것도 인조손톱을 착용한 수술실 기술자 때문이라고 밝혀졌다. 오클라호마 시티의 한 중환자실에서 16명의 환자가 인조손톱을 한 두 명의 간호사에서 전달된 녹농균에 의한 병에 걸리게 되었다. 다행히 그런 발병은 요즘은 매우 드물게 되었다.

매니큐어를 바른 손톱과 인조손톱은 사람들을 기쁘게 하는 무해한 치장이며 걱정할 필요도 없다. 그로 인한 즐거움이 화학 덕분이라는 사실을 모든 사람들이 알지는 못하더라도, 누군가에게는 화학이 우리 삶에 끼치는 긍정적 영향을 깨닫는 계기가 될 수도 있을 것이다. 슬프게도 많은 사람들은 아직도 '화학물질'을 위험한 것으로 생각하고 불필요한 걱정을 한다. 다음 주제는 건강에 대한 위협이 무시할 만하다는 것을 확실하게 보여줄 것이다.

### ● 천연 재료가 화학적으로 가공된 재료보다 과연 좋을까?

흔히 화장품 포장지에 내용물이 '유기', '순수', '천연'이라고 적혀 있으며 이런 것이나 이와 유사한 말들은 그 생성물이 합성 성분으로 만든 것보다 더 좋다는 것을 암시한다. 천연 재료는 품질관리를 받지 않으며 흔히 불순하지만 화학공장에서 나오는 것은 품질 관리를 받으며 순수하다는 단순한 이유 때문이라면 진실을 이야기하기가 어렵다.

몇몇 천연 불순물은 알레르기 반응의 원인이 되며 이것은 효소의 경우도 마찬가지이다. 효소는 생물체가 세포에서 필수적 화학반응을 수행하기 위하여 생산하는 거대분자이다. 개인의 면역계가 친숙하지 않은 효소를 위협으로 인식하고 공격한다면 그 결과 가려움증, 두드러기, 염증, 콧물, 두통이 생기고 더 악화될 수도 있다. 머리카락 염색약에 사용된 PPD처럼 합성 화학물질도 알레르기원이 될 수 있지만 그런 알레르기는 매우 드물다.

천연 생성물에서 오는 또 다른 위협은 미생물이다. 물, 기름, 탄수화물, 무기질, 단백질 같은 화장품의 성분들은 세균이 번식하기에 이상적 환경을 만든다. 순수한 천연 미용 제품을 구입한 사람들은 그것이 상했다는 것을 나타내는 불쾌한 냄새가 나서 적잖이 피해를 입고 있다. 심지어 그런 천연 제품도 오늘날에는 항균제를 함유하고 있으며 항균제가 제대로 작용한다는 것이 증명되어야 하기 때문에 일반적으로 합성 화학물질이 사용된다. 세균을 죽이는 데 흔히 사용되며 가장 효과적인 것은 파라벤류이다. 이것은 천연적으로 존재하는 과일산을 변형한 간단한 분자들*이다. 그럼에도 그것이 기대에 어긋나게 화학공장에서 생산되어 나온 제품이라는 것을 의미하는 화학물질이라는 이유 때문에 반대하는 사람들도 있다.

실제로 자연은 화학자보다 훨씬 더 다양한 화학물질을 만들며 그중에는 치료 효과를 가진 것도 있지만 자연이 마음을 먹고 그렇게 설계한 것은 아니다. 전통치료법은 식물이나 해양추출물에 근거를 두고 있으며 정확하게 같은 분자를 실험실에서 만들려는 것이 제약산업에 종사하는 화학자의 도전거리가 된다. 그것이 정말로 이롭고 해로운 부작용이 없다면 대량으로 그 재료를 생산할 방법을 찾아낸다. 시험 결과 천연 화학물질이 해로운 부작용을 보인다면 활성 부분은 그대로 유지하면서 위험한 부분을 제거하거나 훨씬 더 안전한 부분으로 대치하여서 분자를 변화시킬 수도 있다.

대부분 화장품의 내용물 목록을 조사하면 나열된 화합물 이름에 당황하게 되지만 이 모든 것이 순도 기준에 일치하게 제조되었으며 사용에 안전하다고 시험되었다는 것을 확신할 수 있다. '천연 재료'라고 표시된 화장품을 사더라도 이것이 어떤 이점을 제공하리라고 상상하지 않는 것이 좋다. 또 그것이 '화학물질이 없기' 때문에 당신이 보호를 받는다고 어리석게 생각하지 않기를 바란다. 결코 그렇지 않다.

---

*   이것은 파라-벤조산이고 더 정확히는 4-하이드록시벤조산이다. 딸기와 포도에 존재한다.

Chapter

**2**

# 멋진 모습 (2)

의학적 발전

글로벌 타임스 뉴스, 2025년 3월 21일

## 논란으로 얼룩진 미즈 월드

생방송으로 진행되었던 미즈 월드 미인 경연대회에서 우승자 하이디 후사인(미즈 독일)이 여드름 방지 크림 악스아크네 용기를 갑자기 카메라에 내밀어 소동을 일으켰다. 전 세계에서 30억 명 이상이 시청하고 있는 방송에서 특정 제품을 노출한 그녀의 행동은 그 광고 효과가 5백만 유로에 이를 것으로 추산된다. 한 비평가가 '부정한 공공 스턴트'라고 칭한 이번 사건에 대해서 하이디 후사인이나 주관사에게 대가성 로비가 있었는지 귀추가 주목되고 있다.

악스아크네의 제조업체 브라질컴은 경연이 진행되는 동안 여드름으로 고생했던 후사인이 악스아크네 덕분에 여드름 치료에 성공한 이야기를 후사인의 대리인을 통해 전달받았다고 밝혔다.

브라질컴의 대변인 트레이시 슈미트 박사는 "우리는 이 제품에서 문제점을 찾아내지 못했다. 수백만의 사람들이 영구적인 흉터를 남기는 여드름 때문에 고생하고 있지만 10년 전 브라질리아 피부연구소에서 발견한 감마−하이드록시−펜탄산 클로로에스터 덕분에 그러한 일은 이제 과거의 일이 될 것이다."라고 발표하며 후사인이 앞으로 참석할 여러 행사들을 후원할 예정이라고 전했다.

2면: 하이디 후사인의 여드름 치료 전후 사진.
3면: 성형외과학회, 악스아크네로 인한 피부암 가능성 경고.

앞 장에서 우리는 사람들의 외모를 더 매력적으로 보이게 하는 것을 돕는 화학에 대해 살펴보았지만, 증상이 훨씬 심각할 경우 화장품으로는 거의 소용이 없을 수도 있다. 이 장의 첫 주제는 피부질환이다. 피부병은 생명을 위협하지는 않지만, 평생 자존감을 잃게 할 수도 있다. 환자들은 "왜 하필 나란 말인가?"라고 생각한다. 심지어 몇몇 사람은 은둔을 하기도 하고 몇몇 사람은 더 나가서 생명을 버리기도 한다. 그들을 고독의 섬에서 구출하는 데 화학이 어떤 일을 할 수 있을까?

이 장의 뒷부분에서 우리는 노령의 통증으로 고생하는 사람들에 줄 수 있는 위안을 살펴보고자 한다. 우리는 탄수화물이 식품의 성분일 뿐 아니라 우리를 보호하는 역할도 한다는 것을 알게 될 것이다. 현대 마취의사들이 사용하는 분자들을 살펴보고 가장 안전한 치료법인 동종요법에 대하여 논의한다. 그것이 정말로 치료를 할 수 있을까? 당신을 놀라게 할 답이 될 수 있다.

## 여드름,
## 습진, 건선

얼굴에 나타나는 피부병처럼 사람의 자존감을 약화시키는 것은 없다. 여드름은 젊은이들이 사회적으로 가장 예민한 시기에 치명타를 줄 수 있으며 다른 피부병도 귀찮은 일인 것은 마찬가지이다. 습진은 심한 가려움증을 일으키고 흉터를 남기고 잠을 이룰 수 없게 한다. 건선은 보통 눈에 잘 띄지는 않으나 드러나는 신체 부위일 경우에는 부정적인 영향을 미치거나 개인의 활동을 제약하기도 한다. 서구 사회에서는 드물지만, 피부 일부가 완전히 백색으로 되는 백반증의 경우, 특히 인도에서는 백반증 환자의 삶의 질을 크게 저하시킨다. 백반증은 3,400년 전에 저술된 성스러운 힌두 경전 《아타르바 베다》에 언급되어 있으며 흔히 '백색 나병'이라고도 한다. 이것은 흔히 바바치 식물* 즙으로 치료하는데 그 당시의 의사들도 환자들이 그 식물 즙을 피부의 백색 반점에 바르고 나서 햇빛 아래 앉아 있으면 효과가 있다는 것을 알고 있었다. 오늘날에는 바바치 같은 식물이 생산하는 천연 화학물질인 메톡살렌(methoxsalen)이 이용된다.

피부는 단순히 신체를 보호하는 덮개 역할을 하는 것이 아니라 크고 복잡

---

\*   미나리과 왜방풍속 식물(bishop's flower, bishop's weed)의 즙도 효과가 있다.
    (역주) 바바치 (bavachee)는 남아프리카 원산의 콩과식물(Psoralea corylifolia)이다.

한 기관이다. 실제로 그것은 인체에서 가장 큰 기관이며 면적이 2제곱미터가 넘는다. 눈꺼풀처럼 얇은 부분도 있고 발바닥처럼 두꺼운 부분도 있다. 피부는 안쪽에서는 계속 성장하고 바깥쪽은 지속적으로 없어진다. 우리는 매일 약 2그램의 죽은 피부를 때로서 벗겨내고 있다. 피부의 맨 바깥층을 표피라고 하는데 그 바로 아래에 진피가 있다. 표피는 위쪽의 방수층이자 신체 방어의 첫 번째 전선으로, 더 아래층(기저층)에서는 새로운 피부세포가 형성된다. 이 기저층은 백혈구를 필요로 하는 과정인 상처 치료와도 맞물려 있으며 성장인자라고 하는 세포 분열을 촉진하는 화학물질을 가지고 있다. 멜라닌세포도 있으며 진한 색의 화학물질인 멜라닌을 형성하여 자외선에 의한 신체의 손상을 막아준다. 더 아래쪽의 진피에는 강하고 유연한 섬유상 단백질인 콜라겐이라는 추가적 보호 장치가 있다. 또 진피에는 열, 추위, 떨림, 압력, 고통을 감지하는 감각기도 있다.

3장에서 설명할 것처럼 피부에는 땀샘과 아포크린 땀샘도 있으며 지방 분비물인 피지를 분비하고 모낭과 밀접한 피지샘도 있다. 피지가 공기 중의 산소에 의해서 산화되면 검게 변해서 겉이 검은 여드름이 된다. 이런 외관 손상은 비교적 무해하며 쉽게 다룰 수 있다. 그러나 여드름, 습진과 건선은 훨씬 더 심각하고 피부의 구조와 관련되어 있다. 여드름은 주로 모낭과 피지샘에 영향을 준다. 습진은 피부층을 들뜨게 하여 염증과 가려움을 유발하는 면역병이다. 건선은 비정상적인 세포분열이다. 이 세 가지 피부병이 원인은 각각 다르지만 치료하는 데 사용되는 약품은 같다.

모든 피부병에 대한 전통적 치료법은 일종의 완화용 고약과 라놀린을 문지르는 것이다. 라놀린은 양모를 방수로 해주는 화학물질로서 흔히 피부 자체의 천연 오일을 대치하거나 보충하는 데 사용되어서 약간의 완화 작용을 한다. 더 나은 치료법은 1800년대 가스 조명의 도입 결과로서 간접적으로 등장하였다. 석탄을 가열하여 가스를 만드는 공장에서는 콜타르를 비롯한 여러 화학물질이 다량으로 생산되었다. 실제로 피부병 치료에 이익이 되는 약품에는 콜타르가 포함되어 있었다. 실제로 콜타르 추출물은 아직도 건선을 억제하기 위하여 사용된다. 또 다른 건선 치료법은 1876년에 스콰이어(Balmanno Squire) 박사가 고안한, 브라질 아라로바(araroba) 나무에서 추출한 고아(goa) 가루였다. 나중에 화학분석을 한 결과 활성 성분은 콜타르의 성분인 안트라센*이라는 화학물질의 유도체였다.

1930년대에 부신 같은 신체 기관에 의해서 생산되는 화학물질인 호르몬의 연구로 피부병 치료의 중요한 진보가 이루어졌다. 연구들에 의하면 그런 화학물질들은 피부에 중대한 효과를 나타내며 그런 연구에 바탕을 둔 스테로이드 약품은 여전히 여드름과 습진 치료에 사용되고 있다. 1980년대에 비타민 D와 관련된 화학물질이 피부병을 억제하는 데 도움이 된다는 것이 밝혀졌으며 약품인 칼시포트라이올, 칼시트라이올, 타칼시톨이 도입되었다. 1990년대에는 세 가지 병에 걸렸을 때 피부에서 어떤 일이 일어나는지 더 잘 알 수 있게 되었기 때문에 연구는 억제에서 치료로 옮겨갔다. 2000년대에도 연구가 계속되어 현재는 수십 가지의 새로운 약품이 여러 **약품 시험** 단계에서 개발되고 있는데, 운이 좋다면 몇 년 이내에 의사들은 그 약품 일부를 처방할 수 있을 것이다.

## 여드름

여드름은 가장 흔한 피부병으로서 주로 10대들에게 영향을 끼치며 정도의 차이는 있으나 대부분의 사람들은 사춘기에 여드름을 경험한다. 이것은 뾰루지, 노란색 여드름, 화농이 나타나고 심지어 낭포도 생기며 심한 경우에는 일생 흉터가 생기기도 한다. 여드름은 일반적으로 20세 정도가 되면 없어지지만 200명 중 한 명은 성인이 되어서도 지속되며 악화될 수도 있다.

---

* 세 개의 벤젠 고리가 접합된 것으로서 화학식은 $C_{14}H_{10}$이다.

여드름은 피부의 변화로 발생하는데, 가장 주요한 이유는 사춘기에 성호르몬의 증가 때문에 생기는 지질 생산의 증가이다. 과잉 지질은 세균 특히 그것을 섭취하여 성장하는 프로피오니박테리움 아크네스균(*Propionibacterium acnes*)의 과도한 성장을 가져온다. 이 미생물들은 자극적인 화학물질을 생산하는데 이것이 진피 안으로 퍼져서 지방질샘을 부풀게 하거나 심지어 터지게 한다. 그러면 침입하는 생물과 싸우려고 백혈구가 그곳으로 들어오고 여드름의 특징인 고름으로 차 있는 '뾰루지'가 생긴다. 얼굴은 대부분 지방질샘을 가지고 있으며 이 때문에 여드름이 얼굴에 생기지만 목, 어깨, 등 위쪽, 가슴에 생기기도 한다.

10대의 여드름과 다른 형태의 여드름도 있다. 매우 드물지만 염소화된 기름에 노출되어서 생기는 클로르여드름이 있고, 성호르몬을 자극하는 스테로이드 약품 때문에 생기는 여드름이 있다. 일부 화장품에 대한 민감성으로 인해 생기는 여드름도 있으며 바이올린 주자의 뺨처럼 민감한 표면을 반복적으로 마찰해 발생하는 접촉성 여드름도 있다.

여드름 치료법은 여러 방향으로 이루어진다. 분비되는 피지 양을 줄여서 관이 막히는 것을 방지하거나 병을 일으키는 프로피오니박테리움 아크네스균을 제거해 감소시킨다. 여드름을 조절하는 가장 간단한 방법은 피부에 클리어실* 같은 특허약을 바르는 것이다. 이 처방전 없이 판매되는 약품에는 항균 작용을 하는 트라이클로산, 과산화 벤조일 또는 살리실산 같은 활성 성분과 구멍을 막는 감염된 피지 성분을 녹이는 성분이 포함되어 있다. 니코틴아마이드도 염증을 감소시키기 때문에 성분이 될 수 있다. 이런 치료제가 효과적이지 않으면 더 강한 것을 의사로부터 처방받아야 한다.

여드름이 심해지면 입으로 먹는 약이 필요할 수 있고 이것은 호르몬 치료

---

\*     1959년부터 미국에서 판매되기 시작한 이 약은 여러 가지 종류가 판매되고 있다.

법과 결합된 더 강력한 항생제일 수 있다. 대표적으로 테트라사이클린과 에리트로마이신이 사용되며 여러 주 동안 복용해야 하지만 세균이 이 항생제에 대해 저항성을 가지는 경우도 있으며, 3개월 내에 효과가 없으면 이런 유형의 치료제를 중단하거나 더 강력한 항생제로 바꾸어야 한다. 호르몬법은 심한 여드름을 가진 젊은 여성이 이용할 수 있는데 이것은 천연 호르몬의 피지 자극 효과를 억제할 수 있을 뿐 아니라 피임효과도 가진다.

1982년에 **아이소트레티노인**이 도입되었으며 한 달 후 피지의 형성을 억제함으로써 어떤 형태의 여드름에는 극적 효과를 나타냈다. 아이소트레티노인은 아주 강력하고 피부 건조, 입술 갈라짐, 눈 쓰림, 코피 같은 여러 부작용이 있기 때문에 보통은 병원 피부과 의사의 처방 아래 사용된다. 이 약품은 혈액의 지방과 콜레스테롤 수준을 높이며 일부 연구자들은 장기적 효과를 기대할 수 있다고 주장하였다.* 이런 단점들에도 불구하고 이것은 여드름으로 생활에 심한 고통을 받는 사람들을 도와주었으며 특히 항생제 치료 과정 후 통증, 영구적 흉터, 재발 등을 예방하기 위해 광범위하게 처방되고 있다. 아이소트레티노인은 기형을 유발할 수 있기 때문에 임신할 가능성이 있는 여성에게는 사용되어서는 안 된다. 따라서 의사에게 피임에 대해 확신을 주지 않고서는 처방받을 수 없고 아이소트레티노인 치료법을 성공적으로 끝냈더라도 최소한 1개월은 임신을 피해야 한다. 아이소트리티노인은 초기에는 하루 25밀리그램으로 처방되어서 4주까지 진행하고 그 후에는 50밀리그램까지 증가시켜서 8주를 더 진행하도록 처방된다.

아이소트레티노인은 얼마나 성공적인가? 환자 중 40%에 대해서는 여드름을 완전히 치료하지만 20%의 경우 여드름이 청소되기 전에 추가적 치료과

---

* 다른 방법으로는 아이소트레티노인을 치료해야 할 부위에 직접 적용하기 위해서 피부 크림으로 바를 수도 있다.

정이 필요하다. 그러나 이것을 사용한 대부분 사람은 어느 정도 도움을 받는
다. 이것은 지용성이기 때문에 지방이 포함된 식품과 함께 복용해야 하며 그
렇게 하면 신체에 흡수가 잘 된다. 아이소트레티노인은 미국 하원의원의 아
들이 이 약을 복용하는 동안 자살을 시도해 언론에서 좋지 않은 평을 받았다.
그러나 아이소트레티노인 치료법 환자와 다른 여드름 치료법 환자들의 자살
률을 비교해 보니 연관이 없는 것으로 밝혀졌다. 아이소트레티노인이 보증
된 여드름 치료제가 되기 위해서는 아직 부족하다. 불행하게도 여드름은 누
군가를 계속 괴롭히겠지만 최소한 오늘날에는 심각한 여드름을 치료할 수 있
는 가능성은 있다.

## 습진

이 질환의 이름은 끓어오른다는 의미의 그리스어에서 유래하였다. 이것은 마
치 끓는 물에 덴 것처럼 피부에 심한 물집이 생기는 모양을 의미했다. 보통
습진은 이렇게 심하지는 않고 비늘처럼 벗겨지며 이 때문에 심한 가려움증이
일어난다. 이런 긁기의 결과로 특히 어린 아이에서는 감염을 통한 2차 피부
손상이 일어난다. 습진은 뚜렷한 원인이 없으며 흔히 생후 12개월 이전 유아
들 중 약 10퍼센트에서 발견된다. 보통 이것은 얼굴의 가벼운 발진으로 시작
되지만 두 살이면 벌써 손목 관절, 팔꿈치 앞쪽, 무릎 뒤쪽에 말썽이 생기기
시작한다. 습진은 유년기를 망쳐놓을 수 있으며, 인생 후반까지 계속될 수도
있지만, 일반적으로 사춘기 이후 곧 사라진다.

습진의 한 형태인 지루성 습진은 얼굴, 두피, 가슴의 피지샘에 영향을 미
치지만 비교적 온화하며 세균이나 칸디다(Candida) 같은 효모 미생물이 감염
되면 문제가 된다. 이러한 유형의 습진은 의약용 비누나 샴푸로 조절될 수 있
다. 또 한 가지 흔한 유형의 습진은 아토피 습진이며 자극을 일으키는 분명한
원인이 밝혀진 것은 아니지만 일반적으로 우유, 집안 진드기, 울, 애완동물,

담배연기, 화장실 향료 등이 의심을 받고 있다. 의류의 지퍼나 단추, 귀걸이, 시곗줄의 스테인리스강에 들어 있는 니켈 성분도 일부 사람들에게는 습진을 일으킨다. 일단 그런 일이 생긴다고 인정되면 이후 회피 행동을 취할 수 있다. 또 다른 형태의 질환은 접촉성 피부염으로서 과도한 체액 때문에 피부의 혈관이 확장되고 주위 조직이 다공질이 되면서 염증이 있는 세포들이 군집을 이룬다. 이런 유형의 습진은 피부에 손상을 주고 이어서 더 깊숙이 침투하는 자극제에 의해서 촉발된다. 깊숙한 곳에서 **T-세포**가 번식하고 추가적인 염증을 일으키는 모든 다른 분자를 방출하도록 촉발한다. 흔히 다른 질병의 부작용으로 발생하여 나이 든 사람에게 영향을 주는 습진 종류들도 있다. 습진은 포도상구균(*Staphylococcus*)이나 연쇄상구균(*Streptococcus*) 같은 세균이나 단순포진(*Herpes simplex*) 같은 바이러스나 진균류가 감염되면 복잡해질 수 있다.

습진 증상이 미미할 경우, 알려진 자극제를 피하고 피부에 습기를 주어서 감염을 줄이는 진정 및 보호용 고약을 바르는 것 이외의 치료가 불필요할 수도 있다. 처방전 없이 구입할 수 있는 그러한 치료제들은 액체 파라핀과 연성 백색파라핀에 기반을 두고 있는데 여기에는 정제된 석유에서 얻을 수 있는 탄화수소만 들어 있어서 피부에 자극을 줄 수 있는 것이 전혀 없다. 액체 파라핀은 광물유라고도 하며 누졸 같은 여러 가지 상표명으로 구할 수 있으며 연성 백색파라핀은 바셀린이라는 이름으로 더 잘 알려졌다. 액체 파라핀과 연성 백색파라핀의 에멀전화 혼합물은 훌륭한 스킨 크림이 된다.

스테로이드 크림은 증상을 없애주며 하이드로코르티손은 알파덤 같은 여러 가지 상표명으로 처방된다. 더 강력한 것은 베타메타손 에스터에 기반을 둔 크림이다. 그 중 베트노바테가 가장 잘 알려졌으며 40년 이상 사용되어 왔다. 이것이 듣지 않는다면 의사는 더모베이트 같은 프로피온산 클로베타솔이나 유사한 활성제에 기반을 둔 더 강력한 약품을 처방할 수도 있다. 현재 이용할 수 있는 크림이 여러 종이 있으며 그중 한 가지에도 반응하지 않고 치료되지 않는 습진은 드물다. 그 후 습진에 감염되면 여러 가지 항생물질, 항바이러스제, 항진균제가 주어져서 감염을 막을 수 있다. 매우 가려운 습진은 항히스타민제로 조절될 수 있다. 극심한 습진의 경우, 과잉 활성 면역계를 억제하도록 설계된 사이클로스포린, 아자테오프린 같은 강력한 약품을 처방받을 수 있다. 습진 치료의 중대한 진보는 오랫동안 장기 이식 환자에게 조직 거부를 막기 위해 사용되어 온 약품인 타크롤리무스가 도입되어서 이루어졌다. 이것은 T-세포 작용을 막아주며 심한 습진을 가진 환자의 증세도 놀랍게 향상되었다. 2003년부터 사용되기 시작한 피메클로리무스 약품은 특히 피부에 직접 바르게 설계되어 심지어 어린아이에게도 사용할 수 있으며 이것도 역시 T-세포를 막아서 염증, 홍반, 가려움을 중지시킨다.

## 건선

이것은 피부가 붉어지고 벗겨지는 부분도 있으며 10대와 20대에서 극심하고 괜찮아진 후 노년에 다시 나타나기도 하지만 평생 겪는 질환이 될 수 있다. 약 50명 중 1명 정도가 건선에 걸리는데, 원인은 아직 알려져 있지 않다. 건선은 피부 아래층에 있는 과잉 반응성 피부세포들이 정상보다 20배나 빨리 분열하기 때문에 발생한다. 정상 피부세포는 성숙하여 표면으로 올라오는 데 약 4주가 걸리며 표면에서 벗겨지는 반면, 건선 세포에서는 이 과정이 이틀 만에 일어나며 표피에 죽은 피부층으로 축적된다. 건선에 걸린 세포는 혈관의 과잉 성장으로 피부가 두꺼워지고 면역세포의 군집이 생긴다. 건선 반점은 무릎, 팔꿈치, 등 아래쪽, 두피에 흔히 나타난다.

건선에 대한 초기 치료는 콜타르 제품에 기반을 두었는데, 어느 정도 성공을 거두자 이 치료법은 계속 이용되었으며 오늘날 우리는 그것이 피부 세포의 DNA 합성을 막아서 분열을 중지시킨다는 것을 알고 있다. 콜타르 크림과 고약은 피부가 갈라지는 것을 막아주고 염증을 줄여준다. 오랫동안 사용된 또 다른 치료법으로는 디트라놀이 있는데, 이것은 주로 병원에서 사용되며 피부에 바르지만, 피부와 옷에 진한 보라색을 남기기 때문에 환자들에게는 인기가 좋지 않다. 이것은 치료받는 부위에 30분 이상 두어서는 안 되지만 심한 증상을 확실히 줄여준다. 몇 가지 다른 연고도 건선을 치료하기 위하여 사용되었으며 상당한 정도의 성공을 거두었다. 하이드로코르티손 같은 스테로이드도 효과를 나타내지만, 장기간 부작용을 나타낼 수 있으며 현재는 다른 약품으로 대치되었다. 타자로텐은 또 다른 피부 크림인데 약한 반점의 건선을 조절한다.

비타민 D와 관련된 약품도 효과적이지만 초기에 나타난 부작용은 신체 내 칼슘 농도를 너무 높여 해롭기 때문이었다. 1,500가지 이상의 화합물들이 합성되어 시험된 결과 혈중 칼슘 농도를 증가시키지 않고 건선에 작용하는 물질이 한 가지 발견되었다. 칼시포트리올 크림은 가장 성능이 우수한 것으로서 현재 광범위하게 이용되고 있다. 1975년에 도입된 또 다른 화학물질인 에트레티네이트는 매우 효과적인 것으로 알려졌다. 이것은 인체가 에트레티네이트를 활성 성분인 애시트레틴으로 전환한다는 것이 알려지자 결국 애시트레틴으로 대치되었다. 현재 애시트레틴은 처방약이며 치료받은 사람들 중 4분의 3이 눈에 띄게 호전되었으며 환자 중 3분의 1이 건선이 완전히 없어졌다고 보고될 정도로 매우 효과적이다. 건선은 구강으로 메톡살렌을 복용하고 이어서 환부에 자외선을 조사하여서도 성공적으로 치료될 수 있다.

이 병은 스트레스도 원인이 되기 때문에 심리 치료로도 효과가 있을 수 있다. 심호흡, 명상, 긴장 완화용 CD 청취까지도 회복 속도를 가속시키는 긍정적 태도에 도움이 된다.

사이토카인이라고 하는 화학신호의 분비는 건선의 근본적 원인으로 보이는데 많은 종류의 사이토카인이 있다. 몇몇은 세포 분열을 촉발하며 몇몇은 비정상적 세포 발달의 원인이 되고 몇몇은 염증을 일으킨다. 그것들을 분리하여 확인해야만 어떤 사이토카인이 작용하고 있는지 알아낼 수 있으며 그다음에 그 작용에 대항하도록 고안된 약품이 설계될 수 있다. 면역억제제로 건선을 치료할 수도 있으나 효과는 강력하지만 부작용 때문에 조심스럽게 사용되어야 한다. 알레파셉트와 에타너셉트는 면역 체계를 조절하는 새로운 종류의 약품이다. 이것은 두 가지 인체 단백질로 구성되어 있으며 2003년에 도입되었다. 알레파셉트는 과잉 활성인 T—세포 수용체를 차단하며, 에타너셉트 유도체는 건선을 촉진한다고 알려진 TNF(종양 괴사 인자)를 비활성화한다. TNF에 대한 연구는 1990년대에 런던에 있는 케네디 류마티스연구소의 마이니(Ravinder Maini)와 펠드먼(Marc Feldman)에 의해서 수행되었으며 그들은 2000년도에 50만 달러의 크로퍼드상과 금메달을 수상하였다. 크로퍼드상은 노벨상이 주어지지 않는 분야의 연구에 대하여 스웨덴과학원이 수여한다.

여드름, 습진, 건선을 치료하기 위한 많은 약품들이 시험되고 있다. 여드름에 대해서는 효소와 알레르기원을 주사하여 피부의 민감성을 둔화시키는 것에 기반을 둔 치료법이 나타날 것이다. 건선에 대해서는 성장인자를 억제하여 병에 걸린 피부 부분의 혈관의 번식을 중단시킬 수 있는 새로운 접근법이 이어지고 있다. 심지어 이런 방법으로 작용할 수 있다고 알려져서 시험되고 있는 천연 화합물도 있다. 현재 50가지 이상의 약품이 여러 개발 단계에서 검토되고 있다. 이 장의 시작에서 소개한 것처럼 2025년 이전에는 좋은 소식이 있을 수 있다.

## 활발한 노년인가
## 허약한 노년인가?

관절염은 단순하게는 관절의 염증을 의미하며 이 병은 오래 전부터 인간의 고통스러운 병으로 알려졌다. 인도의 힌두족은 기원전 1000년에 이미 이것을 기록했으며, 그리스의 히포크라테스는 이것을 사혈로 완화될 수 있는 중독증으로 생각하였다. 100년 전의 의사들은 이것이 감염 때문에 생기며 치료법 중 하나는 신체에서 치아, 편도선, 맹장 같은 감염원을 제거하는 것으로 생각하였다. 오늘날 우리는 관절염을 신체 방어 기작이 자신에게 작용하는 자가면역병으로 여기고 있다.

지난 세기 전반부에 관절염의 일반적인 치료법은 아스피린이었으며 이것은 통증을 완화하고 병든 관절 주위의 염증을 줄여주는 작용을 하였다. 때때로 다른 질병을 치료하도록 설계된 약품이 관절염 증상을 완화한다는 것이 발견되기도 했는데, 금도 그런 계기로 처방되었다. 1890년대에 세균학자들은 사이안화 금이 결핵균의 번식을 막아준다는 것을 관찰하였지만 1920년대가 되어서야 화학물질인 싸이오말산나트륨(흔히 마이오크리신이라고 함)이 결핵 치료에 이용되었으나 효과는 없다는 것이 밝혀졌다. 그러나 의사이며 연구자인 포레스티어(Jacques Forestier)는 그것이 류마티스성 관절염을 완화시키는 것에 주목하여 1935년에 마이오크리신이 실제로 이 병의 진행을 늦춘다는 것을 보여주는 6년간의 연구를 보고하였다. 마이오크리신은 시험량인 50밀리그램부터 시작해서 근육주사를 통해서 투여하며 이것이 신체에 부작용을 일으키지 않으면 병의 차도가 나타날 때까지 일주일 간격의 주사 치료가 수행되었다. 20명 중 1명이 심각한 마이오크리신 반응을 일으키며 일부 사람들에게는 그 주사가 치명적이다.

금이 포함된 또 다른 약품인 오라노핀(상표명은 리도라)은 4,000명의 환자를 대상으로 한 연구에서 긍정적이라고 확인된 후 1980년대 중반에 도입되었다. 이것은 구강으로 투약할 수 있지만 6개월 내에 호전되는 신호가 없을 경우에는 중단해야 한다. 신체가 금을 흡수하기 위해서는 원자가 탄수화물에 결합해 있는 황 원자와 결합해야 한다. 이 형태로 금은 위벽을 통과하여 혈류로 들어가고 결국 약품의 활성형인 사이안화 금이 되는데 이것은 면역 반응을 억제한다고 알려져 있다. (사이안화 이온은 비록 소량이기는 하지만 신체에 이미 중성형으로 존재하던 것이다.) 또 사이안화 금은 혈액의 알부민에도 결합하며 알부민이 비정상으로 높은 관절염 환자에게 도움이 된다. 현재 금으로 치료하는 방법은 류마티스성 관절염에 대한 의학적 무기 중 일부이며 이 치료법을 금 치료법(chrysotherapy)이라고 한다. 이것은 다른 약품으로 완화되지 않을 때 처방된다. 작용하려면 금을 10주까지 복용해야 하지만 치료를 중지하더라도 계속 작용한다. 몇몇 환자들은 약품을 중단하고 나서 1년 동안 차도가 계속된다고 보고하였다. 환자의 증상이 완화되더라도 신체에 금 침전이 축적되고 설사와 피부 발진 같은 부작용 때문에 치료법은 3~4년 후에는 중단되어야 한다. 금이 위험이 없다고 하더라도 금을 기반으로 한 약품은 대상자의 약 30%에서는 심각한 부작용을 일으킨다. 중요한 부작용은 가려운 피부 발진인데 너무 심해지면 치료를 중단해야 한다.

관절염에는 나이가 들어감에 따라 천천히 영향을 미치는 골관절염과 35~45세 연령대에 급성으로 나타나서 영향을 미치는 류마티스성 관절염의 두 가지가 있다. 이런 운이 나쁜 사람들 중 10% 정도는 갑작스러운 것이며 20% 정도는 몇 주에 걸쳐서 나타나며 나머지 70%는 천천히 나타난다. 류마티스성 관절염은 인구의 1% 정도가 걸리며 병에 걸리면 수명이 약 5년 정도 줄어드는 것으로 여겨진다. 골관절염은 더 흔해서 인구의 3% 정도가 걸린다. 관절염 환자 7명 중 1명이 의학적 치료가 필요하지만 대부분 사람은 증상을 완화시키기 위한 운동이나, 물리요법이나, 국부적 보온에 의존하면서 병과 함께 살아가게 된다. 적외선 열, 초음파, 따뜻한 수영장의 수중치료법 같은 치료법도 도움이 된다.

관절염은 손가락, 팔목, 팔꿈치, 어깨, 발, 발목, 무릎, 엉덩이의 관절을 둘러싸고 있는 막에서 생긴다. 막이 확장되고 그 세포가 뼈들 사이 연골의 융기를 공격하기 시작하고 심지어 관절뼈 자체의 말단을 부식시킨다. 그 결과 고통스러운 염증이 생긴다. 연골은 쉽게 손상을 받지만, 혈액 공급이 전혀 없어서 자체적으로 치료되지 않기 때문에 원 상태로 되돌리기는 어렵다. 관절염은 다른 질병들과 공통되는 증상을 가지지만 미국 류마티즘협회에서 내놓은 지침서를 따르면 구별할 수 있다. 초기 경고 신호는 아침에 발생하며 관절이 뻣뻣하며 한 시간 정도 지속되는 것이다. 더 직접적인 것은 최소한 세 군데 관절, 특히 가운데 손가락 관절 주위가 붓는 것이며 신체의 왼쪽과 오른쪽이 모두 같은 관절에서 영향을 받는다. 혈액의 어떤 항체처럼 관절염 확인에 도움을 주는 의학적 검사법도 있다. 그 항체는 병에 걸린 사람의 85%에서 발견되지만 완전히 건강한 사람의 5%에서도 발견된다. 병에 걸린 관절의 X−선 사진은 분명한 변화를 보여준다.

관절염이 유전적이라는 몇 가지 증거가 나타나서 유전인자가 포함되어 있다는 것을 암시하였다. 이것은 HLA−DR4라는 유전자와 결합되어 있으며 이 유전자는 인구의 4분의 1에 존재하지만 그들 중 대부분은 이 병에 걸리지 않는다. 바이러스 또는 세균이 병을 촉발할 수도 있지만 아무것도 밝혀진 것이 없다. 원인이 무엇이든지 그 결과로 관절 조직에서 체액이 부풀어 오르고 이것은 프로스타글란딘이라고 하는 천연 화학물질 형태로 신체에서 반응을 일으킨다. 관절은 면역계가 활성화되면 염증이 생긴다. 정상적으로 면역계는 외부에서 침입한 미생물이나 내부의 암처럼 나쁜 세포와 싸우게 되어 있으며 위험이 끝나면 보통의 조용한 상태로 돌아간다. 관절염에서는 면역계가 위중한 위험이라고 인식하여 계속하여 싸우며 이것이 상태를 더 어렵게 만든다.

우리는 관절염을 치료할 수 없지만 증상을 완화시킬 수는 있다. 파라세타몰, 이부프로펜, 코데인 같은 간단한 진통제를 복용하는데 이부프로펜을 소량의 코데인과 혼합하면 특히 효과적이며 알약 하나가 6시간까지 효과를 나타낸다. 그런 진통제가 더는 듣지 않으면 사람들은 의학적 도움을 구하게 된다. 의사가 관절염이라고 진단을 내리면 일반적으로 프로스타글란딘 수준을 감소시키고자 더 강한 비스테로이드성 소염제(NSAID) 처치로 시작하여 여러 가지가 처방된다. 일부 환자들은 통증이 있는 관절에 바르는 NSAID 크림을 더 좋아하지만, 2004년에 그런 크림을 연구하였던 영국 노팅엄대학의 장(Weiya Zhang)에 의하면 이것은 단지 짧은 기간만 작용할 뿐이며 1개월 후에는 전혀 효과를 나타내지 못한다. 의사가 어떤 약을 선택하고 계속 처방하는가는 환자의 반응과 부작용에 달렸다. 가장 흔한 부작용은 궤양, 출혈이며, 심지어 위벽에 구멍까지 생긴다. 영국에서만 매년 12,000명이 이 부작용을 치료하기 위해 병원에 입원한다. 물론 신체는 약간의 프로스타글란딘이 있어야 하며 NSAID를 복용하여 손실된 것은 미소프로스톨을 복용하여 보충될 수 있다. 이것은 합성 유사물질로서 NSAID로 생긴 위궤양과 십이지장궤양을 예방하고 치료를 촉진한다. 이것은 보통 NSAID 복용을 중지할 수 없는 노약자를 위해 처방된다.

관절염이 신체의 더 많은 관절로 퍼지면 질병조절 항류마티스약품(DMARD)을 받으며, 여러 시도에 대해서도 효과가 나타나지 않으면 결국 최악의 관절들을 대체하는 수술을 하게 된다. 관절 대체는 골관절염을 가진 사람의 생활을 바꾸며 현재는 일상적 절차가 되었다. 심지어 손가락에도 할 수 있다. 미래의 희망은 이 단계에 도달하지 않고 실제적으로 이 병을 치료하는 새로운 약품을 찾아내는 것이며 이를 위한 약품 몇 가지가 활발하게 연구되고 있다. 그때가 돼서야 우리는 치료를 해줄 놀라운 분자를 가지게 될 것이다. 초기의 것 중 한 가지는 연구자들의 중단 명령에도 불구하고 자신이 하는 것을 믿는 한 사람의 헌신적 결과로 나타났다.

숙련된 의료인만이 오라노핀 같은 DMARD류를 처방할 수 있지만 클로로퀸, 메토트렉스산, 페니실라민, 설파살라진 같은 다른 것들도 있다. 클로로퀸은 원래 밀라리아약으로 개발되었지만 항류마티스 활성을 가진다는 것이 알려졌다. 메타트렉스산은 면역계에 작용하며 특히 1990년대에 의사들이 관절염 치료에 주로 사용했는데, 장기적으로 처방할 수 있기 때문이었다. 페니실라민은 효과적이지만 효과가 나타나려면 여러 달을 먹어야 한다. 설파살라진은 특별히 항류마티스제로 개발되었으며 1994년에 최초로 사용되었다. 관절염이 확진된 많은 환자에게 진단 초기부터 NSAID와 DMARD의 조합물이 주어졌다. 증상이 치료된 것처럼 보일 정도로 원하는 결과를 나타나더라도 환자들은 재발을 막기 위해 치료를 계속하는 것이 좋다.

## ● 노바일의 끈질긴 결정

프레드니솔론은 류마티스성 관절염의 치료에 40년 이상 성공적으로 사용되었다. 이것은 1954년에 특허를 받았으며 셰링 제약회사의 노바일(Arthur Nobile)의 연구결과였다. 그는 연구를 시작한 이후 상급자들이 연구를 그만두라고 할 때도 굴하지 않고 계속하였다. 1940년대 후반과 1950년대 초반의 이야기이다. 이어서 1954년에 항생제의 전문가인 카바잘(Fernando Carvajal)이 회사에 합류하였고 그는 노바일의 연구가 시작된 것을 알고서 협력하기 시작하였다. 곧 셰링은 프레드니솔론을 생산하게 되었고 이미 1974년에 지난 20년간 관절염 치료의 중요한 진보로 인정 받게 되었다. 프레드니솔론은 프로스타글란딘을 억제하며 관절의 염증을 억제하는 데 탁월하였다. 이것은 또 눈의 감염과 장염의 치료에도 사용되었다. 그러나 그 사용에 제한이 가해졌는데 다른 계통의 스테로이드와 마찬가지로 그것이 원치 않은 부작용을 나타내고 백혈구의 작용을 방해하기 때문이다.

NSAID는 통증을 촉발하고 염증의 원인이 되는 프로스타글란딘을 생산하는 데 작용하는 산소고리화효소(COX)를 억제하여 통증을 완화시키지만 이런 효과를 달성하기 위하여 모든 COX 효소를 억제할 필요는 없다. 1990년대 초반에 유타 주의 프로보에 위치한 브리엄영대학의 시몬스(Daniel Simmons)가 이끄는 연구팀은 두 가지의 산소고리화효소가 있다는 것을 발견하였다. COX-1은 항상 신체에 존재하고 COX-2는 공격을 받는 세포에서 나오는 신호에 의해서 활성화될 때까지 휴면상태이다. COX-1은 몇 가지 기능을 하는데 그중 하나는 소화용 산으로부터 위벽을 보호하는 점액을 생산하는 것이다. COX-2는 프로스타글란딘의 국부적 생산을 촉발하며 이것이 주위의 통증 수용체의 민감성을 높여주고 더 많은 도움을 얻기 위하여 혈관을 확장한다. 이런 지식은 베인(John Vane, 1927~2004)이 시작해 30년 동안 계속되어 온 연구로부터 얻어졌다. 그는 1970년대 이 분야의 중요한 연구자였으며 그 업적으로 1982년에 베르스트룀(Sune Bergström), 사무엘슨(Bengt Samuelson)과 함께 노벨의학상을 받았다. 그는 프로스타글란딘이 신체가 공격받은 부위의 손상에 대응하여 생산하는 호르몬과 유사한 화학물질이며 무언가 잘못되었다는 알려주는 신호라는 것을 증명하였다. 프로스타글란딘의 형성을 조절함으로써 통증과 감염을 조절하고 병을 견뎌낼 수 있다.

아스피린과 같은 NSAID는 두 가지 형태의 COX의 생산을 모두 막는다. 이 때문에 이 약은 유용하기는 하지만 위벽에 손상을 주고 출혈과 궤양을 일으킬 수 있다. COX-2만의 형성을 막는 약품이 필요하였다. 1992년에 제약회사 머크의 과학자들은 그런 약품을 찾기 시작했고 그런 방법으로 작용하는 것에는 이미 셰링에서 생산하는 플로설리드라고 부르는 유기플루오린 약품을 비롯한 몇 가지가 있었다. 머크의 화학자들은 로페콕시브라는 특별히 성공적인 것을 한 가지 만들었는데 이것은 상표명인 바이옥스로 더 유명하다. 바이옥스는 안전성 테스트 후에 안전한 것으로 여겨졌다. 1994년에 벨기에에서 자원자들을 대상으로 **약품 시험**이 실시되었으며 참가자들은 약을 잘 견디어냈고 COX-2에 대한 효과는 24시간 지속되었다. 텍사스에서는 어금니를 발치한 사람에게 시험한 결과 약 45분 후부터 효과를 나타내어 좋은 진통제라는 것이 밝혀졌다. 더 많은 연구가 수행되었으며 모두가 바이옥스가 좋다고 나타냈다. 평균 62세의 25,000명을 상대로 한 장기 실험 결과도 희망직이있다. 약 160냉의 자원자 집단은 최대 권장량을 10번이나 먹고 그 후 내시경으로 위를 검사하는 데 동의하였다. 이 연구는 아스피린이 일으킬 수 있

는 위 손상을 바이옥스는 전혀 일으키지 않는다는 것을 보여주었다. 2000년
에 8,000명을 대상으로 한 시험 결과 바이옥스가 다른 NSAID보다 더 좋다
는 것이 《뉴 잉글랜드 저널(New England Journal)》에 공개되었다. 바이옥스는
1999년 5월부터 판매되기 시작했으며 세계에서 가장 빠르게 성장하는 관절
염 치료제가 되었다. 그러나 그 성공은 오래가지 못하였다.

장기 효과에 대한 이중맹검 시험이 실시되었으며 그 결과는 우려할 만한
것이었다. 시험 결과에 의하면 바이옥스를 복용한 사람은 그것을 신체가 잘
견뎌냈지만, 복용 후 18개월이 지나자 위약을 복용한 사람보다 심장병이나
심장발작 위험이 약간 더 커지는 것으로 나타났다. 혈액에는 혈액 응고의 원
인이 되는 천연 화학물질인 트롬복산이 들어 있는데 이것은 COX-1을 필요
로 하는 과정에 의해서 만들어진다. 따라서 COX-1을 막으면 혈액 응고를
형성하고 심장 발작을 일으킬 위험이 감소할 것이다. 이런 이유 때문에 수백
만 명의 사람이 혈액을 묽게 하여 이런 일이 일어나지 않도록 아스피린을 복
용한다. COX-2만을 표적으로 하는 약품은 이런 특별한 이점을 제공하지 못
하며 결과적으로 심장병이나 발작의 위험을 증가시킨다.

이런 발견에도 불구하고 FDA 관절염 자문위원회는 2005년 전반에
COX-2 억제제의 이점이 다른 위험보다 훨씬 더 크다고 보고하였다. 위원
회는 바이옥스가 안전하지만 환자들에게 심장병과 발작의 위험을 수반하는
것을 고지해야 하며 이런 병에 걸리기 쉬운 환자들에게 처방되어서는 안 된
다고 결정하였다. 여기에는 흡연자와 당뇨병 환자도 포함된다. 그에 앞서서
2001년에 모든 약품을 심사하는 영국 국립임상우월성연구소는 COX-2 억
제제가 일상적으로 주어져서는 안 되며 위출혈을 일으킬 위험이 큰 환자들에
게는 보류할 것을 권고하였다.

머크는 2004년 9월에 장기적 시험의 결과로서 바이옥스를 철수하였으며
뒤이어서 바이옥스가 위험하며 머크가 비난을 받아야 한다는 많은 논문이 나

왔다. 흘러나온 머크의 문서와 e-메일은 회사가 2000년부터 바이옥스의 장기적 부작용을 알고 있었다는 것을 암시하였다. 그런 주장들에 대하여 머크 연구소장인 피터 김(Peter Kim)이 대답하였다. 그는 1999년 4월에 FDA가 바이옥스의 안전성을 검사하였으며 그 당시에는 안전성에 대한 경고를 발표하는 것이 필요하지 않다고 생각하였음을 지적하였다. 30,000명 이상의 사람들을 대상으로 3년 이상 연구하고 나서야 새로운 자료가 심장병의 위험을 보여주었지만 이런 위험은 단지 그 약을 18개월 이상 복용한 환자에게만 적용되었고 30개월 후에만 그 위험이 통계적으로 의미가 있었다.

이런 발견의 결과로 머크는 2004년 9월에 시장에서 바이옥스를 철수시켰으며 그 약품의 모든 공급을 리콜한 회사의 주가는 리콜하자마자 55달러에서 32달러로 떨어졌고 1개월 후에는 27달러까지 떨어졌다. 회사를 가장 위협한 것은 바이옥스 복용 중에 사망한 사람들의 배우자들이 제기한 소송이었다. 그들은 몇몇 극적인 판결에 용기를 얻었다. 텍사스에서는 한 판사가 심장병으로 사망한 남편의 배우자에게 2억 5,300만 달러의 배상금을 판결하기도 하였다. 71세의 가르자라는 사람의 사망에 단지 3,200만 달러의 배상금이 결정된 판례도 있었는데, 가족들은 사망 원인을 바이옥스로 지목하였지만 그 판사는 그가 평생 흡연하였고 몇 년 전에 네 가지의 심장우회술 수술을 받았다는 사실을 고려하였다. 또 다른 재판에서는 바이옥스가 심장마비의 치명적 원인이었는지를 밝히지 못한 경우도 있었다. 사망자가 그 약을 단지 한 달 복용하였다는 것을 고려하면 이해할 만한 판결이었다. 현재 미국에는 이러한 소송이 만 건 이상 진행되고 있다. 그러나 법이 피해자의 손만 들어준 것은 아니며, 2005년 11월에 바이옥스를 복용한 후 심장병으로 고통을 당했다는 아이다호 남성을 상대로 한 뉴저지의 재판에서는 머크가 승소하였다.

비이옥스는 너는 사용알 수 없지만 그 발견 과정에서 등장했던 이론은 과학적으로 타당했으며, 이 이론을 이어 받은 프렉시지 같은 다른 약품들이 그 자리를 대신하고 있다. 프렉시지의 제조사인 노바티스는 34,000명의 환자를 대상으로 실험했으며, 이부프로펜과 같이 흔히 사용되는 진통제보다 심장 발작을 덜 일으킬 것으로 보인다고 말했다.

오늘날 우리는 관절염에 대하여 더 많은 것을 알고 있다. 이 병의 파괴적 단계는 혈액에 사이토카인과 성장인자를 분비하는 면역계의 세포들과 연관되어 있다. 그것들이 관절 주위의 조직이 관절을 스스로 공격하기 시작하면서 촉발되는데, 무엇이 면역계를 촉발하는지는 여전히 의문이다. 몇몇 제약사는 이런 사이토카인류를 막는 약품을 개발하였으며 이 중 몇 가지는 현재 시험 중이다. 사이토카인류 중 중요한 것은 백혈구에서 분비되는 TNF(종양괴사 인자)이며 감염과 싸우는 데 중요한 역할을 한다. 이것 또한 손상된 연골의 공격에 참여한다. 관절염을 앓는 사람의 혈액에는 TNF가 계속 존재하지만, 현재 인플릭시맙(상표명은 레미케이드)와 에타너셉트(상표명은 엔브렐)이라는 두 가지의 항-TNF 약품을 이용할 수 있다. 이것들은 TNF에 결합하여 순환계에서 그것을 제거한다. 생물공학회사인 케임브리지 항체기술과 애보트 제약에서 생산하는 단일 클론 항체 약품인 휴미라도 TNF를 막는 데 매우 효과적이라고 밝혀졌으며 2005년에 그 판매액이 10억 달러를 넘어섰다.*

선진국의 인구가 계속 노령화됨에 따라서 관절염은 점점 문제가 되고 있다. 이 병의 원인은 10년 안에 밝혀질 것이며 제약회사의 화학자들은 매우 초기 단계에서 발병원인을 공격하거나 심지어 병이 발생하지 않도록 해주는 약품을 찾기 시작할 것이다. 한편, 관절염을 예방하고자 하는 사람들에게 유행인 천연 화학물질 글루코사민은 치료보다는 예방이 좋다고 믿는 수백만 명이 복용 중이다.

---

\* (역주) 휴미라의 바이오시밀러(바이오복제약)인 하드리마(SB5)는 삼성바이오에피스에서 생산되며 2017년 9월에 국내허가를 받았다.

글루코사민은 인체 연골의 성분이며 인체 관절에도 존재한다. 관절염으로 고생하는 사람들이나 이것을 예방하고자 하는 사람들은 식품보조제로 먹을 수 있으며 도움이 되는 것으로 보인다. 식품 공업의 폐기물에서 약국의 선반으로 옮겨가면서 글루코사민의 가격은 엄청나게 오르지만 사람들은 그 효과를 위해 비싼 비용을 기꺼이 지불할 것이다. 전 세계적으로 해마다 5,000톤 이상의 글루코사민이 제조되고 소비된다. 이것은 주로 중국에서 생산되며 새우나 다른 갑각류의 껍질에서 얻은 천연 고분자인 **키틴**으로부터 추출된다. (키틴은 셀룰로스 다음으로 풍부한 생체고분자이며 막대한 양이 쓰레기 매립지에 처분되거나 바다에 버려진다.) 키틴을 황산이나 염산 같은 강한 산으로 처리하면 고분자가 개별적 글루코사민 단위체로 분해된다. 글루코사민의 도매가는 킬로그램당 7유로이며 전 세계적인 생산량은 3,700만 유로에 이른다. 물론 당신이 그것을 건강용품 가게에서 산다면 가격은 킬로그램당 70유로 이상이 될 것이다. 글루코사민은 천연 화학물질이지만 부작용이 나타날 수도 있기 때문에 모든 사람에게 적당한 것은 아니다. 키틴에 대해서는 이후에서 다시 설명할 것이다. 글루코사민을 복용하는 사람들에게 놀라운 것은 그것이 근본적으로 탄수화물 유도체*라는 점이며 이제 우리의 멋진 생활을 위한 치료제로서 탄수화물을 살펴보자.

## 치료제로서의 탄수화물

대부분의 사람들은 **탄수화물**을 단순히 열량을 제공하는 식품 성분으로 여기고 효소의 도움으로 그것을 소화시켜 필요한 에너지를 얻는 것으로 생각한

---

\* 화학식은 $C_6H_{13}NO_5$이다. 글루코사민은 포도당의 탄소 원자 중 하나에 아미노기($NH_2$)가 결합된 것이다. 글루코사민은 흔히 관절의 윤활액에 들어 있는 다른 아미노당인 콘드로이틴과 함께 판매된다.

다. 또 이런 효소들이 침투할 수 없어서 소화될 수 없는 탄수화물도 있을 수 있다. 설탕은 소화될 수 있는 종류의 탄수화물 중에서, 셀룰로스는 소화될 수 없는 종류 중에서 가장 대표적인 예이다. 셀룰로스는 포도당 분자의 기다란 사슬로 구성되어 있으며 '섬유질'로서 신체를 통과하면서 변비를 예방하는 이로운 일을 한다. 식품으로서의 탄수화물은 4장에서 다룰 것이다. 여기에서는 미래의 치료약품으로서 그 가능성을 살펴보고자 한다. 이 영역의 연구는 의학화학에 대한 이해를 새로운 수준으로 높임으로써 현재 우리가 치료할 수 없다고 여기는 질병들을 치료할 수 있도록 할 것이다. 우리는 이제 겨우 자연이 탄수화물을 창조하고 배치하는 방법을 깨닫기 시작하였고 이해하려고 노력하는 중이다.

탄수화물은 천식과 암을 포함하는 모든 종류의 병에 관여된 것으로 보인다. 코네티컷 주 예일대학의 엘리어스(Jack Elias) 연구진은 천식 환자의 폐에서 많은 키틴가수분해효소(chitinase)를 발견하였기 때문에 키틴이 천식의 원인이라고 생각하였다. 이 효소는 키틴을 분해하는데 키틴은 인체의 성분이 아니지만 인체에서 면역반응을 일으킬 수 있는 갑각류, 곤충, 진균류의 필수성분이다. 키틴가수분해효소는 인체 대사에서는 필요가 없는 효소이지만 이 효소가 면역계를 작은 키틴 조각에 반응하게 촉진하는 역할을 할 수도 있다. 그러면 천식이 시작될 것이다. 이 이론이 옳다면 키틴가수분해효소를 억제함으로써 천식을 치료할 수 있을 것이다. 스코틀랜드에 있는 던디대학의 반 알텐(Daan van Aalten)은 알려진 약품 분자들 중에서 이런 일을 할 수 있는 것을 선별하기 시작하였다. 놀랍게도 그는 카페인이 키틴가수분해효소를 억제한다는 것을 발견하였다. 이 때문에 이런 천연 화학물질은 기관지 신경을 이완시켜서 천식 공격을 조절하는 데 오랫동안 이용되었을 것이다. 반 알텐은 화학적으로 카페인과 관련된 펜톡시필린이 더 좋은 키틴가수분해효소 억제제라는 것을 알아냈다. (펜톡시필린은 원래 혈액 응고물을 부드럽게 하여서 뇌 혈류를 증가시키는 약품으로 만들어졌다.)

　탄수화물은 생물계 기원을 가지는 화학물질 중 가장 풍부한 것이며 식물 건조량의 약 4분의 3을 차지한다. 의학화학자들은 탄수화물을 좀 무시하지만, 최근에 그것에 더 흥미를 느낄 만한 일이 두 가지가 생겼다. 첫 번째는 그것이 세포의 작용에 필수적이라는 것이 밝혀진 것이고 두 번째는 실험실에서 그것을 합성하는 새로운 방법을 발견한 것이다. 수 세기 동안 약학에서 탄수화물의 유일한 역할은 몇몇 약품의 쓴맛을 감추려고 설탕으로 첨가되는 정도였다. 그 후 1930년대에 탄수화물 복합체인 헤파린이 혈액 응고를 막는 데 사용되기 시작했는데 이것은 돼지 장에서 추출된다. 이것은 5개의 탄수화물 단위체로 된 사슬로 구성되며 현재는 알케미아 회사 덕분에 합성될 수 있다. 이 회사는 오스트레일리아의 브리스베인에 있다. 헤파린은 혈액 응고 인자를 비활성화하며 고관절 대체 수술과 복부 수술 같은 수술 후에 투여된다.

　언제부턴가 탄수화물이 식물과 미생물에서 중요한 역할을 한다는 것이 알려졌었지만, 오늘날에는 사람의 세포를 비롯한 모든 세포에서 중요하다는 것이 인정되고 있다. 탄수화물은 정자가 난자를 만날 때도 역할을 한다. 정자가 난자에 도착하면 난자의 표면에 있는 탄수화물을 인식하여 결합하고 이 행동은 곧 칼슘 이온의 활성화를 촉발한다. 칼슘 이온은 막에서 과산화수소를 형성하는 효소의 스위치를 켜서 과산화수소가 막의 긴 사슬 분자들 사이에서 교차결합을 만든다. 그렇게 함으로써 다른 정자가 막을 투과하지 못하게 한다. 이런 현상은 브라운대학의 생물학자 웨셀(Gary Wesssel)이 2004년에 이미 성게 알에서 발견한 것이며 사람의 난자에서도 그것과 비슷한 일이 일어날 것이다.

　탄수화물은 물 분자를 끌어당기며 이 때문에 탄수화물은 세포막의 바깥쪽에 있지만 물과 화합하는 것은 단지 그것이 하는 일의 작은 부분에 지나지 않는다. 몇몇 탄수화물은 세포 사이의 교묘한 전령을 통과시키는 데 매우 중요하다. 때때로 탄수화물은 세포 표면에 있는 단백질에 결합하며 이런 탄수화물은 거기에서 단백질이 효소의 공격을 받지 않도록 보호한다. 탄수화물은 필수적이지만 세포가 공격을 받는 데 이용될 수 있으며 바이러스와 독소가 접근하는 경로가 된다.

아주까리씨에 들어 있는 천연 화학물질인 리신은 치명적 독인데 한 분자만 들어가더라도 세포가 죽는다. 그것이 세포를 만나면 하는 첫 번째 행동은 세포 표면의 탄수화물에 결합하여 기다리는 것이다. 세포는 곧 리신 분자를 조사하고 나서 안쪽으로 들어오게 한다. 그렇게 함으로써 세포는 운명이 정해진다. 리신은 세포의 단백질이 만들어지는 유일한 자리로 이동해 가서 일단 그것을 막는다. 결국 세포는 죽게 된다. 대장균 O157 : H7이 분비하는 치명적 독소도 세포에 접근하는 데 비슷한 전략을 사용한다. 또 바이러스도 바깥쪽 탄수화물에 결합하며 인플루엔자 바이러스는 특별히 이런 일을 잘한다. 그러나 자연이 하는 것을 사람도 할 수 있으며 우리는 그렇게 함으로써 이런 천연적 적들을 막아낼 수 있다.

탄수화물은 미래 백신의 기초가 될 수 있다. 백신은 침투한 미생물 병원체에 대하여 항체를 생산하는 면역계를 자극한다. 백신은 약화되거나 죽은 병원체이거나 그것으로부터 추출한 단백질이다. 이론상으로는 침투하는 병원체의 돌출부에 있는 복잡한 탄수화물을 확인하고 그것과 반응할 수 있는 백신을 생산할 수 있다. 그러나 그런 탄수화물이 화학적으로 확인되더라도 화학자들이 탄수화물 복사물을 만들기가 어려워서 이것은 백신을 만드는 좋은 경로가 될 것 같지는 않다. 이 합성은 때로는 40단계 이상으로 분리된 화학 반응을 순차적으로 진행해야 하고 그 수율도 매우 낮다. 지난 몇 년 동안 변화가 일어나고 있다. 두 탄수화물을 결합하는 것은 화학자에게 항상 문제를 일으키는데 결합이 어렵기 때문이 아니라 분자들이 연결되는 방법이 너무 많아서 여러 가지 생성물이 생기지만 이들 중 필요한 것은 한 가지뿐이기 때문이다. 천연 탄수화물을 확인하기도 쉽지 않지만, 실험실에서 그것을 만드는 것은 훨씬 더 어렵다.

탄수화물 화학에서는 실제로 복잡성이 문제가 된다. 간단한 포도당 분자를 생각해 보자. 이것은 5개의 탄소 원자와 1개의 산소 원자로 된 고리로 구성되어 있고 거기에 5개의 반응성 하이드록실기가 결합되어 있다. 이런 원자단을 통해서 두 포도당 분자가 서로 결합할 수 있는데 결합 방법은 11가지나 된다.* 분자에 세 번째 포도당 분자를 첨가하면 이제 176가지의 조합이 가능하다. 네 번째를 첨가하면 1,056가지가 가능하고, 다섯 번째를 첨가하면 2,144,640가지가 가능하다. 그런 복잡성을 고려하면 특별한 한 가지를 만드는 임무는 매우 어렵지만 세포 안의 효소들은 흔히 10개 이상의 탄수화물 단위체를 서로 결합시켜서 필요로 하는 정확한 탄수화물을 조립할 수 있다.

매우 영민한 합성 방법에 대한 연구들에 의해서 지난 10년 동안에 실험실에서 탄수화물을 만드는 제약 사항들이 제거되었다. 1990년대에 영국 케임브리지대학의 레이(Steve Ley)가 이끄는 연구진은 단순한 탄수화물에서 복잡한 탄수화물을 합성하는 연구의 선도자가 되었다. 그들은 단일 반응 혼합물에서 11개까지도 연결하는 방법을 개발하였다. 이렇게 하는 기술은 소위 보호기의 도입이었다. 보호기는 당 분자의 활성 부위에 결합하여 원치 않은 부위가 반응하는 것을 억제하고 원하는 부위만 반응할 수 있게 해준다. 간단한 탄수화물을 합성하는 새로운 방법이 발견되자 이것으로 다양한 새로운 분자들을 구성할 수 있게 되었으며 심지어 풍성한 자연이 만들지 못한 것까지도 만들 수 있다. 캘리포니아공과대학의 맥밀란(David MacMillan)과 노드럽(Alan Northrup)은 아미노산인 프롤린이 촉매로 작용하는 것을 알아내서 자연처럼 실온에서 반응을 진행하게 할 수 있었다. 그들은 과거에는 44단계까지 필요

---

* 두 분자의 포도당이 연결되는 것에 대해서는 4장에서 더 상세하게 다룬다.

하던 것을 두 단계 과정으로 완성하였다. 이제 자연에 존재하지 않은 탄수화물을 만들 수 있게 되었으며 언젠가는 이것들은 새로운 약품을 만드는 데 이용이 될 수도 있다.

탄수화물 화학자의 가장 큰 소망은 항암 백신을 만드는 것이다. 암세포는 세포 외벽에 독특한 탄수화물이 돌출되어 있으며 암세포들은 신체를 돌아다니다 다른 기관에 부착할 때 이것을 사용한다. 이렇게 해서 이차적인 암이 시작되며 이 과정을 의학에서는 전이라고 한다. 탄수화물로 암세포를 구별할 수도 있을 것이다. 만약 그렇게 된다면 그런 암세포에 대한 백신도 만들 수 있을 것이다. 전립선, 대장, 유방암에서 발견되는 탄수화물 중 하나는 글로보-H이며 이것을 쥐에 주사하면 항체를 형성한다. 그다음에 이 항체는 종양세포를 외부물질로 인식할 것이다. 암세포를 공격하는 다른 방법은 이질적 탄수화물을 만드는 데 필요한 세포를 억제하는 것이며 쥐를 연구한 결과 그런 효소를 억제하면 흑색종의 크기가 99% 이상 감소하였다. 2003년에 영국의 덱스트라연구소와 글리코메드과학은 피부암을 용해하는 데 놀라운 능력을 갖추는 복합 탄수화물 약품을 들고 나왔다.

최초의 탄수화물에 기반을 둔 백신은 2003년 11월에 쿠바에서 승인되었으며 큐미-히브라고 알려졌다. 이것은 유아와 어린아이에서 폐렴과 수막염을 일으키는 헤모필루스 인플루엔자(Haemophilus influenzae) b형(Hib)을 방어한다. 이 백신은 아바나대학의 베레즈-벤코모(Vincente Verez-Bencomo)와 페르난데즈-산타나(Violeta Fernández-Santana)의 연구 결과이다. Hib-폐렴 백신은 현재 쿠바 어린이의 4분의 1을 보호하고 있다. 전에는 Hib-폐렴이 일 년에 수백 건이 발생했지만 2005년에는 단 두 건이 발생하였다. 쿠바는 중요한 설탕 생산국이다보니 자연히 과학자들은 그것을 이용하는 방법에 관심을 두게 되었다. 설탕은 미래 화학공업에서 지속가능한 중요한 원천이 될 것 같으며 풍부한 천연 물질이다. 설탕 분자는 포도당과 과당이라는 두 당이 결합된 것으로 산에 의해서 쉽게 분해되어 분리될 수 있다. 약품을 만드는 데는 포도 당이 더 중요하다. 셀룰로스로부터도 산과 촉매의 조합을 이용하여 포도당을 얻을 수 있지만 화학적으로 얻는 것을 훨씬 더 어렵다.

탄수화물 인식에 기반을 둔 항–말라리아 백신도 언젠가는 가능할 것이다. 이 목표를 향한 첫 단계는 기생충에서 나타나서 병의 원인이 되는 독성 탄수화물을 찾아내는 것이다. 두 번째 단계는 실험실에서 그 탄수화물을 만드는 것이다. 그런 합성이 1995년에 최초로 시도되어서 다섯 명이 2년 이상에 걸쳐서 3~4밀리그램을 생산하였다. 그러나 그 후 개발된 방법 덕분에 현재는 천 배 정도 더 많은 양을 생산할 수 있다. 그러는 동안 다른 연구진들은 콜레라와 티푸스 같은 진균류 감염과 포도상구균형 감염을 방어하는 백신을 개발 중이다. 실제로 언젠가는 한 번의 주사로 몇 가지 질병에 대한 항체가 형성되는 것이 가능해질 것이다.

탄수화물은 질병 치료에서 신체 내에서 필요한 곳으로 약품을 운반하는 역할을 한다. 흔히 약품이 혈액에 잘 녹지 않으면 훨씬 더 많은 양을 처방한다. 다른 방법은 활성 성분을 혈액에 녹는 다른 분자로 감싸서 그것이 필요한 곳으로 전달하는 것이다. 그런 포장 분자가 사이클로덱스트린인데 이것은 6개 혹은 8개의 포도당 단위가 허리띠처럼 커다란 고리를 이루고 있다. 사이클로덱스트린의 바깥쪽은 친수성이지만 속은 친수성이 적어 실제로 물에 녹지 않은 분자나 물과 민감하게 반응하는 분자를 담을 수 있어서 그것을 목적지까지 안전하게 가져갈 수 있다.

탄수화물, 특히 세균이 만든 탄수화물이 다른 방법으로 인체에 도움이 된다고 밝혀지고 있다.

## ● 세균의 탄수화물

세균은 식물처럼 지지 재료로서 셀룰로스가 필요하기 때문에 탄수화물을 만든다. 세균은 이 고분자를 꼬아서 실 가닥처럼 만들며 이것들이 자발적으로 리본으로 엮어진다. 세균의 셀룰로스는 최고급형 셀룰로스라고 불린다. 세균 셀룰로스와 식물 셀룰로스의 차이점은 그 강도와 물을 포함하는 방법이다. 이런 성질들은 독일 예나대학의 연구화학자인 클렘(Dieter Klemm)과 외과의사 쉴러(Friedrich Schiller) 같은 과학자들의 주의를 끌었고 그들은 세균 셀룰로스를 미세 수술에 사용되는 인공 혈관을 만드는 데 이용하였다. 그들은 그 재료를 BASYC(세균 합성 셀룰로스의 약자)라고 하였다.

세균 셀룰로스는 욕창이 생긴 장기 환자에게도 사용된다. 욕창은 체내 순환이 잘되지 않아서 생기는 커다란 궤양으로 순환 부족에 의해서 생기며 수년 동안 지속될 수 있다. 미국 펜실베이니아주의 랭혼에 위치한 작은 회사인 자일로스는 현재 그런 상처를 위한 엑스셀이라는 붕대를 공급하고 있는데 세균 셀룰로스로 만든 것이다. 이것은 상처 영역의 크기를 감소시킬 뿐 아니라 손상된 피부 아래층의 치료도 촉진한다.

또 다른 세균 셀룰로스 막은 심한 화상 상처에 사용될 수 있으며 빨리 치료되도록 도와준다. 이것은 폴란드의 로지공과대학의 연구자들이 만든 것이다.

## 마취제

**마취제**\*가 전혀 없을 때 외과의사들은 빠르게 수술을 해야 하였으며 어떤 외과의사는 30초 이내에 다리를 절단할 수 있었다. 내부 기관에서 돌을 제거하는 것과 같은 몇 가지 수술은 시간이 오래 걸렸으며 환자들은 불행하게도 수술대에 단단하게 묶이거나 건장한 수술실 조수들에게 눌려서 고통으로 몸부림쳐야만 되었다. 술, 아편 같은 조악한 진통제가 사용되었으며 심지어 수술 전에 턱을 한 방 때려서 기절시켰다는 보고서도 있지만 사람을 잠들게 하고

---

\* 마취(anaesthesia)와 마취제(anaesthetic)라는 말은 의사 홈즈(Oliver Wendell Holmes)가 치과의사 모턴(William Morton)에게 보낸 1846년 11월 21일자 편지에서 최초로 사용되었다. 영국과 아일랜드 마취학회는 런던 중심부의 포틀랜드 광장 21번지에 박물관을 가지고 있는데 여기에는 1774년부터 현재에 이르기까지 통증을 없애는 데 이용된 3,000가지의 물건이 전시되어 있다. 방문을 원하는 사람은 미리 예약해야 하며 입장료는 무료이다.

수술한다는 생각은 화학물질을 도입함으로써 가능해졌다. 게다가 화학약품의 특수한 작용은 환자들에게 통증을 알아채지도 못하게 해주었다.

1540년에 위대한 약학자인 파라셀수스(1493~1541)는 에테르가 새를 일시적으로 기절시킨다는 것을 알았다는 의견도 있지만, 그는 더는 실험을 하지 않았다. 다음 단계가 밝아지기까지는 200년 이상이 흘러서 1772년에야 프리스틀리(Joseph Priestley)가 산화질소를 발견하였다. 흔히 웃음기체로 알려진 이 기체를 들이마시면 유쾌해졌다. 1799년 12월 26일에 위대한 과학자인 데이비(Humphry Davy)는 폐쇄된 상자에 들어앉아서 이것을 스스로 시험하였다. 상자에는 약 20리터의 산화질소($N_2O$)가 들어 있었다. 그 후에 그는 이렇게 적었다.

"나는 외부의 것들과 모든 연결이 끊겼다. 머릿속에서 생생한 기억의 기차가 빠르게 지나갔으며 완전히 새로운 인식이 생겨나는 방식으로 단어들이 연결되었으며. … 생각 외에 다른 것은 아무것도 없었다. 온 우주가 인상, 생각, 기쁨, 고통으로 구성된다."

그 후에 이것이 특히 학생들 사이에서 오락 형태로 변한 것은 거의 당연하였다. 데이비는 고농도의 산화질소를 즐겼을 뿐 아니라 그 기체가 고통이 없는 무의식 상태를 유도하는 데 이용될 수 있다고 제안하였다. 그런 아이디어를 받아들인 외과의는 전혀 없었으며 몇 년이 지나서야 이런 목적으로 사람에게 간단한 화학물질이 시험되었다. 1820년대에 영국의 외과의인 히크먼(Henry Hill Hickman)은 이산화탄소를 동물의 의식 상실에 이용하려고 시도하였지만, 환자에게는 전혀 사용하지 않았다.

1842년 3월 30일에 에테르가 마취제로 이용된 최초의 수술이 미국의 외과의인 롱(Crawford Williamson Long)에 의해서 시행되었다. 그는 그 수술에서 성공적으로 낭포(囊胞)를 제거하였다. 그 뒤 몇 번의 수술이 더해졌지만 결국 그는 마법으로 고발당하였고 교수형의 위협을 받고 나서 결국 다시 예전 방법으로 돌아갔다. 다른 사람들은 그렇게 제지를 받지 않았으며 1844년에 웰즈(Horace Wells)는 산화질소를 사용하였다. 그는 치과의사로서 산화질소의 영향을 받는 동안 자신의 이를 뽑았다. 거의 같은 시기에 메사추세츠병원에서는 모턴(William Morton)이 에터로 환자를 성공적으로 마취시키고 그동안에 커다란 종양을 제거하였다. 1847년에 심슨(James Simpson)은 클로로폼이 역시 좋은 마취제임을 보여주었고 스노우(John Snow)는 1853년에 빅토리아여왕이 레오폴드 왕자를 출산하는 데 그것을 사용하였다. 여왕은 왕실 문장을 수여해 감사를 표시하여서 마취의 미래가 보장되었다.

알코올, 클로로폼, 에터가 1 : 2 : 3으로 혼합된 ACE라고 하는 마취 증기가 가장 좋은 것이라고 알려지게 되었다. 광범위하게 사용되고 있음에도 불구하고 ACE는 위험을 수반한다고 알려졌었지만 마취제로 100년 이상 사용되었다. 에터는 그 위험이 작기는 하였지만 수술대에서 10만 번의 수술 중 한 번 정도로 심각한 화재나 폭발을 일으켰으며 일단 발생하면 그것은 걷잡을 수 없는 일이 되었다. 클로로폼은 화재 위험은 없었지만 몇몇 환자에게는 치명적이어서 비극적 경우에는 수분 안에 환자가 죽을 수 있었으며 간과 다른 기관이 심각한 손상을 입었다. (산화질소는 위험이 더 적으며 오늘날에도 계속 사용되고 있지만 깊게 마취를 하지 못한다.)

이런 초기 마취제들은 우연히 발견되었다. 화학자들이 더 좋은 것을 고안할 수 있었을까? 거의 일 세기 동안 대답은 부정적이었지만 염화에틸, 트라이클로로에틸렌, 사이클로프로페인, 염화바이닐 같은 마취 능력을 갖춘 다른 화학물질들이 발견되고 시험 되었다. 이것들 역시 인화성이 크다거나 독성 부작용 같은 적잖은 단점이 있었다. 클로로폼과 같은 화학물질이 왜 마취제로 작용하는가에 대한 지식은 부족하였다. 분명히 마취제는 휘발성이고 쉽게 폐에서 흡수되어서 혈류를 통해서 뇌로 전달되어야 한다. 분자는 나트륨 원자가 이동하는 막의 통로를 막는 데 적당한 크기여야 한다. 나트륨의 이동은 전기 충격이 신경 섬유를 통해서 이동하는 방법이다. 막은 지방과 같은 화학 물질이기 때문에 지방을 녹이는 용매에 더 잘 녹는 마취제일수록 더 좋은 마취제일 것이다. 또 완전한 마취제가 가져야 할 몇 가지 다른 성질도 있다. 즉 독성이 없어야 한다. 화학적 반응성이 없어야 한다. 중요한 기관에 손상을 주어서는 안 된다. 가연성이 아니어야 한다. 바르게 작용해야 한다. 구토와 같은 원치 않은 사후 효과가 없어야 한다. 오랫동안 보관할 수 있어야 한다. 너무 비싸서는 안 된다. 클로로폼과 에터는 모두 이런 바람직한 성질 중 몇 가지를 가지고 있으므로 새로운 마취제를 찾는 접근 방법은 에터를 불연성으로 만들거나 클로로폼의 독성을 약화시키는 것이다.

클로로폼은 휘발성, 불연성, 지방조직 적합성의 장점을 가지고 있으며 일부 사람들에게는 치명적이지만 대부분 사람은 그것에 손상을 입지 않는다. 클로로폼 분자에 염소 대신에 플루오린 원자가 들어가면 독성이 약화되며 휘발성이 더 커져서 더 안전한 마취제가 된다. 랭카셔의 윈즈에 있는 ICI 회사 연구소에서 서클링(Charles Suckling)이 이끄는 연구진은 더 나은 마취제를 찾기 위한 연구를 수행하였다. 이 연구진은 수소가 덜 들어갈수록 가연성이 낮아진다는 근거에서 플루오린, 염소, 브로민이 들어간 기체와 휘발성 화합물을 만들었다. 그것은 마취를 일으키는 데 충분할 정도로 높은 증기 농도를 가지며 휘발성도 가질 것이다. 또 그들은 마취제가 신체의 다른 기관에 많은 양이 침투하지 않으면서 필요한 양의 화학물질을 뇌에 전달하기 위해서 어떻게 설계되어야 하는지를 이해하기 시작하였다. 기관에 침투하면 손상을 주는 생성물을 만드는 대사가 이루어질 수도 있다. 마침내 그들은 할로탄에 도달하게 되었고 그것은 1958년에 특허를 얻고 성공적이라는 것이 입증되었다. 그것이 광범위하게 사용되고 나서 곧 일부 환자에서는 간에 손상을 주어서 완전하지 않다는 신호들이 나타났다. 그것은 간에서 **카복실산**의 일종이며 유해한 트라이플루오로아세트산으로 전환된다.

1980년대에 엔플루란과 아이소플루란의 두 가지 마취제가 더 사용되게 되었다. 이것들은 간에서 대사가 잘 되지 않아서 엔플루란은 2%, 아이소플루란은 0.2%가 대사된다. 엔플루란은 1981년부터 임상에 도입되었지만 아이소플루란은 몇몇 연구 결과가 쥐에서 간암을 일으킨다는 것을 보여주었기 때문에 도입이 연기되었다. 이 연구는 다른 연구진들에 의해서 반복되었으며 잘못되었다고 밝혀져서 아이소플루란은 1984년부터 일반적으로 사용되었다. 수술대에 있는 사람은 이 마취제의 불쾌한 냄새를 싫어하였다. 새로운 마취제와 관련된 건강의 위협은 없었을까? 이것을 사용한 17,021명의 환자가 경험한 부작용과 할로탄을 사용하였던 유사한 집단이 경험한 것을 통계적으로 분석하였다. 새로운 마취제를 사용한 환자들은 심장마비에 더 많이 걸리는 것 같으며 아이소플루란의 경우에는 심계항진(心悸亢進)이 흔하였다. 그러나 환자의 사망 위험은 전혀 증가하지 않았다.

현재 아이소플루란은 특히 아동의 수술에 대해서는 서보플루란으로 교체되었다. 서보플루란은 1970년대에 만들어졌으며 특별히 빠른 작용을 지닌 강력한 마취제이며 일본에서 선호된다. 더 새로운 마취제는 데스플루란이다. 두 가지 모두 조직에 대한 용해도가 낮아서 마취제가 신체의 다른 부분으로 확산하지 않으며 수술 후에 회복이 빠르고 기억 손실이 더 적다. 데스플루란은 무입원 수술을 위한 마취제가 되었다.

산화질소는 아직도 사용되는데 작용이 빠르고 이것을 다른 마취제에 약간 첨가하면 다른 유형의 사고가 줄어들기 때문이다. 그것은 수술 도중에 마취제 공급이 바닥나고 마취의가 그것을 모를 때 일어나는 사고이다. 그 결과 수술 도중 환자는 의식을 회복하기 시작하고 결과적으로 극심한 고통과 충격을 겪는다. 그러면 특히 금전적 배상이 매우 커질 수 있다. 산화질소는 환자가 무엇이 일어나고 있는지 의식하지 못하게 해준다.

모든 것 중에서 가장 안전한 마취제는 아마도 기체 상태 원소인 제논일 것이다. 이것은 단일 원자로 존재하며 화학적 반응성이 거의 없다. 이것의 마취제로서의 가능성은 50년 이상 알려져 왔지만, 희귀하고 값이 비싸서 광범위하게 사용된 적은 없다. 제논은 지구 대기에 10억분의 2밖에 존재하지 않으며 총량은 20억 톤이 넘지만, 액체공기 공장에서 매년 1톤만을 추출할 수 있다. 지구에 제논이 왜 그렇게 적은지는 아직 밝혀지지 않은 의문이며 많은 양이 기체 수화물로 지각이나 암석에 갇혀 있기 때문이라고 추측하고 있다. 제논은 비싸기는 하지만 몇몇 수술, 특히 관상동맥 수술에서 매우 유익한 효과를 나타낸다. 이 수술에서 대부분 환자는 혈액에 생긴 미세 응고 때문에 사고 능력을 잃어서 고통을 당한다. 런던제국대학과 노스캐롤라이나의 듀크대학 의학센터의 공동 연구에 의하면 제논을 마취제로 사용하면 뇌손상이 훨씬 줄어든다.*

전 세계 의약품 매출액은 일 년에 5조 달러를 넘으며 그중 미국이 45%, 일본이 11%, 독일이 6%, 프랑스가 5%, 영국이 4%를 차지하면 세계에서 인구가 가장 많은 중국은 단지 2%를 차지한다. 가장 많이 처방되는 약품 부류는 콜레스테롤 저하제로서 전체의 6%를 차지하며 다음으로 항궤양제(5%), 항우울제(4%)가 뒤따른다. 나머지 85%가 굳은 근육부터 깊은 곳에 있는 암에 이르기까지 모든 것을 치료한다. 제약산업이 이룩한 건강 이익과 그것이 감소시킨 인류의 고통에도 불구하고 그 제품을 불신하고 제약산업의 동기까지 의심하는 사람들도 많다. 그런 사람들은 대체 치료법을 찾으며 이런 것 중에서 가장 흔한 것이 동종요법이다.

---

* 제논은 장래에 폐의 자기공명영상(MRI)에도 이용될 것이다. 보통의 MRI에서는 폐를 볼 수 없지만, 농위원소인 제논-129가 포함되면 폐를 볼 수 있다. 여기에 27%의 제논이 사용된다. 제논은 레이저로 들뜬 루비듐 원자에 노출시키면 에너지가 전이되어서 활성화되기 때문에 MRI로 볼 수 있게 된다.

## ● 동종요법 약품은 정말로 작용할까?

좀 놀랍게도 답은 그렇다이며 동종요법 약품이 물로만 구성된 것도 놀랍다. 그것은 약간 활성을 가진 작용물의 용액으로 시작하며 이것을 순수한 물로 99%까지 묽힌다. 그다음에 이 용액 한 방울을 많은 양의 물에 묽힌다. 다시 이 용액 한 방울을 많은 양의 물에 묽히며, 이것을 12번까지, 심지어는 30번까지 반복한다. 마지막에는 활성 작용물이 한 분자도 들어 있지 않다고 계산할 수 있다. 이상하게도 작용물을 묽힐수록 그것은 더 강해진다고 생각되며 그 강도는 계승이라고 하는 용액을 두들기는 특별한 방법을 통해서 만들어진다.(동종요법의 아버지인 하네만(Samuel Hahnemann)은 용액이 든 용기를 가죽 장정의 책으로 150번 두들겨야 한다고 하였다. 오늘날 계승은 기계로 행해진다.)

그렇다면 동종요법은 어떻게 작용할까? 그 답은 약품에 있는 것이 아니라 치료에 앞선 동정적인 동종요법가와 오랜 시간에 걸친 진단 기간에 있다. 그다음에 이루어지는 동종요법은 실제 약품을 대량으로 시험할 때 주어지는 위약(偽藥)과 같은 방법으로 이익을 제공한다. 위약은 일반적으로 셀룰로스처럼 해가 없으며 활성이 없는 물질이지만 복용한 사람의 약 30%에서 양성 효과를 나타낸다. 이것은 동종요법에서도 마찬가지이어서 많은 사람에게 작용하지만 나 자신처럼 그것을 믿지 않은 사람들에게는 시간과 돈의 낭비일 뿐이다. 우리는 모두 물을 마시고 있다는 것을 알고 있기 때문이다.

몇몇 동종요법가들은 그들 약에 든 물이 처음에 존재하던 활성 물질의 '기억'을 간직하고 있다고 말한다. 여러 번 묽힌 후에도 물이 여전히 세포에 영향을 미치는 능력을 가지고 있다는 주장을 보여주기 위하여 저명한 과학 잡지에 논문이 발표된 적도 있다. 추가적인 연구들은 그것들이 잘못되었다는 것을 분명히 보여주었지만 그런 의심들은 동종요법 전용의 그런 잡지에서 표면에 나타나지 못한다. 한 때 그것을 포함했던 물이 그 분자의 흔적을 보존할 수 있다는 생각에 따른다면 거기에는 아무것도 없으며 모든 물은 유익하다고 생각되는 물질뿐 아니라 이롭다고 생각되지 않은 모든 종류의 물질에 대한 기억도 보존할 수 있게 될 것이다. 실제로 런던에서 물을 마시는 사람들은 주로 상류의 많은 마을의 상수관과 하수관을 통과한 템스 강에서 끌어온 물을 마신다고 여겨진다. 그 속에 들어 있는 분자들이 여전히 '기억'을 보존하고 있다고는 생각하기도 싫다. 대체의학 치료법이나 보완의학 치료법을 평가하는 것은 쉬운 일이 아니다. 이 장에서 설명된 과학적으로 입증된 종류의 치료법을 행하는 사람들은 흔히 그것이 몇몇 사람들에게서는 작용하는 것으로 보일지라도 엉터리 치료법에 지나지 않는다고 묵살한다. 2005년에 간행된 머르컷(Toby Murcott)의 '시도 중인 대체 의학에 관한 모든 이야기'라는 책에서 이 주제는 훌륭하게 다루어지고 있다. 그는 그것이 효과가 있는지에 관한 문제가 해결되려면 논쟁 중인 양편에서 어느 정도의 겸손이 필요할 것이라고 결론을 내렸다.

# 편리한 삶 (1)

## 주말을 유쾌하게

글로벌 타임스 뉴스, 2025년 3월 21일

## 자신감을 갖게 하는 '러브 케미스트리'

세계적인 화학기업 차이나켐은 겨드랑이의 세균이 생성하는 악취를 로맨틱하게 느낄 수 있도록 바꿔주는 데오도런트(체취제거제)를 출시했다. 어제 바로 '러브 케미스트리' 가 세계적인 패션 중심지인 홍콩, 뭄바이, 리우데자네이루, 도쿄, 그리고 뉴욕의 심야 행사장에서 선을 보였다.

차이나켐의 사장인 카를로스 마오 퉁은 상하이 연구소의 화학자들이 3년에 걸쳐 집중적으로 연구하고 3년간의 안전성 및 소비자 평가를 거친 후에 제품이 출시되었다고 말했다. 러브 케미스트리는 일부 실험 참가자들의 삶을 변화시켰고, 우리는 그 효과를 격찬하는 보고서를 받았다. 연구에 따르면 러브 케미스트리는 뇌의 세로토닌 수준을 증가시켜, 사람들로 하여금 스스로를 더 좋게 생각하도록 만든다. 이 제품을 통해 자신감을 높이고 더 큰 즐거움을 누릴 수 있다.

유럽연합에서 제품에 함유된 화학성분 때문에 러브 케미스트리를 금지할 것 같다는 질문에 대해 마오 퉁은 스위스와 노르웨이 같은 인근 비유럽연합 국가들에서는 러브 케미스트리가 판매되고 있지만 유럽연합 사람들은 새로운 향수가 주는 혜택을 누릴 수 없게 되어 유감이라고 말했다.

5면: 인기 배우 3인, 러브 케미스트리를 직접 테스트하다.

6면: 프랑스의 향수전문가들, 러브 케미스트리의 불임가능성 경고.

우리는 일상 언어로 연인들 사이의 '케미'에 대해 말하는데, 이때 케미, 즉 케미스트리(화학)는 상호 간에 뿜어 나오는 강한 성적 매력을 뜻한다. 물론 그런 종류의 만남을 준비하는 많은 활동에는 아직 다루지 않은 다른 종류의 화학도 포함되며, 이 장에서는 그것을 다루려고 한다. 첫 부분에서는 신체의 냄새 때문에 그럴듯한 상대방을 퇴짜 놓지 않을 수 있는 방법을 살펴본다. 두 번째는 회희이 성공적인 성적인 만남을 완성하는 데 도움을 주는 방법에 대한 것이며, 마지막 부분은 성적 만남에서 생기는, 우리가 원치 않는 자연적인 결과의 문제에 대한 것이다. 다시 말해서 우리는 성적인 쾌락만 즐기려고 할지 모르지만 그 결과로 임신이 될 수도 있다는 것을 인식해야 한다. 그런 다음 우리는 마지막으로 다른 종류의 화학을 살펴볼 것이다. 성을 얻기 위하여 범죄적으로 오용되는, 소위 데이트 강간 약물이라 불리는 화학물질에 대한 것이다.

## 냄새의
## 화학

특별히 성에 관련된 것으로 보이는 감각이 후각이다. 이것은 본질적인 동시에 동물적이며 깊숙한 감정까지 휘저을 수 있지만, 우리가 가장 잘 알지 못하는 감각이며, 사람은 다른 종들보다 후각이 덜 발달되어 있다. 그럼에도 후각은 매우 강력하며 감각 중 화학적인 감각이다. 냄새는 우리가 분자를 검출하는 방법이며 우리 코는 분자를 훌륭한 방법으로 분석할 수 있다. 비강에는, 작은 머리카락처럼 가는 신경 섬유 수백만 개가 매달려 있는 4제곱센티미터의 영역이 있다. 신경 섬유들은 표면이 점막으로 되어 있어서 여기에 공기 중의 분자가 일시적으로 흡착되며 이때 즉시 인식이 되거나, 친숙하지 않은 냄새일 경우에는 매력적이거나 역겨운 것으로 구별된다. 수용체는 매우 민감하게 조절되기 때문에 **카이랄성**, 즉 서로 거울상인 오른손잡이 분자와 왼손잡이 분자의 차이까지도 구별할 수 있다. 따라서 솔향기가 나는 왼손잡이 리모넨과 오렌지 향이 나는 오른손잡이 리모넨을 구별할 수 있다.

어떤 물질에 대한 인식을 비교해보더라도 우리가 냄새에 얼마나 민감한지 알 수 있다. 암모니아 기체는 냄새가 매우 심하다고 여겨지는데, 우리 코는 숨 쉬는 공기 중에 암모니아가 100만분의 5(5 ppm)만 되어도 검출할 수 있다. ppb 단위는 10억분의 1을 나타내는 단위로, 아주 미량의 냄새를 검출할 때 유용하다. 황화수소의 달걀 썩는 냄새는 100 ppb, 황산다이메틸의 좋지 않은 냄새는 1 ppb, 스카톨*의 대변 냄새는 0.4 ppb만 되어도 검출할 수 있다. ppb는 친숙한 측정 방법은 아니지만 이것을 시간으로 나타내면 쉽게 알 수 있다. 1 ppb는 30년 중 1초에 해당하며 따라서 0.4 ppb는 75년 중 1초에 해당한다.

우리가 일반적으로 가장 불쾌하게 여기는 냄새는 아민류, **카복실산류, 황화합물**들이지만, 부분적으로는 우리가 그것들과 마주치는 상황에 따라서 달라진다. 카복실산을 예로 들어보자. 아세트산(식초)은 포도주와 결합하면 포도주가 상해가고 있다는 것을 알려주는 불쾌한 향이지만 생선과 감자튀김에 뿌리면 구미를 당긴다. 카복실산에 결합된 사슬의 탄소 수가 늘어갈수록 냄새도 변한다. 탄소 원자가 네 개이면 뷰티르산이 되어 상한 버터 냄새가 나지만, 사슬이 여섯 개인 원자이면 카프로산이 된다. 이 이름은 염소를 뜻하는 라틴 어 'caper'에서 왔다. 이 산은 염소 치즈에 들어 있어서 우리가 즐기기도 하지만, 땀이 난 발 냄새에도 있어서 매우 불쾌하게도 느껴진다.

인체는 이유는 알 수 없지만 상대가 접근하지 못하도록 설계된 듯한 냄새를 내놓을 수 있다. 신선한 땀은 불쾌하지 않고 오히려 약간 매력적일 수 있지만 곧 세균의 작용 때문에 고약한 냄새를 풍기게 된다. 세균은 3-메틸뷰티르산을 포함하는 산을 생성하는데 이것은 우유로 만드는 대부분의 치즈에도 들어 있다. 소변도 신체에서 처음 나올 때는 불쾌하지 않지만(실제로 어떤 향수의 일부 베이스 노트는 그 냄새를 모방하고 있다.) 세균이 작용하기 시작함에 따라 결국 냄새가 나기 시작하며 그다음에는 아민류를 발산한다. 입에서 나는 불쾌한 구취도 마찬가지로, 음식 찌꺼기의 단백질에 작용하는 세균의 작용 때문

---

* 이 분사는 사람의 대변에서 나는 특징적인 냄새를 내지만 소량으로는 향료와 향수로도 사용된다. 낮은 농도에서는 상쾌하고 달콤한 향이며 아룸 백합(칼라 꽃)향의 천연 성분이다. 화학식은 $C_9H_9N$이다.

에 발생한다. 이 경우 불쾌한 분자는 메틸머캅탄이나 다이메틸설파이드 같은 황 화합물이다. 사람의 코는 메틸머캅탄이 공기 중에 단 0.2 ppb만 있어도 감지할 수 있다. 당신은 이 분자를 송로버섯이라고 하는 진미를 먹을 때도 만날 수 있지만 이때는 이미 미세한 흔적만 있을 뿐이다. 이들 진귀한 균류는 땅에서 서식하기 때문에 냄새를 감지할 수 있는 돼지와 개를 이용해 채취한다.

이런 단순한 분자에 더 많은 황 분자를 첨가하면 냄새를 더 강화시킬 수 있다. 악명 높은 백합인 타이탄 아룸(Amorphophallus titanium)*은 개화하는 일이 워낙 드물어 개화를 하기만 하면 국가적인 뉴스가 된다. 2003년 6월에 캘리포니아에서 개화하여 1,000명 이상의 방문객이 모여들었으며, 2005년 4월에 영국 큐 식물원에서 개화하였다. 2006년 5월에 독일 본대학의 식물원에서도 개화했는데 특이하게도 여러 송이가 동시에 피었다. 그 꽃의 냄새는 아주 불쾌하여 시궁창에서 썩어가는 닭이 낳은 썩은 달걀 같다고 표현된다. 그 냄새가 1킬로미터까지 가지만 다행스럽게도 꽃은 이틀 정도면 시든다. 이 백합은 분자의 중심에 두 개의 황을 가진 이황화다이메틸과 삼황화다이메틸을 내뿜는다.** 이 분자들이 파리를 시체로 유인하며, 타이탄 아룸도 이를 이용해 파리를 유인하여 하루 정도 붙잡고 있다가, 파리가 다른 꽃의 황화물 분자에 유인되어 수정할 수 있도록 놓아준다. 암컷 골든 햄스터도 이 황화다이메틸을 방출하여 수컷을 유인하지만, 수컷의 호기심을 일으킬 수는 있어도 성적 흥분을 일으키기에는 부족하다. 이후 암컷은 수컷이 올라타기 전에 다른 물질을 분비하는데, 이번에는 작은 단백질 분자이다.

곤충과 동물은 짝을 유인하는 데 냄새를 이용한다. 수컷 산누에나방은 암컷이 5킬로미터 밖에 있어도 알 수 있는데, 이는 수컷의 감각기가 중요한 분

---

\*    송장꽃(시체꽃)이라고도 하며, 키가 3미터까지 자란다.

\*\*   화학식은 각각 $CH_3SSCH_3$와 $CH_3SSSCH_3$이다.

자가 아주 적게 있더라도 암컷을 감지할 수 있다는 것을 보여준다. 성 유인물질의 과학적인 이름은 페로몬이며, 실험실에서도 만들어 일부 해충을 덫으로 유인하는 데 이용할 수 있다. 이 경우 수컷만 잡을 수 있는데 페로몬은 수컷이 성공적인 번식을 위해 암컷을 찾는 데만 필요하기 때문이다. (나는 정원에서 자라는 사과에 피해를 주는 코들링나방의 수를 줄이려고 그런 덫을 이용해보았는데 덫에는 수컷만 수십 마리가 잡혀 문제는 해결되지 못했다.)

항상 암컷만 페로몬을 내놓는 것은 아니다. 수컷 사향노루는 특수한 샘에서 나오는 화학적 무스콘(muscone)을 이용해 짝을 유인하고, 수퇘지는 암퇘지를 흥분시키는 안드로스테론을 발산한다. 사람도 겨드랑이에서 이 분자를 생산하며 특히 남성이 생산하는데, 매우 희미한 사향 냄새가 난다. 그것이 여성을 유혹할 수 있을까? 일부 남성은 그럴 수 있다고 믿으며 성인용품점에서는 이 화학물질을 스프레이 형태로 판매한다. 아직 그것이 인간 페로몬이라는 과학적인 증거는 전혀 없지만 우리가 그 냄새를 맡지는 못한다고 하더라도 분자를 검출하고 그에 반응한다는 의견은 있다.

사람이 짝을 유인하는 데 시각적 자극 같은 다른 방법을 이용하기로 결정하면서 사람 코의 페로몬 검출기는 쓸모없게 되었으며, 실제로 우리의 원시적 조상들은 2,300만 년 전에 색깔을 보기 시작하면서부터 페로몬에 대한 흥미를 잃은 것으로 보인다. 직립보행으로 이 진화적 변화가 일어났다. 직립보행은 우리의 시각을 향상시켰지만 코의 위치를 후각에 가장 유용한 지면 부근 영역으로부터 위쪽으로 이동시켰다. 어떤 사람들은, 남성이 내놓는 냄새 없는 분자가 실제로 여성에게 영향을 준다는 연구를 근거로 아직도 우리에게 페로몬 능력이 남아 있을지도 모른다고 생각한다. 2003년에 필라델피아 모넬화학감지센터의 프레티(George Preti)와 위소키(Charles Wysocki)가 발표한 논문에 따르면, 깨끗한 남성의 겨드랑이에서 닦아낸 냄새 없는 분비물이 여성에게 두 가지 효과를 나타냈다. 일부에서는 진정시키는 느낌을 유발했지만 다른 여성들에서는 배란을 지배하는 호르몬에 영향을 준 것이다.* 관련이 되는 분자는 안드로스타-4,16-다이엔-3-온으로 여겨지는데 이는 남성 겨드랑이 털의 주된 안드로스테논이며 정액에도 존재한다. 여성의 뇌를 스캔하면 이 분자 냄새가 포도당 수준을 변화시키는 모습이 보이지만 이것이 무엇을 의미하는지는 아직 분명하지 않다.

1986년에 전 세계 150만 명을 대상으로 가장 큰 규모의 후각 조사 연구가 수행되었다. 대상자들에게 '긁어서 냄새 맡는' 카드를 주고 질문에 답하게 하였다. 시험한 냄새는 안드로스테논, 아세트산 아이소아밀(바나나), 글락솔라이드(합성 사향), 유제놀(클로버), 장미, 머캅탄(천연가스에 첨가하는 누출 감지제 중 하나)이었다. 참가자 중 50%는 여섯 가지 냄새 모두를 맡을 수 있었으며 1%만이 전혀 냄새를 맡을 수 없었다. 여성들이 남성보다 더 우수했다. 가장 적은 수가 냄새를 맡았던 것은 안드로스테논이었다. 이것이 만일 인간 페로몬이라면 그것은 유혹적인 냄새 때문에 작용하는 것은 아닐 것이다.

지금으로부터 300년 전, 해부학자들은 인간에게 콧구멍으로부터 1센티미터 위쪽, 비강의 양쪽에 작게 움푹 팬 곳이 두 개 있다는 것을 관찰했다. 이것은 야콥손(Jacobson) 기관이라고도 하는 서골비기관[vomero-nasal organ (VNO)]이며 1811년에 동물 VNO의 상세한 구조를 발표한 야콥손의 이름을 딴 것이다. 사람의 VNO는 뇌와 신경 연결이 없어서 전혀 중요하지 않기 때문에 일반적으로 무시되었다. 그것은 단순히 몇몇 초기 진화 기관의 흔적 기관으로 보인다. VNO는 다른 종에서는 매우 중요하며 생쥐의 경우, 그 단백질 구조의 일부가 제거되면 짝을 얻는 데 덜 호전적이고 자손을 양육할 때

---

* 여성도 주위에 있는 사람, 특히 여성들에게 영향을 주는 분자를 발산할 수도 있다. 서로 다른 생리 주기를 가지는 여성들이 함께 살게 되면, 생리 주기가 비슷해지는 경우도 이것으로 설명된다. 어떤 분자가 이런 일을 일으키는지는 아직 더 연구가 필요하지만 1990년대에 시카고대학 연구진은 이것이 여성들이 겨드랑이에서 발산하는 분자와 연관되어 있음을 밝혀내었다.

도 덜 보호적이 되는 등 매우 다르게 행동하기 때문에 행동에 중대한 영향을 끼친다.

해부학 교수였다가 기업가로 변신한 베를리너(David Berliner)는 1997년에 소량의 합성 스테로이드를 남성의 VNO에 바르면 몸이 이완되고 심장 박동과 호흡이 느려진다고 보고하였다. 분명히 VNO는 우리가 상상하는 것처럼 비활성적인 것이 아니다. 2000년에 뉴욕에 있는 록펠러대학의 연구진이 수행한 인간 유전체 연구에서도 우리가 여전히 VNO 페로몬 수용체에 관한 다섯 개의 잠재적 기능 유전자를 생쥐와 공통으로 가지고 있다는 것이 밝혀졌다. 인간 성 유인제는 개발될지 모르며, 어쩌면 성의 화학에 대하여 많은 것이 밝혀져 있기 때문에 우리가 상상하는 것보다 빨리 세상에 나올 수도 있을 것이다.

## ● 화학물질이 인간을 흥분시킬수 있을까?

2004년에 몬트리올에 있는 콩코르디아대학의 파우스(James Pfaus)는 《미국 과학원 회보(*Proceedings of national Academy of Science USA*)》의 온라인 판에, PT-1410라고 하는 단백질 분자가 사람에게 발기를 일으킬 뿐 아니라 암컷 쥐를 성적으로 흥분시킨다는 논문을 발표했다. 이것을 쥐에 주면 까불어대고, 수컷 쥐가 자신을 쫓게끔 온갖 방법을 써 유도하여 짝짓기를 했다. 그러나 그것이 여성에게도 유사한 효과를 나타내는지는 아직 확인되지 않았다. PT-141은 뇌에 있는 수용체를 표적으로 삼는 호르몬형 분자이다. 그 수용체를 멜라노코르틴(melanocortin)이라고도 하며 사람에게서는 성적 욕망과 연관되어 있다.

현재 우리는 신체의 냄새를 다루는 데 있어 여전히 전통적인 방법을 고수하며 냄새를 풍기지 않도록 하는 데 모든 관심을 쏟고 있다. 우리는 냄새가 다른 사람에게 어떻게 전달되는지 알 수 없기 때문에, 피부를 청결하게 하고 퀴퀴한 냄새가 나는 부위를 관리하는 데 신경을 쓴다. 다음 주제는 우리 몸을 청결하게 하는 화학물질에 대한 것이고 그 다음은 발한억제제와 데오도런트이다.

## 모든 걱정을
## 씻어내다

우리가 불쾌한 체취를 발산하지 않는 가장 좋은 방법은 씻는 것이고, 그것을 실천하는 가장 간단한 방법은 샤워를 하는 것이다. 세상에는 우리 몸을 청결하게 해줄 뿐만 아니라 피부 감촉을 더 좋게 하는 수백 가지 제품이 있다. 우리의 피부는 피지라고 하는 기름층으로 보호를 받는다. 목욕을 하거나 샤워를 할 때 우리는 이 층을, 모든 죽은 세포와 때, 그곳에 사는 세균과 함께 씻어버리고 싶어한다.

비누 분자는 기름기 때를 녹이는 필수적인 화학성분이지만, 앞으로 6장에서 설명할 것처럼 비누는 센물에서 불용성 비누때(더껑이)를 형성하는 단점이 있다. 반면에 합성 계면활성제는 더껑이를 형성하지 않지만 피부의 모든 보호 기름층을 제거하여 피부를 건조하고 가렵게 만드는 독한 면이 있다. 이런 이유로 최초의 성공적인 계면활성제인 알킬벤젠설폰산나트륨은 개인 위생용품이 될 수 없었다. 그러나 개선이 이루어졌다. 벤젠 성분을 12-탄소 사슬로 대치하면 훨씬 더 부드러워지고 피부와 머리카락을 씻는 데 이상적이 된다. 이 12-탄소 사슬의 이름이 **라우릴**이다. 그러나 라우릴황산나트륨은 찬물에는 잘 녹지 않는다는 단점이 있어, 치약과 면도용 크림 같은 제품에는 문제없이 쓰이지만, 투명한 병에 넣어서 팔 때는 그다지 호감 가지 않는 불투명 용액으로 생산된다. 해결책은 분자의 황산기 다음에 **에톡시기**를 도입하는 것이다. 이렇게 만들어진 라우레스황산나트륨은 찬물에서도 뿌옇게 되지 않아서 현재는 샴푸의 주요 성분이다.

순한 계면활성제로 된 이들 제품의 입증된 안전성에도 불구하고 그에 반대하는 캠페인이 일어났다.

## ● 깨끗한 생산품에 숨겨진 더러운 속임수

1990년대 후반 소비자 집단들이 자발적으로 만든 여러 웹사이트는 라우릴황산나트륨과 라우레스황산나트륨이 위험하다고 주장하기 시작했다. 그들은 이런 화학물질이 탈모와, 어린아이들의 시력 상실, 암 유발의 원인이 된다고 보았다. 일부 사람들은 이런 효과가 미량의 나이트로소아민 때문이라고 했으며, 다른 일부에서는 다이옥신 때문이라고 했다. 두 주장 모두 진실이 아니며 실제로 샴푸가 다이옥신으로 오염되었다는 주장은 기본적인 화학지식이 부족한 결과였다. 다이옥세인(dioxane)은 이런 계면활성제를 제조하는 데 이용되는 용매이지만 이것을 유해물질인 다이옥신(dioxin)으로 잘못 알았던 것 같다. (다이옥세인은 향기가 나며 그 증기는 위험하다.)

이런 웹사이트의 경고에 놀란 방문자들은 은연중 더 안전하다고 생각되는 '천연' 제품을 판매하는 회사들로 발길을 돌렸다.

우리는 6장에서 네 종류나 되는 계면활성제를 더 상세하게 살펴볼 것이다. 이들 네 종류는 탄수화물 사슬과 그것에 결합된 수용성 말단기라는 두 가지 특징이 있다. 네 가지 계면활성제는 이 말단기가 양전하를 가지는지, 음전하를 가지는지, 두 전하 모두를 가지는지, 전혀 가지지 않는지에 따라서 구분된다. 뒤의 두 가지가 개인 위생용품으로 사용되는 범주이다. 두 가지 전하를 모두 가진 것은 거품이 많이 일고 눈에 들어가더라도 따갑지 않아서 유아용 샴푸에 사용된다. 전하를 가지지 않은 계면활성제는 가장 순한 계면활성제이며 화장품에 이용된다.

계면활성제가 거품 목욕에 쓰이려면 수정처럼 투명하고 목욕물에 넣었을 때도 그대로 유지되어야 한다. 비이온성 계면활성제가 이상적이며, 이것은 현탁액에 있는 방향유(향유)를 붙잡고 있다가 에멀전이 깨질 때 방출하여, 결국 기름은 목욕하는 사람의 피부에 달라붙게 된다.

샤워젤의 주요한 활성 성분은 라우레스황산나트륨이거나 알킬글리코시드라고 하는, 더 새로운 계면활성제이다. 알킬글리코시드는 설탕과 식물유 같은 재생가능한 원료로 만든다. 이런 것들은 피부에 순할 뿐 아니라 크림 같이 부드러운 거품이 잘 일어서 소비자들이 선호한다. 이런 계면활성제들은 투명한 용액으로 만들어 투명한 용기에 담아 팔 수 있고, 소비자들은 그 성분이 순수하고 순하다는 이미지를 갖게 된다. 그런 제품에는 계면활성제 분자들을 뭉쳐 액체의 점성을 높여주는 염화나트륨(소금)과 순한 **카복실산**인 락트산이 포함된다. 락트산은 pH를 낮춰주며 그 나트륨염인 락트산 나트륨과 함께 작용하여 pH를 일정하게 유지한다. 제품에서 미생물 성장을 억제하려면 항균제가 포함되어야 하는데 일반적으로 **파라벤류**(파라-하이드록시벤조에이트를 줄여서 나타냄)를 사용한다. 이는 환경론자들 사이에서 왜곡된 관심을 끌기도 했다. 마지막으로 여러 가지 향유가 있으며 일부 티트리 오일은 피부에 따끔거리는 증상을 야기할 수도 있다.

당신이 샤워를 했다면 깨끗하다고 느낄 것이고 이제 인생이라는 경기에 뛰어들 준비가 된 것이다. 그러나 날씨나 장소가 덥고 습하다면 어떨까? 그렇다면 당신은 심하게 흐르는 땀과 땀에 젖은 몸과 옷 때문에 모든 좋은 일을 취소할지 모르며, 이때 겨드랑이 같은 신체 일부에서는 세균이 번식할 것이다. 이렇게 되면 땀과 함께 불쾌한 냄새가 나기 시작한다. 그 결과는 우리가 타인을 향해 발산하고 싶어하는 '가까이 다가오라'는 신호가 아니다. 물론 강력한 향수로 체취를 감출 수도 있지만 그 자체가 다소 수상쩍다. 땀샘 때문에 의기소침해지지 않는 가장 좋은 방법은 발한억제제나 데오도런트를 사용하는 것이다. 그것들에는 어떤 화학물질이 들어 있을까?

# 남성들이여,
# 문제는 겨드랑이야!

서구 남성 10명 중 8명이 겨드랑이용 제품을 매일 사용하고 있다고 한다. 여성들은 훨씬 오래 전부터 이러한 제품을 이용해왔으며, 최초의 것은 1세기 이전에 등장했다. 하지만 그 당시에는 사용하는 데 시간이 걸리고 피부에 붙인 찌꺼기가 남고 의복에 물이 들 수도 있었다. 오늘날의 것은 사용하기 쉽고 피부를 보송보송하게 유지하며, 심지어 검은 옷을 입더라도 하얀 얼룩이 남지 않는다. 에어로졸 스프레이는 빨리 이용할 수 있는 이점이 있으며, 단 2초간만 뿌려도 제품이 넓고 고르게 분사된다. 반면에 바르는 부분이 공처럼 동그랗게 되어 있는 롤링 타입은 건조하는 데 시간이 걸린다. 스틱형이 가장 경제적이지만 롤링형보다 단단해서 털이 있고 건조한 피부에 쓰기는 불편하다.

　발한억제제의 작용에는 알루미늄과 지르코늄 화합물이 이용되며, 이런 것들은 의복에 흰 자국을 남길 수 있지만 그 입자를 아주 작게 하면 거의 눈에 띄지 않게 해결할 수 있다. 이 성분들은 매우 안전하고 미국 FDA의 규제사항을 따르며, 1976년과 1995년에 발표된 EU의 화장품 법규도 준수하고 있다. 앞으로 살펴볼 것처럼, 안전에 대한 이런 보장들도 그것이 건강에 해롭다고 생각하는 일부 사람들의 주장을 막을 수는 없다. 그들이 가장 관심을 가진 것은 성분이 아니라 에어로졸에 사용되는 가스 추진제이다. 가스 추진제는 대기 상층부를 손상시켜 사람에게 직접적으로 영향을 끼치지는 않지만 간접적으로 더 위험하다. 그 기체는 CFCs(클로로플루오르카본류의 약자)로, 1960~1970년대의 거의 모든 발한억제제와 데오도런트에 들어 있었으나, 그것들이 어떻게 지구의 오존층에 손상을 주는지 밝혀진 1980년대부터 인기가 떨어졌다. 오존층은 태양의 유해한 자외선으로부터 지구의 생명을 보호하는 역할을 한다. 현재는 대체 추진제가 사용되고 있기는 하지만 에어로졸은 지배적인 위치를 회복하지는 못하였으며 앞으로도 그럴 가능성은 없어 보인다. 프로판과 부탄 같은 현재의 가스 추진제도 온실기체로 작용해 환경을 손상시킬 수 있으며, 위험할 정도로 가연성이 크다. 오늘날 사람들은 발한억제제와 데오도런트를 고체 스틱이나 액상 롤링 타입으로 사용하길 좋아한다.

몸 전체에 걸쳐 피부에는 땀샘이 많으며, 특히 이마, 손바닥, 발바닥, 겨드랑이, 서혜부에 많다. 열이나 격렬한 감정이 땀 방출을 자극하며, 설명할 수는 없지만 오른쪽 겨드랑이보다 왼쪽 겨드랑이에서 땀이 더 많이 난다. 우리에게는 약 300만 개의 땀샘이 있으며 필요한 경우 하루에 5리터의 수분을 배출한다. 여기에는 두 종류의 샘이 있는데 에크린샘과 아포크린샘이다. 에크린샘은 1%의 나트륨과 칼륨염 용액을 다른 화학물질과 함께 배출하지만 이런 종류의 땀은 냄새가 나지 않고 증발해서 체온을 낮추는 역할을 한다. 에크린샘은 사춘기까지 발달하지 않는다. 아포크린샘은 겨드랑이*, 서혜부, 발바닥에 있으며, 단백질과 지방질을 함유하고 있는, 더 복잡하게 섞인 땀을 방출하며 여기에는 스테로이드와 콜레스테롤이 포함되어 있다. 이런 종류의 땀은 세균이 서식하는 데 이상적인 매질이며 이런 미생물이 천연 화학물질을, 퀴퀴한 땀 냄새를 구성하는 불쾌한 냄새로 분해한다. 그중에서 카복실산들을 가장 쉽게 인식할 수 있다.

겨드랑이 냄새를 만들어내는 주요 범인은 세균인 코리네박테리움 크세로시스(Corynebacterium xerosis)와 마이크로코커스 루테우스(Micrococcus luteus)이며 포도상구균(Staphylococcus epidermis와 Staphylococcus aureus)도 약간 작용한다. 팔뚝 피부에는 1제곱센티미터당 1,000마리의 세균이 살고 있지만 겨드랑이 피부에는 1,000만 마리가 살고 있다. 이는 남성뿐만 아니라 여성의 겨드랑이에서도 마찬가지지만 여성의 땀에는 남성의 땀에 들어 있는 몇 가지 성분이 없어 냄새가 다르다. 남성의 겨드랑이 냄새는 시큼한 산 성분과 사향

---

\* 겨드랑이에는 약 25,000개의 땀샘이 있다.

성분, 톡 쏘는 성분으로 구성되어 있다. 첫 번째 것은 짧은 것부터 중간 크기까지의 사슬로 된 산에서 나오고, 두 번째는 스테로이드형 분자, 특히 안드로스테논에서 나오며, 세 번째는 황을 함유하는 분자에서 나온다.

로마 시인 카툴루스(기원전 84~54)는 겨드랑이에서 염소 냄새 같은 암내가 나는 남자를 조롱했는데 그런 냄새를 내는 화합물은 4-에틸옥테인산이다. 이런 화학물질은 가열하면 암컷 염소에게서 강한 반응을 일으켜 수컷 염소가 유인제로 이용한다. 인간 여성에 대한 효과는 정반대여서 반발을 일으키며, 여성은 공기 중에서 2 ppb 농도만 있어도 바로 감지할 수 있다. 체취의 가장 특징적인 산은 3-메틸-2-헥센산이지만 남성의 겨드랑이는 자극성이 있는 또 다른 산인 아이소발레르산도 방출한다. 땀 속의 스테로이드는 안드로스테논과 안드로스테놀인데 순수한 안드로스테놀은 역한 썩은 오줌 냄새가 난다고 알려져 있다. 겨드랑이 냄새에서 황을 함유하는 분자는 매우 소량이지만 검출이 된다. 2004년에 스위스 향료회사 피르메니히(Firmenich)의 클라크(Anthony Clark)가 이끄는 연구진은 8가지 황을 함유하는 알코올을 확인할 수 있었는데, 그중 한 가지인 3-메틸-3-설파닐헥산-1-올은 특히 역겨우며 양파 냄새 같은 것이 났다. 그런 냄새를 만드는 범인은 세균인 코리네균과 포도상구균이다.

땀 냄새를 만드는 세균은 세 가지 방법으로 줄일 수 있다. 그것들의 영양원을 제거하거나 그것들을 직접 죽이거나 그것들이 땀을 냄새나는 분자로 전환하지 못하게 하는 것이다. 아연이 포함된 일부 제품이 세균이 냄새를 만들 때 사용하는 효소를 억제하기도 하지만, 이 방법은 실제로 세균을 굶기거나 죽이는 것보다 효과적이지 못하다. 발한억제제는 첫 번째 전략에 기반을 둔 것이며, 데오도런트는 두 번째 전략에 기반을 둔 것이다. 각 방법은 모두 장단점이 있으며, 두 가지 제품 모두가 도움이 되지 못하는 불행한 사람도 있다.

## ● 생선악취증후군

셰익스피어의 희곡 〈템페스트〉에서 어릿광대 트린큘로는 하인 캘리번을 다음과 같이 설명한다.

"여기 누가 있지? 사람인가, 생선인가? 생선이네. 그에게는 비린내가 나네. 매우 오래된 생선 같은 냄새…"

서기 400년경의 인도의 서사시 〈마하바라타〉에는 생선악취증후군에 걸려 사회적으로 버림받아 사공으로 일하라는 판결을 받은 아름다운 사탸바티에 대한 이야기가 실려 있다. 그러나 어느 날 그녀와 사랑에 빠진 고귀한 남자가 기적을 일으켜서 그녀의 체취를 매력적인 향기로 바꾸었다. 모든 전설이 그렇듯, 그들은 영원히 행복하게 살았다…. 실제로 캘리번과 사탸바티는 오늘날에도 단백질을 많이 섭취하고 땀을 흘리기 시작하면 썩은 비린내가 나서 비난을 받는 유전병에 걸려 있었다.

인체가 처리해야 하는, 냄새가 가장 지독한 화학물질 중 하나는 트라이메틸아민이다. 우리는 이 휘발성 분자가 1 ppb만 있어도 알아차릴 수 있다. 트라이메틸아민은 세포막 성분인 콜린으로부터 생성된다. 생선처럼 콜린이 풍부한 식품은 상하기 시작하면 트라이메틸아민 냄새를 풍기며, 실제로 우리가 생선을 소화시키는 동안 신체도 트라이메틸아민을 제거해야 한다. 우리 몸은 이것을 간으로 운반하여 처리한다. 간에서는 모노아민 산화효소가 트라이메틸아민에 산소를 첨가하여 냄새를 제거하고 그런 다음 소변으로 배설한다. 소량은 땀으로도 발산될 수 있다.

불행하게도 일부 사람들은 모노아민 산화효소가 부족하여 쉽게 비린내를 풍기기 때문에 불행한 삶을 살게 된다. 땀이 나는 모든 육체 활동이나 더운 날씨는 냄새를 주위로 빠르게 전파시킨다. 필연적으로 사람과의 관계가 파괴되기 때문에 실제로 많은 환자들이 고독감을 느끼고 대인 접촉을 피해 집에서만 일을 한다. 1만 명 중 한 명이 이러한 유전자를 가지는데, 이는 1999년에 런던의 퀸메리대학의 스미스(Ian Smith) 연구진에 의해 밝혀졌다. 그는 환자들에게 모든 어류와 붉은 살 고기, 달걀, 콩을 피하고 신체에서 트라이메틸아민을 가장 적게 생성하는 닭고기 또는 샐러드를 주로 먹으라고 충고한다.

## 발한억제제

우리는 다른 사람과 가까이 있을 때 당연히 악취를 풍기지 않길 원하고, 예민한 경우에는 땀을 흘리지 않길 바라기 때문에 아포크린샘을 억제하는 발한억제제를 이용한다. 이런 일을 하는 제품은 때때로 기대하지 않은 이점도 가져온다. 한 연구에서, 매일 20킬로미터를 행군해야 하는 미 육군사관학교 신입생들의 발에 발한억제제를 시험했는데, 그 결과 발 냄새뿐만 아니라 발의 물집도 훨씬 줄어들었다.

발한억제제에 사용된 활성 성분은 알루미늄과 지르코늄염이다. 이것들은 물과 반응하여 수산화알루미늄이나 수산화지르코늄의 끈적끈적한 젤을 형성하여 땀샘 구멍을 막도록 고안되었다. 투과전자현미경으로 관찰하면 작은 마개가 관찰되는데 이것이 그 역할을 함을 알 수 있다. 미국에서 발한억제제는 사용자의 절반 이상에서 적어도 20% 이상의 땀을 감소시켜야 하며, 이런 요구 사항은 어렵지 않게 만족된다.

최초의 상업적 발한억제제는 1902년에 발매된 에버드라이(Everdry)로, 목화솜을 이용하여 겨드랑이에 토닥토닥 두드리는 것이었다. 이것은, 바르면 차갑고 마르는 데 시간이 걸릴 뿐 아니라 산성이어서 피부를 자극하고 의복을 상하게 했지만 바르지 않는 것보다는 나았다. 거기에는 **염화알루미늄** 6수화물이 포함되어 있었으며 나중에 산성을 감소시키기 위하여 **요소**가 첨가되었다. 1934년에는 프린스턴대학 출신의 카터약품회사 화학자인 월레스(John H. Wallace)가 개발한 아리드 크림(Arid Cream)이 발매되었다. 이것은 산성도가 낮은 황산알루미늄을 이용하였다. 그 후 1947년에 고렛(T. Gorrett)과 드나바르(M. G. deNavarre)가 소위 염기성 염화알루미늄을 가지고 실험했다. 이것은 산성이 아니며 대부분의 염화 이온을 수산화(OH) 이온으로 대치하여 만들었나. 새로운 염화수화물 발한억제제는 발한을 40% 감소시켰고, 지금도 여전히 공통 성분으로 이용된다. 1978년에 영국 리버풀 근처 유니레버사의 포트 선라이트 연구소에 근무하던 브라운(Nathan Brown) 박사가 훨씬 더 작고 강력한 염화수화물 알루미늄 입자를 만드는 방법을 발견하였고, 이를 토대로 다음 해에 슈어(Sure) 발한억제제가 발매되었다.

1950년에 화학자인 메이터(H. L. Mater)는 염화수화물 알루미늄 대신에 염화수화물 지르코늄을 포함하는 발한억제제 조성에 대해 특허를 얻었다. 그것은 알루미늄 제품보다 더 좋았지만 값이 더 비쌌다. 당시 지르코늄염은 거의 사용되지 않을 것 같아 보였지만 알루미늄이 알츠하이머병(AD)과 연관된 것으로 보이자 상황이 변했다. 1970년대에 알루미늄이 투석치매의 원인이라는 것이 밝혀졌는데, 이 병은 초기 신장투석장치를 이용하는 환자를 괴롭히는 것으로, 이들 환자는 비논리적으로 말하기 시작하고 잘 잊어버리는 등 완전히 혼돈스러운 모습을 보였다. 알루미늄은 투석장치에서 녹아 나와서 뇌에 침전되었다. 또 다른 더 심각한 발견은 투석을 받지 않은, AD로 사망한 환자의 뇌에 고수준의 알루미늄이 있었다는 것이었다. 이것은 알루미늄이 AD의 원인이라는 것을 의미했고 곧 알루미늄 사용 반대 운동이 일어났다. 알루미늄은 쿠킹포일에서부터 소화제에 이르기까지 다양한 용도로 사용되기 때문에 생활에서 완전히 없애기는 쉽지 않았다. (나는 가족을 보호하겠다며 완전히 말짱한 알루미늄 압력솥을 내버리고 스테인리스스틸 압력솥을 사기도 했다.) 수돗물의 경우 불순물을 제거하기 위해 황산알루미늄을 대량으로 사용하기 때문에 심지어 수돗물에도 미량의 알루미늄이 들어 있었다. 이런 사용은 쉽게 중단시킬 수 없었지만 보다 개인적인 사용은 표적이 될 수 있었고 거기에 발한억제제가 포함되었다. 그런 제품의 알루미늄은 신체로 침투해 들어가지 않지만 몇몇 알루미늄 반대 운동가들은 그렇게 생각하지 않았다.

한 가지 해결책은 발한억제제의 조성을 변화시켜서 알루미늄을 지르코늄으로 바꾸는 것이었지만 1990년대에 AD 환자의 뇌 시료를 재분석하여 결국 알루미늄이 존재하지 않는다는 것이 밝혀지자 이에 대한 필요성이 서서히 약화되었다. 20년간의 두려움은 잘못된 분석에 근거한 것이었다. 1992년에 옥스퍼드대학에서 수행한 새로운 분석은 1999년에 싱가포르대학에서 확인됐으며 높이 평가받는 과학 잡지 《네이처》에 발표되었다. 알루미늄은 더 이상 AD의 원인으로 생각되지 않게 되었다. 알루미늄 반대 압력 단체들은 당황했고 2000년에 지원자들 일부가 40일 동안 대량으로 수산화알루미늄을 복용하기로 동의한 후 그들의 운동은 혼란스럽게 끝났다. 그동안 알루미늄 분석을 위해 그들의 소변을 추적했다. 그 결과, 그들은 정상 수치보다 10배, 어떤 경우에는 20배나 더 많은 금속을 배설하였고, 이것은 신체의 면역계에 전혀 영향이 없다는 것을 나타냈다. 실제로 인체는 알루미늄에 대하여 내성이 큰데 이것은 자연 환경의 일부로서 알루미늄이 풍부하다는 것을 고려하면 당연한 일이다. 알루미늄은 점토와 토양의 중요한 구성 성분이기도 하다.

지르코늄은 발한억제제 전투에서 진 것처럼 보였지만 알루미늄보다 더 우수하기 때문에 사라진 것은 아니었다. 오늘날 많은 발한억제제의 성분은 알루미늄 화합물과 지르코늄 화합물의 혼합물로 어떤 것은 10% 지르코늄과 90% 알루미늄으로 구성되며, 또 어떤 것은 30%까지 지르코늄이 함유되기도 한다. 알루미늄과 지르코늄염은 분말로 생산되지만 프로필렌글리콜을 함유한 커다란 구형 입자로 만들 수 있으며, 이렇게 하면 분산 용매에서 잘 녹고 투명해진다. 투명한 형태의 바르는 발한억제제는 알루미늄과 지르코늄염 화수화물을 물, 알코올, 프로필렌글리콜의 혼합물에 녹인 것으로서 점성을 높이기 위해 실리콘이 첨가된다. 고체형 발한억제제에는 스테아릴알코올 같은 왁스와 실리콘의 혼합물에 약 25%의 활성 성분이 들어 있다.

발한억제제에 대한 공격은 이것이 유방암을 유발할 수 있다는 내용의 인터넷 보고서에 의해 힘을 얻었다. 2002년에 《국립암연구소 저널(Journal of the National Cancer Institute)》에 실린 논문에서 이런 비난은 반박을 받았으며 발한억제제(또는 데오도런트)를 더 많이 사용한 여성과 유방암 사이에는 아무런 관련이 없다고 보고되었다. 시애틀의 허치슨암연구센터의 미릭(Dana Mirick) 연구진이 수행한 연구에서, 유방암 치료를 받은 813명의 여성과 병에 걸리지 않은 793명의 여성을 비교했다. 두 집단은 연령대와 다른 인자들에서 서로 대등했다. 실제로 데오도런트의 알루미늄이 얼마나 신체에 흡수될 수 있는지에 대한 과학적 증거가 전혀 없었으며 알루미늄은 정말로 피부 표면의 땀샘을 막는 마개에 지나지 않았다.

다른 활동가들은 그것에 보존제로서 첨가되는 파라벤류를 근거로 유방암과 연관 지어 다른 각도에서 데오도런트를 공격했다. 조직 분석 결과 미량의 파라벤류가 존재했기 때문이다. 유방 종양에서 파라벤류가 검출된다고 해서 파라벤류가 종양을 유발하는 것은 아니다. 그것이 유발하지 않더라도, 분석을 한 사람들이 다른 건강한 신체의 조직에서도 이 화합물들이 존재하는지 검토하는 것을 잊었기 때문에 연구의 가치는 의문시되었다. 겨드랑이에 바른 재료가 암 조직에 도달하는 것은 생리적으로 불가능하다. 미국 국립암연구소는 어떤 식으로든 데오도런트가 이 병과 관련 있는지는 확인되지 않았다고 했다. (FDA도 이런 제품이 어떤 종류의 암을 유발한다는 증거가 전혀 없다고 밝혔다.) 또 다른 연구에서는 437명의 유방암 환자에게 그들이 겨드랑이 면도를 시작한 때와 이런 제품을 사용하기 시작한 때에 대하여 질문을 했고 더 먼저 시작할수록 더 젊은 나이에 병에 걸린다는 결론을 얻었다. 이 연구 또한 확인은 어려울 듯 보인다.

## 데오도런트

겨드랑이를 씻으면 그곳에 있는 세균을 99% 제거할 수 있지만 나머지 1%는 몇 시간 안에 빠르게 번식할 수 있기 때문에 다시 수백만 마리가 되고 땀을 소화하여 불쾌한 냄새 분자를 방출한다. 이것을 피하는 확실한 방법은 가능한 한 세균을 박멸하는 것이며, 전형적인 데오도런트는 **트라이클로산**과 같은 항균제를 0.5%가량 함유한다. 최초의 데오도런트인 멈(Mum)은 1888년에 미국에서 시판되었고 산화아연을 활성 성분으로 갖는 라놀린 크림이었다. 멈은 질레트가 분사형 데오도런트인 라이트가드(Right Guard)를 출시한 1960년대까지 시장을 독점했다. 라이트가드는 아연 화합물(페놀설폰산아연)뿐 아니라 강력한 항균제인 헥사클로로펜*도 함유하고 있었다. 이 화학물질은 1970년대에 독성 때문에 폐기되었는데 1972년에 프랑스의 한 회사가 6%의 헥사클로로펜을 베이비파우더에 넣었기 때문이었다. 이 때문에 결국 30명의 아기가 목숨을 잃었다. 완전히 안전한 항균제가 필요하였고 그것이 트라이클로산으로 판명되었다. 이 물질은 나노 구 형태 안에 포함될 수 있고 이렇게 하면 더 오랜 시간에 걸쳐서 서서히 방출할 수 있다. 따라서 더 오랫동안 세균을 조절할 수 있으며 동시에 피부에 일어날 수 있는 역반응을 감소시킬 것이다. 트라이클로산은 치약, 손세척제, 데오도런트에 사용되며 원래의 목적인 살균을 매우 잘한다.

트라이클로산도 주로 웹사이트에서 나타나는 공격을 피할 수는 없었다. 대부분의 그런 자료의 출처는 과학적이지 않고 객관성과 거리가 멀기 때문에 대개는 무시할 수 있지만, 보다 심각한 공격이 2005년 7월에 세계자연기금(WWF)에서 나왔다. 그들은 이 항균제를 함유한 세제로 설거지를 한 사람들이 물에서 생성된 '상당한' 수준의 클로로폼에 노출된다고 보고했다. 이 경우 '상당한' 수준은 ppb 수준이다. WWF는 클로로폼이 방광암 및 유산과 연관되어 있다고 했다. 그들은 이런 위협을 《환경과학기술(*Environmental Science and Technology*)》(2005)에 발표된 버지니아 공대의 룰(Krisha Rule), 에벗(Virginia

---

\* 화학명은 2, 2-메틸렌비스(3, 4, 6-트라이클로로페놀)이며, 화학식은 $C_{13}H_6Cl_6O_2$이다.

Ebbett), 바이크슬랜드(Peter Vikesland)의 논문으로부터 추정하였지만 이는 잘못된 결론으로 도약한 것이었다. 실제로 논문에서는 수돗물을 처리하기 위하여 사용한 트라이클로산이나 하이포아염소산($ClO^-$)이 아니라, 겨우 검출할 수 있을 정도로 존재하는 유리염소($Cl_2$)에서 클로로폼이 생성된다고 했다.

미네소타대학의 맥닐(Christopher McNeill)과 아널드(William Arnold)는 트라이클로산이 햇빛의 영향 아래에서 다이옥신을 생성할 수 있다는 것을 발견했으며 이 사실을 《환경독성화학(*Environmental Toxicological Chemistry*)》(2005)에 보고했다. 또한 항균세척액을 사용하거나 데오도런트를 사용한 사람이 수영장에 가서, 그 신체로부터 미량의 트라이클로산이 녹아 나와 생성될 수 있는 다이옥신의 양은 너무 적기 때문에, 수영장에서 수영하는 사람에게 위협이 될 수 없다. 트라이클로산은 단지 그것이 유기염소 화합물, 즉 탄소−염소 화학결합이 있는 화합물이라고 해서 환경 집단의 표적이 되었는데 그런 것은 부자연스러운 것이었다. 물론 몇몇 유기염소 화합물들은 암을 유발하지만 유기염소 화합물이라고 해서 자동적으로 어떤 발암성 물질을 만드는 것은 아니다. 우리는 실제로 오늘날 4,000종 이상의 천연 유기염소 화학물질이 있으며 그중에는 우리 신체가 천연적으로 생산하는 것도 있다는 것을 알고 있다.

더 좋은 데오도런트를 찾으려는 적절한 연구는 계속되고 있으며 새로운 발견들이 빛을 보고 있다. 예를 들면 락트산 유도체, 특히 12개나 13개의 탄소 사슬이 결합된 것을 바르면 겨드랑이 냄새도 감소될 수 있다. 이것이 왜 작용하는지는 약간 의문이지만, 겨드랑이 냄새의 원인이 되는 미생물이 천연적인 신체의 기름보다 이 재료를 소모하는 것을 더 좋아해 보통의 악취가 나는 화합물 대신에 냄새가 없는 부산물을 형성하기 때문이라고 제안하였다.

# 손님,
## 주말에 그것이 필요하세요?

영국에서 한때 콘돔은 매우 눈살을 찌푸리게 하는 것이었으며 약국에서만 구입할 수 있었다. 약국에서도 진열장 등에 두지 않았기 약사에게 낯부끄러운 요청을 해야만 얻을 수 있었다. 이런 다소 당황스러운 만남은 이발사들로 인해 해결되었는데, 그들은 악의 없는 얼굴로 "… 그리고 손님, 주말에 그것이 필요하세요?"라고 질문했다. 이 암호화된 말은 "콘돔이 필요하세요?"를 의미하는 말이 되었으며 대답이 긍정적이면 이발사는 비밀리에 몇 개를 팔았다. 오늘날 콘돔은 어디에서나 판매되고 있으며, 남성 지갑과 여성 핸드백의 필수품이 되어 소유자들이 성관계를 원할 때 즉시 사용할 수 있다. 오늘날의 주된 목적은 원치 않은 임신을 피하는 것이 아니라 성관계로 전염되는 질병을 방지하는 것이다.

콘돔의 역사는 오래되었으며,[*] 심지어 고대 이집트 그림에 콘돔을 착용한 사람을 나타내고 있다는 의견까지 있지만 그가 발기된 상태가 아니기 때문에 그것이 다른 것을 의미할 수도 있다. 기원이 로마 시대까지 거슬러 올라가는 프랑스 콩바렐 동굴 벽화에 대해서도 마찬가지로 이야기할 수 있다. 최초의 진정한 콘돔은 파두아대학의 해부학 교수이던 팔로피우스(Gabrielle Fallopius, 1523~1572)가 고안했다. [그는 여성 생식계의 전문가였으며 'vagina(질, 膣)'라는 용어도 만들었다.] 그는 일생 동안 콘돔에 대해 아무것도 발표하지 않았지만 사후에 발표된 그의 자료들에 의하면 그의 콘돔은 덮개보다는 모자와 비슷하게 생겼으며 포피에 씌운다는 것이 밝혀졌다. 그는 그것을 새로운 질병인 매독으로부터 보호하기 위해 고안했다. 그 당시 매독은 유럽 전체에 퍼지고 있었고 초

---

[*]  2003년도 기네스북에 따르면, 세계에서 가장 규모가 큰 콘돔 컬렉션은 이탈리아의 볼조니 (Amatore Bolzoni)의 것으로, 그는 1,947종류의 콘돔을 소유하고 있다.

기에는 특히 치명적이었다. 팔로피우스 콘돔은 촘촘하게 짠 리넨으로 만들었고, 더 효과적으로 감염을 예방해주는 여러 가지 액체로 처리되었을 수도 있다. 그의 기록은 1,000명 이상의 남성이 그 사용법을 지도받았다고 보여주지만 분명히 그것은 잘 끼워지지 않았을 것이다.

1655년에 파리에서 유통된 《L'École de Filles(여학교)》라는, 무명작가의 책에 등장할 때까지 수백 년 동안 콘돔에 대한 다른 기록은 없었다. 그 책은 리넨으로 만든 콘돔을 설명하였는데 목적은 피임이었다. 루이 14세 당시 프랑스 상류 사회는 일반적으로 질에 삽입하는 스펀지 형태의 여성 피임을 선호했다.* 반면에 영국은 동물 내장으로 콘돔을 만들었으며, 스태퍼드셔에 있는 더들리 성의 변소에서 다섯 개가 발견되었다. 더들리 성은 찰스 1세와 의회 사이의 전쟁(1642~1649)에서 왕권론자들의 요새였으며 1644년에 영국연방 군대가 점령하였다. 승리자들이 건물을 파괴했기 때문에 콘돔은 습기 찬 환경에 묻혀서 1986년에 고고학자들이 파낼 때까지 342년 동안 보존되었다.

그런 콘돔들은 틀림없이 1700년대에 사용되었을 것이며 실제로 유명한 난봉꾼 카사노바도 하나를 가지고 있었다. 그는 콘돔을 비망록에서 '잉글리시 오버코트'라고 표현했지만, 당시 영국인들은 그것을 '프렌치 레터'라고 했고 이 말은 지난 세기 중반까지도 흔히 사용되었다. 당시의 콘돔들은 양의 창자로 만들었으며 재사용되었다. '콘돔(condom)'이라는 말은 영국군 군의인 퀀덤(Colonel Quondam)의 이름에서 유래했다고 추정된다. 그는 성병을 예방하는 수단으로 병사들의 콘돔 사용을 지지했다고 하는데 그가 정말로 실존했던 인물인지는 믿을 만한 증거가 전혀 없다. 1690년대에 필립스 부인은 런던에서 콘돔을 공개적으로 광고하고 판매했다. 그녀는 버너비(William Burnaby)가 쓴 〈숙녀의 방문일(The Ladies' Visiting Day)〉이라는 희극에서도 언급되는데 희

---

* 삽입물을 식초에 담그면 정자가 산에 의해 무력화되기 때문에 틀림없이 효과가 있었을 것이다.

극에서 귀부인 러브토이(Lady Lovetoy)는 필립스 부인과 함께 비난을 받는다.

필립스 부인과 다른 콘돔 공급자들은 낮 동안에는 자신들의 제품을 신사 계급들이 산책 다니는 곳으로 알려진 세인트 제임스 공원에서 판매하였고 저녁에는 여러 극장가를 다니며 행상을 했다. 그들이 가지고 다닌 콘돔은 양의 창자 일부로 끝이 막히게 만들었으며 신축성을 유지하기 위해 습기를 유지하거나 최소한 사용 전에 물에 담가두어야 했다. 콘돔에는 음경에 단단하게 고정하기 위한 분홍색 리본이 아래쪽에 달려 있었다. 세인트 마틴스 레인에 있는 '컨덤의 집(Cundum Warehouse)'에서 콘돔을 산 사람들은 콘돔이 쉽게 찢어지기 때문에 두 개를 사용하라는 조언을 들었다.

굿이어(Charles Goodyear)가 용융 상태의 고무에 황을 첨가하여 **라텍스**를 더 강하고 유연하게 만드는 방법을 발견한 이후인 1800년대에 고무 콘돔이 등장했다. 황 첨가 공정으로 모든 종류의 제품에 고무를 이용할 수 있게 되었고 1800년대 중반에는 콘돔이 대량 생산되었다. 1861년에는 《뉴욕타임스》에 '파워 박사의 프랑스 피임기구'라는 광고가 등장했다. 이 신문의 고결하고 보수적인 독자들은 그런 광고에 깜짝 놀랐으며 1873년에 모든 종류의 산아 제한 광고가 불법이라는 콤스톡 법이 통과되었다. 유사한 법이 대영제국 거주자에게는 적용되지 않았지만 점잖은 사람들은 콘돔을 이야기하기 어려운 지저분한 것으로 취급하여 눈에 띄지 않는 경로로 콘돔 배포가 이루어졌다. 실제로 '콘돔'이라는 단어가 독자들을 난처하게 만들 것이라는 생각에 옥스퍼드 영어사전은 1972년까지 그 단어를 싣지 않았다.

빅토리아 시대의 콘돔은 비교적 두꺼운 고무로 만들어졌고 재사용되었지만 1919년에 미국에서 킬리안(Frederick Killian)이 훨씬 더 얇고 끝이 젖꼭지 모양인 콘돔을 라텍스로 만들어 내놓았다. 1930년대 중반에 이미 매년 5억 개 이상이 미국에서 생산되었다. 콘돔에는 분필가루가 묻어 있었고 일부는 심지어 말려서 팔렸지만 그 외에도 여전히 많은 단점이 있었다. 사용 중에 찢어질 수 있었고, 남성의 감각을 둔화시켰으며, 고무 냄새가 나고, 기름으로 윤활을 해야 하는데 그렇게 하면 고무가 약화되었다. 또한 보관 중에 품질이 저하되었으며, 일부 남성은 라텍스에 알레르기 반응을 나타내서 사용 후에 심하게 고생했다. 1957년에 듀렉스 사가 윤활 콘돔을 소개하며 작은 진보가 이루어졌는데, 이 제품은 화학적으로 변형된 셀룰로오스에 기반을 둔 수용성 윤활제를 이용했다. (베이비오일이나 핸드크림 같은 기름을 기반으로 한 윤활제는 라텍스 콘돔에 사용할 수 없다.)

고무에 알레르기가 있는 사람들은 여전히 천연 피부로 된 것을 구입할 수 있었다. 여전히 '천연 양(Naturalamb)' 콘돔의 대부분은 뉴질랜드에서 생산되고 미국과 이탈리아에서 소비된다. 이것은 300년 전에 필립스 부인이 판매했던 것처럼 양의 창자 중 대장 시작부 근처에 있는 주머니 모양의 맹장이라는 부분으로 만든다. 도살되는 동물 한 마리로 한 개만 얻을 수 있을 뿐 아니라 동물이 너무 어려도 나이가 너무 많아도 맹장이 너무 얇거나 두꺼워서 얻지 못할 수도 있다. 이런 천연 피부 콘돔은 고정시키는 고무 밴드가 달려 있는 아랫부분을 제외하고는 음경을 조이지 않는다는 이점이 있으며, 기름을 윤활제로 사용할 수 있다.

고무 콘돔과 천연 피부 콘돔의 이점들은 화학연구원들이 고안하여 1991년에 소개한 향상된 형태의 폴리우레탄 콘돔으로 통합되었다. 폴리우레탄은 여러 가지 형태로 존재하는 고분자(polymer)로서, 일부는 절연에 적당하고, 일부는 자동차 범퍼에, 일부는 일회용 음료 잔으로, 그리고 일부는 콘돔에 적당하다. 폴리우레탄은 인체 주입 물질과, 상처가 숨을 쉴 수 있게 하면서도 건조해지지 않는 수술용 붕대 재료로 사용되며 알레르기 반응도 보고되지 않았다. 매년 전 세계적으로 1,200만 톤 이상의 폴리우레탄이 생산되지만 그중 아주 소량만 콘돔에 쓰인다. 폴리우레탄은 고무처럼 탄성이 있지는 않지만 정상적인 성교를 포함하는 콘돔 용도로는 충분히 유연하다. 이런 콘돔은 투명하고 매우 민감하고, 알레르기 반응이 없으며, 윤활제의 영향도 받지 않고 정자와 모든 성적 매개 질병에 효과적인 방어벽이 된다.

콘돔은 신축성이 있어야 하며 폴리우레탄은 어느 정도 유연하게 만들어질 수 있다. 콘돔은 이 놀라운 고분자를 이용해 가장 최근에 만들어진 물건이었다. 1959년에 미국 듀퐁사의 화학자인 시버스(Joseph Shivers)는 탄성이 있는 폴리우레탄을 개발하였는데 이것은 파이버 K라고 불렸고 이후 스판덱스라는 이름으로 판매되기 시작했다. 스판덱스는 당시 여성의 속옷으로 유행하던 코르셋과 거들에 이상적인 재료였다. 1980년대에 라이크라(Lycra)로 더 유명해졌다. 라이크라는 다른 섬유와 혼방하여 신축성 있는 옷감으로 만들 수 있었는데 땀, 로션, 세제에 영향을 받지 않아서 이런 점에서 라텍스보다 훨씬 우수하다. 곧 라이크라 제품을 수영복, 스키복, 타이츠, 무용복, 신축성 있는 청바지로 입게 되었다. 이러한 라이크라의 성공에도 여러 이야기가 있었다.

## ● 탄성체처럼 질기게 이어진 협박

1989년, 아르헨티나의 듀퐁 라이크라 공장 직원 5명이 회사의 폴리우레탄 탄성체가 만들어지는 기술 공정에 관련된 일급 기밀문서를 훔쳐, 회사를 협박해 천만 달러를 요구했다. 그들은 아르헨티나를 떠나 듀퐁 본사가 있는 델라웨어의 윌밍턴으로 날아갔고, 그곳에서 회사와 협상을 시작했다. 그 이후 그들은 이탈리아의 밀라노를 거쳐 스위스로 도망갔고 그곳에서 모든 은행에서 통용이 가능한 은행 수표를 받고 회사 대표에게 기밀문서를 넘겨주려 했다. 그러나 회사측에서 준비한 수표는 위조 수표였다. 일이 잘못되어 가는 낌새를 알아챈 협박범들은 거래를 중단하려 했지만 결국 그들은 제네바의 주차장에서 검거되었다.

폴리우레탄은 침실에서 갖가지 모양으로 쓰이는 플라스틱으로서, 메트리스를 채우는 발포체에도 쓰이고, 몸에 밀착되는 섹시한 의상에도 사용되며, 콘돔의 재료이기도 하다. 여기서 우리가 관심을 두는 것은 마지막 용도이다. 폴리우레탄 콘돔은 아반티(Avanti)라는 상표명으로 출시되었으며 런던 인터내셔널그룹이 제조했다. [실제로 미국회사 에이펙스메디컬테크놀로지가 그러한 종류의 콘돔을 먼저 생산하여 센세이션(감동) 콘돔이라 칭하고 1989년에 FDA 승인을 받았지만 시판되지는 못했다.] 아반티 콘돔은 특별히 강하고 유연한 폴리우레탄인 듀론으로 만들어졌다. 처음에는 초박형(0.04밀리미터)으로 만들어지기 시작했지만 5%의 높은 파손율을 보여서 약간 더 두꺼운 것(0.06밀리미터)이 도입되어 파손율이 1% 이하로 떨어졌다. 아반티는 음경을 죄는 고무 콘돔보다 더 크게 만들어져서 성교를 하는 동안 제품의 착용 느낌을 비교적 덜 느낀다. 시험 결과 감각성이 뛰어나기 때문에 80%의 사용자들이 고무 콘돔보다 이것을 더 선호했다.

다른 회사들도 스타이렌-에틸렌-뷰틸렌-스타이렌 고분자로 콘돔을 생산했는데 폴리우레탄보다 신축성이 좋아 사용 도중 찢어지는 위험이 감소시켰다. 윤활제로 실리콘 기름과 살정제로 작용하는 **노녹시놀-9**을 조합하여 사용하는 콘돔도 있다. 또 노녹시놀-9은 화장품에서 계면활성제로도 사용되지만 이것은 정자의 머리 부분을 둘러싸고 있는 첨단체 막을 방해하는 효과도 있다. 그것을 마비시키기 때문에 노녹시놀-9은 콘돔용 윤활제, 특히 페서리의 윤활제로 광범위하게 이용된다. 그러나 HIV 같은 질병에 대해서는 특별한 보호를 제공할 수 없다.

콘돔은 신이나 예언자가 정하지 않았다는 종교적 이유와 난교를 조장한다는 도덕적 이유에서 공격을 받았고, 고무 콘돔은 건강과 안전성의 이유(발암제로 알려진 나이트로소아민을 미량 함유하고 있기 때문에)로 공격 받았다. 이 나이트로소아민은, 부분적으로 산화 효과에 의한 손상으로부터 고무를 보호하고 부분적으로는 탄성을 증가시키기 위해 첨가한 페닐렌 다이아민으로부터 형성된 것으로 여겨진다. 슈투트가르트에 있는 그 이름도 이상한 '화학물질과 수의학 조사연구소(Chemical and Veterinary Investigation Institute)'가 2004년 5월에 발행한 책자에 따르면, 조사한 32개의 콘돔 중 29개에서 유해한 수준의 나이트로소아민이 검출되었다고 한다. 비록 이 뉴스가 여러 웹사이트에서 수백 번 인용되었지만 '화학물질과 수의학 조사연구소' 자체가 다소 의심스럽고 웹사이트나 연락 주소가 없어 순전히 오해를 불러일으키기 위하여 책자를 발행하지 않았는지 생각하게 된다. 이러한 주장은 아직 믿을 만한 과학잡지에 발표되지 않았고 따라서 신빙성을 판단하기가 불가능하다. 독일의 콘돔 제조업자협회는 당연히 이런 주장에 대해, 신중하게 받아들여지기 전에 그 연구의 정당성이 입증되어야 한다고 반박하며 2001년에 독일의 킬대학이 수행한 연구에서는 콘돔과 암 사이에 아무런 연관이 없다는 것이 증명되었다는 점을 지적했다.

## 엄마,
## 우리는 제정신이 아니었어요

어머니의 어머니, 또 그 어머니의 어머니에 걸쳐, 얼마나 많은 어머니들이 결혼하지 않은 딸들에게서 그 운명적인 말을 듣거나 혹은 듣게 될까 두려웠을까? 이미 많은 자녀를 둔, 얼마나 많은 어머니들이 또 다시 자신의 임신을 확인하며 우울해했을까? 그래도 성숙한 여성이 모험의 결과로 임신을 하는 것은 변명의 여지가 없겠지만, 혼전 상태의 어린 여성에게 임신은 첫 경험의 원치 않은 결과일 수도 있다. 과거 이러한 일들은 가정의 큰 불행이 되고 여성 당사자는 결혼하여 보편적인 생활을 할 기회를 잃어버리는 결과를 초래하기도 했다. 그녀는 부도덕한 여성이 되었다.

다행히도 모든 사회에서 일반적으로 산파가 임신 중절 기술을 가지거나 박하의 일종인 페니로열처럼 자연 유산을 일으킨다고 알려진 천연 화학물질에 대해 조언할 수 있었다. 페니로열 잎을 뜨거운 물에 달여낸 물에는 유산시키기에 충분한 양의 활성 물질인 멘톤과 풀레곤이 들어 있었을 것이다. 서투른 사람에게 이 두 가지 치명적인 물질은 사람을 죽이기에 충분했을지도 모른다. 산파를 만나지 못할 때의 전통적 방법은 뜨거운 욕조에 앉아서 진 반병을 마시는 것이었다.

로마 시대 창녀들은 인공감미료인 사파(sapa)를 피임약뿐 아니라 임신중절제로도 사용한 것으로 알려졌다. 이러한 작용은 납중독 증상 때문에 일어났을 것이다. 사파는 신 포도주를 납 냄비에 넣고 끓여서 강한 단맛이 나는 시럽으로 만든 것으로, 유효 성분은 아세트산납이었다. 이것은 요리와 포도주 보존에 쓰였지만 유산을 비롯한 모든 질병의 원인으로 비난을 받았다. 로마 제국과 함께 사파는 사라졌지만 그 시대의 또 다른 생산품은 20세기까지 전해졌다. 그것은 로마의 티베리우스 황제 시대(14~37년 재위)의 의사인 메네크라테스가 발명한 단연경고(單鉛硬膏)였다. 단연경고는 동상, 만성 다리 궤양, 종기 같은 피부 질환을 치료하기 위해 만들었으며 산화납과 올리브유를 반죽한 것이었다. 이 단연경고는 1890년대에 영국 버밍엄의 여성들 사이에서 납중독을 일으켰다. 여성들이 충분한 양의 단연경고 반죽을 긁어서 먹으면 원치 않는 임신이 중절된다는 것을 알아냈기 때문이다.

정상적인 성관계는 여성의 임신을 위한 것이며 이는 남성의 정자가 여성이 난자와 결합하면서 이루어진다. 일단 난자가 수정되면 자궁벽에서 착상할 곳을 찾는데 여기에는 며칠이 걸린다. 월경을 일으키는 실제 호르몬을 복용하거나 동일한 결과를 가져오는 미페프리스톤(사후피임약)을 복용하여 원치 않는 임신을 피할 기회는 이 며칠이다. 호르몬에 기반을 둔 사후피임약은 에스트로겐과 프로게스테론 두 가지 호르몬을 모두 함유하고 있다. 4알을 복용해야 하는데 2알은 즉시, 2알은 12시간 후에 복용해야 하며 각각에는 에스트로겐 에티닐로에스트라디올*(50마이크로그램)과 프로게스테론 노르게스트렐**(250마이크로그램)이 함유되어 있다. 이것은 모두 수정된 난자가 착상하지 못하게 하지만 이런 알약은 부작용으로 욕지기 느낌이 나고 실제 구토가 일어나기도 한다. 이러한 부작용이 알약을 처음 복용한 후 일어나면 의사는 구토를 멈추게 함과 동시에 추가적인 처방을 해야 한다.

임신을 피하는 또 다른 방법은 수정 후 3일 안에 미페프리스톤 약품을 복용하는 것이다. 영국 약사들은 16세 이상의 여성이 약이 필요한 이유를 설명하면 처방전 없이도 판매할 수 있는데, 이 방식은 2001년 초부터 시작되었다. 2005년에 가임기 여성의 7%가 이런 치료법을 찾았다고 보고되었으며 일반적으로 그것을 찾는 이유로 콘돔 사용 실패를 들었다. 미페프리스톤은 1980년대 초반에 처음 만들어져 시험되었다. 이것은 신체가 수정된 난자를 지지할 수 있는 상태로 자궁벽을 유지하는 데 필요한 프로게스테론을 방해한다. 미페프리스톤은 프로게스테론 수용체에 결합하며 천연 호르몬 없이 수용체는 태아에게 필요한 단백질을 만들 수 없다. 따라서 신체가 태아를 거부하게 된다. 이 약은 0.75밀리그램 분량 알약 두 알을, 한 알을 즉시 복용하고 나머지 한 알을 12시간 후에 복용한다. (어떤 의사는 두 알을 한꺼번에 복용하라고 권하기도 한다.) 1980년대 후반에, 임신했다고 생각하는 400명의 여성을 대상으로 약을 주고 한 실험에서 임신이 유지된 경우는 한 번도 없었다.

화학이 발전하면서 화학물질이 범죄 수단으로 오용되고 성폭력에 사용되기도 하지만, 성폭력이나 한 순간의 무분별한 행동으로 인한 임신을 막는 것 또한 화학으로 가능하다. (그러나 이는 물리적인 피해를 바로잡을 뿐, 피해자의 정신적 피해도 반드시 해결되어야 한다.)

---

* 보통 피임약은 여러 가지 상표명으로 팔린다.
** 레보노르게스트렐이라고도 한다.

## ● 화학 남용의 사례: 성폭력 약물

상대의 의식을 잃게 하기 위해 미키 핀을 음료수에 몰래 타는 것은 무성 영화 시대 멜로드라마의 구성 중 일부이지만 그것은 사실에 근거한 것이었다. 미키 핀은 1890년대 시카고의 술집 거리에 있는 론스타 살롱의 주인이었다. 그의 고객들은 클로랄 수화물을 몇 방울 탄 음료를 마시면 보통은 예상보다 훨씬 더 취했다. 그런 다음 핀의 여 종업원들은 그들을 유혹해서 뒷방으로 데리고 갔고, 곧 정신을 잃은 그들은 옷과 돈을 탈탈 털린 후 뒷골목에 버려졌다.

독일의 위대한 화학자인 리비히(Justus von Liebig)는 1832년에 염소 기체를 에탄올에 불어넣어서 클로랄 수화물을 발견했다. 그 생성물은 기름 같은 물질로서 물과 반응하여 클로랄 수화물이 생기는데 무색투명한 용액으로 얻을 수 있었다. 클로랄 수화물은 물에 매우 잘 녹으며 몇 방울만으로 몇 분 안에 깊은 혼수상태로 유도하기 때문에 실제로 의사들은 수면이 필요한 환자에게 강력한 진정제로 클로랄 수화물을 처방했다. 물론 이런 '녹아웃' 방울은 범죄 의도가 있는 사람에게 흥미로워 보였고 그들은 성추행이나 성폭력을 하기 전에 이를 이용할 수 있었다. (이것은 영국에서는 1861년부터 개인행위위반법으로 범죄가 되었다.)

오늘날에는 다른 물질들이 성폭력 약물이라는 이름으로 이용될 수 있다. 이런 유형의 범죄는 매우 흔하다고 널리 알려져 있으나 사실 그렇지 않다. 그 피해를 입었다고 주장하는 여성의 소변이나 혈액을 임상 분석해보면 실제로는 매우 소수만이 고의적으로 투약된 약물이 검출되었다. 대부분은 너무 술을 많이 마셨기 때문에 술에 나가떨어진 것이다. 2005년에 런던 감식화학국의 스콧햄(Michael Scott-Ham)과 버턴(Fiona Burton)이 《임상법의학저널(Journal of Clinical Forensic Medicine)》에 3년간의 연구 결과를 보고했다. 그들은 성폭력이라고 주장된 1,014건을 분석하여, 그중 21건의 희생자(2%)만이 의도적으로 약물이 첨가된 음료를 마셨음을 밝혀냈다. 이것에 근거하면 영국에서 매년 보고되는 500건의 유사 사건에서 단지 10건만이 실제 성폭력이라는 것이다. 미국에서는 매년 25만 건 이상의 성폭력 사건이 신고되고, 그중 얼마나 많은 사건이 약물로 인한 것인지 알려지지 않았지만, 비슷하게 2% 정도라 생각한다면 약 5,000건이 될 것이다. 영국 조사에서 밝혀진 것에 따르면, 대부분의 여성이 의식을 잃게 되는 원인은 알코올이며 그들 중 많은 사람들은 대마초, 코카인 또는 엑스터시 같은 기분전환용 약물도 함께 사용했다. 한 여성을 조사한 경우, 혈액에 네 가지 약물 성분이 검출되었다.

성폭력 의도가 있는 사람들이 사용하는 화학물질은 강력한 근육이완제인 **감마−하이드록시뷰티르산**\*(GHB), 마취제로 사용되는 케타민\*\*, 상표명인 로히프놀\*\*\*로 더 잘 알려져 있으며 강력한 항우울제인 플루니트라제팜이다. 이 약물들은 거리에서 다양한 이름으로 불리는데, GHB는 리퀴드 X, 리퀴드 E, 체리 메스, 킷캣으로, 케타민은 스페셜 K로 불린다. 또 로히프놀 알약은 루피스(roofies), 로슈\*\*\*\*, 로프(rope), 로치(roachies)뿐만 아니라 서클, 포겟 미 필(forget me pill), 런치 머니(lunch money)와 같은 이상한 이름으로도 불린다. 이 세 가지 화학물질은 투약자에게 어지럼증을 일으킨 다음 완전히 의식을 잃게 한다. 그렇게 해서 마침내 몇 시간 후 정신을 차리면 자신에게 일어났던 일을 전혀 기억할 수 없다는 것을 깨닫게 된다. 이런 건망증은 영구적 기억 상실로 보이며 일부 희생자는 성폭력을 당한 후 며칠 안에 다시 기억이 떠오르기도 한다.

GHB는 자연적으로 인체 내에 소량 존재하며, 1980년대에는 영양보충제로 판매되기도 하였고 특히 보디빌더들이 근육 성장을 촉진하기 위해 사용했다. 그러나 일부 사람에게서 발작과 혼수를 일으켜서 2000년부터 미국에서 폐기되었는데, 비교적 쉽게 만들어지고, 행복감을 일으키거나 다른 기분전환용 약물의 금단 증상을 감소시키긴다는 이유로 광범위하게 사용된다.

악의적인 약물 투약으로 성폭력을 당한 여성은 사건이 발생한 후 될 수 있는 대로 신속하게 혈액과 소변의 감식 분석을 해야 한다. 약물 중 일부, 특히 GHB는 신체에서 빠르게 없어지기 때문이다. 즉시 경찰에 신고하고 소변 시료를 모아두어야 한다. 여러 성폭력 관련 약물은 밀리리터당 나노그램(10억분의 1)까지도 검출될 수 있다. 로히프놀 같은 것들 중 일부는 일주일 후에도 검출될 수 있다는 의미이다. 많은 인터넷 사이트에서는 이 약물로 인한 성폭력을 경고하지만 스콧햄 조사의 1,014명의 여성에게서는 로히프놀이 하나도 검출되지 않았다. 1999년부터 이 약물에는 용해되면 음료수를 밝은 청색으로 변하게 하는

---

\*      4−하이드록시뷰탄산이라고도 한다. 화학식은 $C_4H_8O_3$이다.
\*\*     화학식은 $C_{13}H_{16}ClNO$이다.
\*\*\*    화학식은 $C_{16}H_{12}FN_3O_3$이다.
\*\*\*\*  로슈(Roche)라는 제약회사가 이를 제조한다.

성분이 포함되어 있기 때문이다.

　로히프놀은 유럽과 멕시코 같은 국가들에서 합법이며, 미국에서는 불법으로 목록 III에 올라 있다. 다시 말해서 이것은 현재 의학적으로 사용이 허가되며 남용될 수 있지만 중독성은 아니라는 것이다.* 수만 개의 로히프놀 알약이 경찰의 습격으로 압수되자 그 약이 불법이라는 사실이 매력으로 작용해 1990년대 미국 젊은이들을 매혹시켰다.

　항상 자신의 범죄에 이용할 화학물질을 찾는 사람들이 있긴 하지만, 성폭력 약물에 대한 두려움은 실제 사고 발생률에 비해 훨씬 과장되어 있다. 혹시 내게도 이러한 사건이 일어날까 두렵다면 다음 몇 가지 간단한 규칙을 따르면 된다. 술은 친구들하고만 마실 것, 빈 속에 술을 마시지 않을 것, 낯선 사람이 주는 술을 절대로 받지 말 것. 혹시라도 멀리 떨어진 낯선 곳에서 몇 시간 후에 깨어났다면 성폭력을 당하지 않았는지 의심하고, 즉시 도움을 요청하고, 적절한 감독 하에 소변 시료를 채취할 때까지 소변을 참아라. 이러한 방법은 성폭력범이 응당한 처벌을 받도록 하는 데 도움이 될 것이다.

---

\* 　목록 I 약물은 의학적 사용이 금지되며 매우 중독성이 강하고, 목록 II 약물은 의학적으로 사용이 허가되지만 중독성이 있다.

# 편리한 삶 (2)

## 향상된 식품들

글로벌 타임스 뉴스, 2025년 3월 21일

## 더 많은 땅이 자연으로 돌아가야 한다

자급자족형 질소고정(NitroFix) 장치들로부터 질산암모늄의 생산량이 증가한 덕분에 수백만 헥타르의 농토가 올해에도 야생 상태로 전환될 것이다.

2010년에 UN은 유기농 농작물 생산을 위해 점점 더 많은 열대 숲이 사라져야 하기 때문에 저생산 유기 농법이 지구의 생태계에 손상을 준다고 보고하였다. 그런 농업은 토양의 질소를 소모하여 없앨 뿐 아니라 그렇게 생산된 농산물은 그 다음에 유럽과 미국의 슈퍼마켓으로 수천 마일을 수송되어야 한다.

UN 보고서는 질산암모늄의 필요성을 강조하였으며 이어서 질산암모늄을 생산하고 풍력발전기나 수력발전기로 생산되는 전기에 의해서 운전되는 소단위 질소 고정 장치의 개발을 가져왔다. 현재 질소고정 장치는 거의 환경에 부작용을 주지 않으면서 세계 비료용 질소 수요의 대부분을 공급하고 있다. 그뿐 아니라 그것은 작물에 비료로 사람의 배설물을 이용하는 방법을 더는 사용하지 않게 해주었다. 현재 배설물은 조림지, 에너지 작물의 비료나 메탄 발생기에만 사용되고 있다.

UN 사무총장은 일만 개의 질소고정 장치를 케냐에 설립하면서 '서로 이기는 윈-윈 상황'이라고 말하였으며 이어서 새로이 확대된 국립 자연 보존 지역을 조사하러 갔다.

8면: 선도적인 퇴비 배급업자들은 유기 식품이 암을 예방한다고 주장한다.

지난 백 년 동안 화학자들은 세계 식품 생산량을 두 가지 방법으로 증가시킬 수 있었다. 비료 생산을 통해서 작물 생산량을 두 배에서 세 배 가량 증가시키고, 더 좋은 살충제를 만들어서 곤충과 식물의 병 때문에 생기는 손실을 줄였다. 심지어 금세기에도 유전적으로 변형된 식물을 도입함으로써 농업이 상당히 변화하게 되겠지만 여전히 토양을 보충하고 특히 질소를 보충하고 작물을 보호할 필요가 있을 것이다. 유기농업은 잘 되어가고 있지 않으며, 우리가 이 방법으로 모든 인류를 먹이러 한다면 선 지구의 재앙이 될 것이다. 우리가 이용할 수 있는 모든 토양을 경작해야 하기 때문이다. 지구가 유지되고 수백만 명이 굶주리지 않으려면 위의 기사와 같은 새로운 일이 언젠가는 일어나야 할 것이다.

서구사회가 점점 더 많은 것을 소비하는 동안 식품에 대하여 끊임없이 번민하고 먹어야 할 것과 먹어서는 안 될 것에 대하여 많은 충고를 받을 것이다. 대부분의 충고가 적절하게 소양을 갖춘 영양학자에 의한 것이라면 합리적이겠지만 그 중 일부는 추측에 불과하고 일부는 기우가 심한 사람들의 생각이다. 식품 포장에는 '설탕 무첨가', '저염', '인공 색소, 향료, 보존제가 없음' 같은 말이 적혀 있다. 물론 마트에서 당신은 설탕 부대와 소금 봉지 형태로 이런 분명히 위험한 식품들 중 두 가지를 여전히 대량으로 구입할 수 있다. 당신이 '인공' 성분을 회피하려 한다면 고형 스톡, 양념, 허브와 간장 같은 천연 첨가제는 안전하며 당신이 걱정하는 화학적 첨가제와 매우 다를 것이라고 생각할 수도 있다. 흔히 식품 제조업자들은 자신들의 이익을 위해 우리 건강을 해치는 모든 종류의 것들을 몰래 집어넣는다는 인상을 받게 된다. 그럴 수도 있겠지만 대부분의 믿을 만한 식품회사들은 식품화학자와 분석가들을 고용하고 있으며 이 과학자들은 회사가 생산하는 것이 먹기에 안전할 뿐 아니라 용기의 위에 찍힌 날짜까지 언제 먹더라도 안전하며 그것의 외관, 냄새, 맛, 영양에 대한 소비자의 기대도 충족시킬 것이라고 보장하는 역할을 한다.

식품 문제에 대해 캠페인을 벌이는 사람은 식사에 대한 충고를 마치 종교와도 같이 열렬히 퍼뜨리며, 그 내용이 널리 알려질 것이라고 주장하고 자신들의 조언이 옳다고 설득하는 데 능숙하다. 그들의 말은 좀 덜어내어 들을 필요가 있다. 우리는 또한 만족스러운 요리를 위한 유명한 요리사의 비법이나 많이 먹더라도 체중을 줄이는 방법 등에 대해서 너무 많은 말들에 노출되어 있다. 식품은 우리가 하루에도 몇 번씩 즐기는 것이기 때문에 항상 먹는 문제에 대한 충고에는 관중이 모인다.

이 장은 식품에 대하여 좀 더 깊숙이, 즉 분자 수준에서 살펴보고자 한다.

당신은 탄수화물이 건강한 식사의 필수 성분이며, 특별한 탄수화물이 수백만 명의 생명을 구할 수 있다는 것을 배우게 될 것이다. 또한 흔한 염에 어떤 것을 조금만 첨가하여도 전 세계의 많은 사람들의 삶이 개선될 수 있다는 것, 어떤 기능성 식품을 통해 체내의 미생물을 성장하고 건강해진다는 것, 추울 때 매운 식품을 먹으면 따뜻하게 느껴지는 이유도 알게 될 것이다. 또 모유, 로열 젤리, 기능성 식품에 대해서도 간단하게 살펴본다.

## 탄수화물

**탄수화물**이라는 용어는 많은 화합물을 통틀어 나타낸다. 탄수화물이라는 말은 회피해야 할 것으로 오인되기 쉽다. 당신은 이미 포도당이나 과당 같은 단순한 탄수화물과 녹말, 글리코겐, 섬유소 같은 복잡한 탄수화물에 대하여 알고 있을 것이다. 보통의 설탕에 대한 화학명은 슈크로스이며 이것은 포도당 한 분자와 과당 한 분자가 결합된 것이다. 반면에 녹말은 수백 또는 수천 개의 포도당 분자가 사슬로 연결된 것이며 주로 셀룰로스인 섬유소도 마찬가지이다. 녹말과 셀룰로스는 포도당이 결합된 방법만 다르다. 신체에는 녹말을 포도당으로 분해하는 효소가 있어서 그것을 소화할 수 있지만 셀룰로스를 분해할 효소는 없다. 섬유소는 식품이 장을 쉽게 통과하도록 도와주기 때문에 이것이 나쁜 일은 아닐 것이다.

탄수화물이 얼마나 중요한지는 로열 젤리를 조사하면 쉽게 알 수 있다. 이 것은 생명, 최소한 벌에게 필요한 모든 영양소를 제공하는 완전식품이다. 일 벌은 로열 젤리를 분비하여 어린 유충과 여왕벌을 먹이는데, 유충은 태어나서 삼 일 동안 로열 젤리를 먹지만 여왕벌은 5년이 넘는 일생 동안 먹는다. (일벌과 수벌 같은 다른 벌들은 보통 서너 달 밖에 살지 못하며 꽃가루와 꿀을 먹는다.) 일 부 사람들은 로열 젤리가 생식과 장수를 증대시키는 성분을 가지고 있다고 생각하고 그것을 복용한다. 로열 젤리를 분석한 결과 그것은 탄수화물, 단백질, 지방, 비타민, 무기질의 혼합물로서 모두 건강한 사람의 삶을 위해서도 필요하다고 생각되는 성분들이다. 로열 젤리에는 특히 비타민 $B_1$, $B_2$, $B_3$, $B_6$, $B_{12}$가 풍부하고 물 65%, 탄수화물 18%, 단백질 12%, 지방 4%, 무기질과 비타민 1%로 조성된다. 이것은 pH 4 정도의 약산성이며 살균력도 가진다. 더 긴 수명을 보장하는 비밀 성분이 실제로 있는지는 좀 더 살펴보겠지만 우리는 그 영양소들 중 탄수화물이 가장 풍부하다는 점을 유의해야 한다.

당신이 탄수화물만 먹는다면 죽을 것이다. 또한 탄수화물을 전혀 먹지 않아도 마찬가지이다. 이 말은 필요 이상의 탄수화물은 비만을 불러오기 때문에 모든 탄수화물은 건강에 위협이 된다는 통념과 모순인 것처럼 들린다. 1991년에 미국인의 12%가 비만이었지만 이 숫자는 1998년에 18%로 증가하고 2004년에는 26%가 되었다. 미국인이 앞장서고 있으며 전 세계가 이 경향을 뒤따르고 있다. 우리는 과식의 죄에 빠지고 비만으로 벌을 받은 후 무탄수화물 식사를 통해서 구원으로 향하는 길을 얻었다. 설탕, 빵, 파스타, 감자 등 모든 고탄수화물을 줄이는 것이 체중을 줄이는 방법이라고 여겼던 1950년대와 1960년대에 그랬던 것처럼 그 충고는 분명히 문제를 해결하는 데 오랜 시간이 걸릴 것이다. 1970년대와 1980년대에 설탕은 특히 위험한 대상으로 취급받았으며 유드킨(John Yudkin)의《순수하고, 희고, 치명적인》같은 책들은 거의 광신적인 지지를 받았다. 고(故) 애트킨스 박사의 1990년대 식이요법도 탄수화물을 없애라고 역설하였다. 2000년대 GI(Glycemic Index, 당 지수) 식이요법은 그렇게까지는 주장하지 않지만 탄수화물을 최소한으로 제한하고 있다. 당 지수는 식품이 혈중 포도당 수치에 영향을 미치는 정도에 따라서 등급을 매기고 있다. 조절된 속도로 탄수화물을 방출하여 포도당 수준을 안정하게 유지시켜주는 것은 낮은 GI 등급을 받으며 추천되고, 빠르게 소화되고 흡수되어서 혈중 당 수준을 크게 변화시키는 것은 높은 GI 등급을 받으며 피해야 할 대상이 된다.

초저탄수화물 식사는 옳지 않으며 우리는 영양분의 약 60%를 탄수화물로, 20%를 단백질로, 20%를 지방으로 섭취해야 한다는 식이요법가들의 조언에도 반대된다. (로열 젤리는 탄수화물 55%, 단백질 35%, 지방 10%로 조성되어. 탄수화물에 대해서는 그들의 기준에 맞지만 단백질은 더 많고 지방은 더 적다.) 나쁜 탄수화물 같은 것은 실제로 존재하지 않지만 한 가지만을 너무 많이 섭취하는 좋지 않은 식사는 존재한다. 그중 설탕은 가장 흔하며 우리가 적게 먹을 필요가 있다. (2000년에 미국인들은 평균적으로 일 년에 약 75킬로그램의 정제된 설탕을 소비하며 이것만으로도 개인이 필요로 하는 식품 열량의 30%가 제공된다.)

당신이 식사에서 모든 탄수화물을 제거한다면 체중을 쉽고 빠르게 줄일 수 있다. 그러나 그것이 정말 좋은 일일까? 탄수화물 생화학에 대하여 좀 더 알게 된다면 당신을 위한 올바른 결정을 하는 데 도움이 될 것이다. 우리 신체의 어느 기관은 포도당 형태의 탄수화물 공급을 꾸준하게 필요로 하며 약 140그램의 포도당을 매일 소모한다. 바로 뇌이다. 식사를 통해 뇌에 필요한 포도당을 섭취하지 못하면 우리 신체는 케톤체라고 하는 대용품을 합성하여 대체물로 사용한다. 적혈구와 신장 같은 다른 기관도 탄수화물을 필요로 하는데, 탄수화물을 이용할 수 없는 경우 신체는 단백질로부터 탄수화물을 합성하기도 한다.

탄수화물은 모든 형태와 크기로 존재하며 양도 풍부하다. 지구의 모든 생물은 공기 중 이산화탄소를 섭취하여 그것을 탄수화물로 전환하는 식물의 능력에 결국 의존하게 된다. (이 과정에서 산소 기체가 방출된다.) 당연히 인간 주변의 기본 식품도 쌀, 감자, 옥수수, 밀, 병아리콩 같은 탄수화물이 풍부한 작물이다. 감자 같은 한 가지 채소만 먹고도 살아갈 수 있다. 이것은 1920년대에 25세의 남자와 28세이 어기기 6개월 동안 순천히 감자만 먹고 다른 것은 전혀 먹지 않았어도 좋은 건강을 유지했다는 것에서 증명되었다.* 그들은 비만해지지 않았다. 중국과 일본에서는 쌀과 식품을 같은 뜻으로 사용한다. 탄수화물이 풍부한 식사가 건강에 좋지 않은 섭생법이 아니라는 것은 여러 인종 중 평균 수명이 가장 긴 일본인의 장수를 통해 증명되었다.

포도당과 과당은 자연계에서 가장 풍부한 탄수화물이다. 두 가지가 결합하면 흔히 설탕이라고 하는 슈크로스가 된다. 이런 간단한 탄수화물들의 결합으로 다양한 것이 생길 수 있다. 포도당 두 분자가 결합하더라도 결합하는 방법에 따라서 트레할로스, 말토오스, 아이소말토오스, 셀로비오스, 젠티오비오스가 생성된다. 처음 두 가지의 차이점은 말토오스에서는 포도당 두 분자가 같은 쪽으로 나란히 있지만 트레할로스에서는 한 분자가 뒤집어져 있다. 포도당 두 분자로 된 나머지 분자들에서는 두 성분이 서로 다른 점에서 연결되어 있다.

글리코겐은 포도당을 저장하기 위해서 신체가 만드는 특별히 중요하고 복잡한 탄수화물이다. 이것은 수백 개의 포도당 단위들이 사슬로 연결되어 있고 여기에 다른 많은 포도당들이 곁사슬로 연결되는데 세포에 쉽게 저장되도록 모두가 공간을 최소화하는 나선 모양으로 감겨 있다. 글리코겐 이외에도 인체 대사에 필수적인 다른 탄수화물들도 있다. 우리는 이것을 체내에서 만들거나 식사의 일부로 섭취해야 할까? 답은 우리가 먹는 모든 것에서부터 그것을 만들 수 있다는 데 있는 것 같다. 물론 만노스 같은 몇몇 탄수화물은 그것이 식품에서 흡수된다면 더 효율적으로 이용될 수 있다. 이것은 지원자들에게 방사성 표지가 된 만노스를 주고 이것이 간이나 장에 필요한 성분을 만드는 데 이용된다는 것을 찾아내서 알려졌다.

몇몇 탄수화물은 세포−세포 교신에 필요하며 우리는 세포가 건강하거나

---

\* 장기적으로는 그런 식사는 신체가 필요로 하는 것을 모두 제공해 줄 수는 없다.

무엇인가 잘못되어 가고 있다는 것을 확인하는 데 세포에 부착된 탄수화물을 이용한다. 세포의 인식에는 8가지의 탄수화물이 필요하며 이것이 혈액형의 원인이 된다. 그 차이는 간단한 탄수화물 하나 정도로 작을 수도 있다. 예를 들면, 혈액형 B형은 갈락토스 분자를 가지지만 A형에서는 이것에 질소 원자가 결합되어 약간 변형되어 있다. 이것은 화학적으로는 큰 차이가 아니지만 잘못된 혈액형의 수혈을 받은 사람의 생명을 위협하기에 충분하다. 2장에서 설명한 것처럼 바이러스가 침투하는 데 이용하는 것은 세포벽의 바깥쪽에 결합되어 있는 탄수화물이다. 침투하는 바이러스를 공격하는 항체의 생산을 촉발하는 탄수화물도 마찬가지로 중요하다. 탄수화물 없이도 지낼 수 있다고 말해서는 절대로 안 된다.

탄수화물의 소화 속도는 입에서부터 시작하여 직장에 이르기까지 장소에 따라서 다르다. 당신이 빵 한 조각을 씹어서 잠시 입에 담고 있으면 단맛이 나기 시작할 것이다. 이것은 침 속의 효소들이 녹말을 포도당 성분으로 분해하기 때문이다. 몇몇 탄수화물은 분해가 되지 않으며 이것을 섬유소라고 하는데 이것은 주로 셀룰로스로 구성되어 있다. 몇몇 탄수화물은 소화가 될 수 있지만 쉽지 않은데 조리하는 동안 그것이 변형이 되어서 소위 저항성 녹말로 변화되었기 때문이다. 이것은 짓이긴 감자나 파스타 같은 물기가 많은 녹말성 식품을 재가열하였을 때 생성된다. 이러면 녹말 분자들은 소화효소들이 접근하지 못하게 하는 방법으로 서로 달라붙는다.

대장이나 직장에는 복잡한 탄수화물 같은 것들을 기다리는 세균들이 풍부하다. 그것들은 더 짧은 사슬의 **카복실산**으로 분해된다. 이런 카복실산에는 아세트산과 프로피온산, 뷰티르산이 있다. 아세트산은 산소와 반응하여 에너지로 전환될 수 있으며, 프로피온산은 용도가 없어서 소변으로 배설되고, 뷰티르산은 대장의 세포벽에서 흡수되어 세포벽의 성장을 조절하는 데 이용되며 아마도 암을 막아줄 것이다. 다음 표는 식품에 들어 있는 중요한 탄수화물 유형에 우리 신체가 그것을 다루는 방법에 대한 요약이다.

**식품과 장의 탄수화물**

| 유형 | 화학명 | 풍부한 식품 | 소화 장소 | 소화 속도 |
|------|--------|-------------|-----------|-----------|
| 단순당 | 설탕, 포도당, 과당 등 | 사탕, 케이크, 비스킷, 탄산음료, 과일, 꿀, 잼, | 위 | 매우 빠름 |
| 녹말 | 아밀로스, 아밀로펙틴 | 곡물, 쌀, 감자, 파스타 | 장 상부 | 느림 |
| 섬유소 | 셀룰로스, 펙틴 | 통곡물, 과일, 귀리, 콩 | 소화 안 됨 | 소화 안 됨 |
| 저항성 녹말 | 아밀로스 | 감자, 쌀 같은 식품의 재가열, 콘플레이크 | 부분적 소화 | 매우 느리거나 안 됨 |

녹말은 씨앗, 덩이줄기, 뿌리의 성분이다. 이것은 아밀로스와 아밀로펙틴의 두 가지 중요한 성분으로 되어 있다. 아밀로스는 포도당 분자들이 결합되어서 만들어진 고분자이며 전형적인 가닥은 약 2,500개의 포도당 분자를 포함하고 있다. 아밀로펙틴은 더 기다란 사슬과 그것에 결합된 많은 짧은 탄수화물 사슬을 가지며 이런 유형의 탄수화물은 고기 국물과 소스를 진하게 하는 훌륭한 농후제다. 녹말은 가열하거나 여러 가지 화학물질로 처리하여 몇 가지 방법으로 변형될 수 있으며 이런 것은 입에서 크림 같은 질감을 나타내기 위하여 요구르트 같은 제품에 첨가된다. 또 '라이트' 마요네즈와 요구르트 같은 저지방 식품이 요구되는 시대에 변형된 녹말은 기름이나 크림이 없이도 크림 같은 질감을 배가시켜줄 수 있다.

## ● 새로운 종류의 녹말

감자에서 녹말을 생산하는 네덜란드의 아베베 사와 네덜란드 응용과학연구기구(흔히 TNO

라고 함)가 협력하여 젤라틴처럼 젤리와 유사한 특성을 갖게 녹말을 변형하는 방법을 찾아 냈다. 다시 말해서 녹말을 가열하면 액체가 되고 식히면 고체가 된다. 식품화학자들은 내열 성 세균인 테르무스균(Thermus thermophilus)에서 아밀로스와 아밀로펙틴을 결합시켜 서 원하는 결과를 얻을 수 있는 효소를 발견하였다. 그 제품은 감자 전분처럼 투명한 특성 을 가지며 요구르트, 스프레드, 푸딩, 모조치즈에 사용된다. 또 새로운 녹말은 접착제와 사 진 필름 같이 식품 이외에서도 이용된다.

혈액에서 일정한 수준의 포도당을 유지하기 위하여 간은 포도당이 과잉 이면 그것을 글리코겐으로 만들고 너무 적으면 저장된 글리코겐으로부터 포 도당을 방출한다. 격렬한 운동을 하는 사람은 신체의 에너지를 모두 소모하 며 글리코겐 저장물의 분해를 필요로 한다. 1킬로그램까지 글리코겐을 이용 할 수 있으며 이것은 4,000칼로리의 에너지를 내놓는다. 글리코겐이 모두 소 모되면 근육은 휴식을 필요로 할 것이며 이것은 한 시간 정도 격렬한 운동을 한 경우에 나타난다. 휴식을 하지 않으면 신체는 다른 방법으로 에너지를 생 산하기 시작한다. 그렇지 않으면 우리는 이런 목적으로 만들어진 당을 함유 하는 음료 종류를 마셔서 포도당을 공급할 수 있다.

3시간 동안에 40킬로미터를 뛰는 마라톤 주자는 한 시간에 1kW의 전기 히터를 켜는 만큼의 에너지를 소모할 것이다. 주자는 그 과정에서 많은 열을 내지만 신체는 피부에서 약 2리터의 땀을 증발시켜서 과열을 방지한다. 땀과 함께 신체는 전해질, 즉 약 4그램의 나트륨과 0.5그램의 칼륨을 잃는다. 분명 히 신체는 즉각적으로 물을 필요로 하겠지만 물에 다른 것을 첨가하는 것이 도움이 될 수 있다. 전형적인 스포츠 음료에는 포도당이 들어 있으며 이것은 위에서 직접 혈액으로 흡수되지만 음료의 농도는 너무 높지 않아야 한다. 그것이 훨씬 더 필요한 물의 흡수를 지연시키기 때문이다.* 전형적인 스포츠 음료에는 리터당 약 50그램의 포도당이 들어 있다. 그 안의 나트륨 양은 리터당 약 0.5그램(리터당 1.25그램의 소금과 동일한 양)이고 다른 것도 들어 있을 수 있다. 당연히 운동선수가 스포츠 음료를 마시면 그것은 단순한 물만 마신 경우보다 운동 능력을 더욱 향상시킨다. 선구적 역할을 한 일본인들이 이미 1980년대에 '포카리 스웨트'라는 음료를 출시하였고 현재까지 2억 병 이상 판매하였다. 이와 비슷한 것으로 미국의 '게토레이', 영국의 '루콘제이드'가 있다. 게토레이는 리터당 탄수화물 56그램, 나트륨 4.5그램, 칼륨 120밀리그램을 함유하며, 루콘제이드 스포츠는 리터당 64그램의 탄수화물, 나트륨 1그램, 칼륨 100밀리그램을 함유한다.

최근 각광 받고 있는 천연 탄수화물은 매우 독특한 이점이 있으며, 구약성서에도 언급되어 있다.

## 하늘에서
## 내려온 선물

만나는 위에서 말한 대로 트레할로스 형태의 탄수화물이며 두 분자의 포도당이 서로 결합된 것이다. 이것은 천연적으로 존재하고 단맛이 나는 탄수화물로 자연계에 널리 퍼져 있고, 세균, 균류, 곤충, 식물, 무척추동물을 비롯한 많은 생물의 에너지원이 된다. 트레할로스를 섭취하면 소장에서 소화하는데 트레로스 가수분해효소(trehalase)에 의해 구성 성분인 포도당으로 분해된다. 이것의 단맛은 설탕의 절반이지만 맛은 더 오래 지속된다. 꿀, 빵, 맥주, 버섯 같은 식품에는 소량의 트레할로스가 포함되어 있으며 표고버섯에는

---

\*   음료수에 설탕이 너무 많으면 이것이 흡수되기 위해서는 체내의 수분을 이용해 위에서 희석되어야 한다.

20%까지 들어 있다. 또 트레할로스는 독버섯인 광대버섯(*Amanita muscaria*)에도 들어 있다.

세균과 효모 같은 미생물은 쉽게 트레할로스를 생산한다. 식물은 일부만 트레할로스를 생산할 수 있지만 이것은 매우 오랜 가뭄에서도 생존할 수 있게 해주기 때문에 그런 식물에게는 말 그대로 생명의 구원자가 된다. 그런 식물은 비가 내리면 기적적으로 생명으로 돌아온다. 소위 부활 식물은 거의 모든 물이 없어졌을 때 세포의 필수 구조 부분을 유지하는 데 이 탄수화물을 이용한다. 몇몇 식물은 수분 함량의 95%를 잃더라도 생존할 수 있다. 또 트레할로스는 열과 추위의 스트레스로부터도 세포를 보호한다.

사람은 성서시대부터 트레할로스를 알았으며 이스라엘 민족이 약속의 땅에 도달하기 전에 시나이 황야에서 40년 동안 방황하는 동안 신이 준 만나였던 것으로 생각된다.

그때에 여호와께서 모세에게 말씀하셨다. 보라. 내가 너희에게 먹거리를 하늘에서 비처럼 쏟아 주겠다. 그러면 너희 모든 사람들은 밖에 나가서 하루 먹을 만큼을 날마다 거두어라. [출애굽기 16 : 4]

이스라엘 사람은 하늘에서 내린 양식을 만나라고 이름 지어 불렀다. 그것은 고수 씨 같이 생겼는데 하얗고 맛은 꿀을 섞어 만든 과자와 같았다. [출애굽기 16 : 31]

모든 사람이 만나 1 '오머'(현재는 알 수 없는 양의 단위)를 모으라고 명령받았지만 이 양을 비교적 쉽게 모을 수 있었다.* 우리가 성경으로부터 쉽게 추정할 수 있는 것은 매우 소량씩 나왔으며 단맛이 났다는 것이다. 브리태니커 백과사전에 의하면 그 이름은 히브리어인 "만 후?(무엇인가?)"에서 왔다고 하

---

\* 영어 성경증보판(옥스퍼드대학출판부, 1989)에 의하면 1 '오머'는 약 4.5리터이다.

며 이것은 이스라엘 민족이 많은 수의 작고 흰 알갱이를 우연히 보고 그것이 단맛이 나는 것을 알았을 때 하던 말이었을 것이다. 신이 유태인에게만 만나를 준 것은 아니며 그 지역의 베두인족은 20세기까지도 만나를 수집하고 진미로 여겼다.

정확하게 만나는 무엇이었을까? 달콤하고 황야에서 구할 수 있다는 사실로 미루어 보아 그것에는 트레할로스가 풍부하였으리라고 여겨진다. 그렇다면 몇 가지 원천이 있다. 그것은 트레할라 마나라고 불리는 기생 딱정벌레의 고치일 수도 있다. 여기에는 트레할로스가 25% 포함되어 있다. 가능성이 있는 또 다른 후보는 만나 애쉬라고도 알려진 물푸레나무(*Fraxinus ornus*)의 즙이 고체화된 것일 수 있다. 그것은 껍질에서 흘러나와 굳어졌을 것이다. 이것도 상업적으로 수집되어 판매된다. 또 다른 제안은 만나가 가뭄이 오면 공모양으로 감기는 레카노라(Lecanora)라는 지의류라는 것이다. 이것도 바람에 날릴 수 있으며 가끔 수집되어서 빵과 젤리를 만드는 데 이용된다. 만나가 진딧물이 분비하는 얇은 조각 물질인 진딧물 꿀일 수도 있다. 이것은 나뭇잎에 모이며 모기의 중요한 식량이 된다. 이것도 단맛 때문에 사람이 먹는다.

1980년대에 데이비스에 있는 캘리포니아대학의 크로우(John Crowe)가 식물이 지독한 가뭄 동안 생존하는 비밀이 트레할로스라고 최초로 제안하였다. 2002년에 미국 코넬대학 연구진이 인디카 벼를 트레할로스를 합성하도록 유전적으로 조작하였다. (인디카 벼\*는 세계적으로 재배되는 벼의 90%를 차지하며 바스마티 쌀도 여기에 포함된다.) 그들은 대장균(*E. coli*)이 트레할로스를 만드는 데 이용하는 두 가지 효소를 삽입하였다. 연구진을 이끈 오웬(Thomas Owen)은 가뭄과 열 스트레스에 저항성이 더 크게 만들어서 더 거친 지역에서도 재배할

---

\*  (역주) 벼의 품종은 크게 자포니카와 인디카로 구분되는데 자포니카는 쌀이 둥글고 투명하며 밥을 지었을 때 끈기가 있는 종으로 한국, 일본, 중국, 캘리포니아에서 주로 재배된다. 인디카는 쌀이 길고 밥을 지었을 때 끈기가 없는 종으로 주로 동남아시아와 인도에서 재배된다.

수 있도록 옥수수, 밀, 기장 같은 다른 작물에서도 같은 일이 이루어지기를 희망하고 있다.

트레할로스는 화학적으로 매우 안정하다. 이것은 실온에서 물에 리터당 700그램까지 녹으며 그 용액을 끓이더라도 분해되지 않는다. 트레할로스는 한 시간 이상 120℃로 가열하더라도 전혀 변화가 일어나지 않는다. 트레할로스는 물과 특별한 관계가 있다. 두 분자의 물이 트레할로스 자체에 결합하여 있는데 매우 강하게 결합하고 있기 때문에 제거하는 것이 거의 불가능하다. 이것이 형성하는 뭉치는 매우 강하고 단단하기 때문에 물의 손실이나 고온으로부터 생물학적 구조를 보호할 수 있다.

식품 제조업자들은 트레할로스가 녹말, 지방, 단백질 같은 다른 성분들을 안정화시키는 데 주목하였다. 그 단맛은 지방이 공기 중 산소와 반응하여 상하기 시작할 때 발생하는 것과 같은 불쾌한 맛과 향을 감추어줄 수도 있다. 트레할로스는 건조된 식품의 향을 보존할 수도 있다. 실제로 건조 달걀은 제2차 세계대전 때 이용되었지만 맛이 없기로 유명했다. 그러나 소량의 트레할로스를 첨가하면 사용할 때까지 신선한 달걀의 맛을 보존할 수 있기 때문에 건조 달걀을 다시 사용할 수 있었다. 트레할로스는 식품을 트레할로스 용액으로 처리한 후 건조시켜서 보존하는 데 이용되고 있으며 이 방법은 진공 건조보다 더 경제적이다. 더욱이 건조하기 전에 이 용액에 담근 얇은 사과 조각은 갈색으로 변하지 않으며 다른 과일과 채소도 이 용액으로 처리하면 색과 신선한 향, 질감을 유지한다. 트레할로스는 카라멜, 당밀, 초콜릿, 껌의 단맛의 질을 향상시킨다.

오늘날 트레할로스는 일본 오카야마에 있는 아마세연구소의 하야시바라(Takanobu Hayashibara)가 특허를 낸 효소 공정에 의해서 대량으로 생산된다. 그는 2002년에 세균에서 추출한 새로운 효소 체계를 발표하였다. 이것은 녹말을 트레할로스로 고수율로 전환하여 효모 같은 천연 원천에서 추출하였을 때보다 비용을 1%까지 낮추어준다. 하야시바라도 트레할로스는 인체의 체취, 특히 노인이 내는 냄새를 억제한다고 보고하였다. 노인들은 피부에서 2-노넨알과 2-옥텐알* 같은 냄새가 나는 화학물질을 생성한다.

노인이 로션으로 트레할로스 2% 용액을 사용하면 이런 냄새나는 화합물의 방출을 약 70%까지 감소시킨다. 언젠가는 이것은 화장품으로 이용될 것이며 당연히 탈취제와 바디로션에 첨가될 것이다. 다음은 이에 대한 미래의 광고이다.

용융된 설탕이 투명한 물질로 굳는 것처럼(그래서 배우들이 다치지 않고서도 충돌할 수 있는 가짜 유리창을 만드는 데 사용된다.) 트레할로스도 유리와 같은 고체를 형성할 수 있으며 이것은 항체를 보존하는 방법으로도 제안되었다. 1985년에 영국 케임브리지에 있는 쿼드런트연구재단에 근무하던 로저(Bruce Roser) 박사**는 항체 용액에 트레할로스를 첨가한 다음 37°C에서 물을 증발시켰다.

---

\* 화학식은 각각 $C_8H_{15}CHO$와 $C_7H_{13}CHO$이며, 이중결합이 말단의 CHO기 옆에 있다.

\** 로저는 케임브리지 생물안정성의 수석과학고문이다.

여기에 다시 물을 넣어주면 항체는 전혀 활성을 잃지 않은 것으로 나타났다. 그러나 트레할로스 없이 건조시킨 항체는 활성을 잃었다. 심지어 실온에서 몇 년 동안 보관한 후에도 트레할로스로 건조시킨 항체는 잘 작용하였다. 같은 방법으로 효소들도 보호할 수 있으며 백신도 보관할 수 있다.

세계보건기구(WHO)의 요청으로 로저는 트레할로스에 기반을 둔 백신을 위한 기술을 개발하였다. 이것은 냉장할 필요 없이도 백신을 보관할 수 있다는 것을 의미한다. 이 때문에 가난한 국가들은 부담할 수 있는 수준의 저렴한 비용으로 백신을 맞지 않은 어린이 대부분에게 백신을 공급할 수 있다. 세계에서 생산되는 백신의 절반 이상이 온도 변화 때문에 손상되어서 사용되지 못한다. 그렇게 많은 양이 폐기되는 것은 더운 기후에서는 백신이 냉장 보관되어야 하며 이것이 비용의 커다란 부분을 차지하기 때문이다. 간호사나 의사가 차갑게 보관되지 않았다고 의혹을 가지는 백신은 폐기될 것이다. 매년 태어나는 1억 3천만 명의 어린이들 중 1억 명은 백신을 맞지만 백신을 맞지 않은 3천만 명 중 백만 명 이상이 예방할 수 있는 병으로 죽는다.

백신을 트레할로스 용액과 혼합하고 분무 건조하면 미세한 유리 같은 구가 형성되고 이것을 반응성이 없는 액체에 분산시킨다. 그런 상태에서 백신은 안정하며 액체가 신체에 주입되어 물에 의해 트레할로스가 용해되어 백신이 방출되는 경우에만 재활성화된다. 로저의 방법을 이용하면 백신 분말 혼합물을 서로 반응하는 위험성이 없이 보관할 수 있으며 심지어 함께 접종할 수도 있다.

# 낮은 I₂는
# 낮은 IQ를 의미한다

보통의 소금에 소량의 아이오딘*을 첨가하면 크레틴병이라고 하는 증상을 예방할 수 있다. 이 병은 평생 지속되는, 아이오딘 결핍에서 생기는 선천적 지능저하이며 영구적인 뇌손상을 일으킨다. 또한 이 간단한 식사 필수품의 대가는 매우 크다. 지구의 65억 전체 인구에게 매일 필요한 아이오딘 70마이크로그램을 공급하려면 매년 166톤의 아이오딘이 필요한데 이것은 매년 세계적으로 생산되는 양의 2%에 불과하다. 이것은 화학자가 지속가능한 원천인 해초에서 쉽게 추출할 수 있는 양이며 실제로 해초는 한때 원소를 얻는 중요한 원천이었다.

필수 영양소로서 아이오딘을 말할 때 아이오딘과 아이오딘화 이온은 흔히 같이 사용되는 화학적 용어이다. 그러나 두 가지는 서로 다르다. 아이오딘은 화학적 원소이고 $I_2$ 분자로 존재하며 소독약으로 이용된다. 이것은 자연계에 존재하는 형태는 아니다. 자연계에서는 아이오딘 원자의 음이온인 아이오딘화 이온, $I^-$로 존재하며 이것은 칼륨 양이온($K^+$) 같은 양전하를 가진 원자와 결합하여 존재한다. 아이오딘화 이온이 체내로 들어가면 신체에 필요한 분자로 전환되는 일련의 화학반응을 거친다.

1960년에 이미 세계보건기구(WHO)는 목이 붓는 증상을 나타내는, 잘 알려진 아이오딘 결핍 증상인 갑상선종을 세계적으로 정밀 조사하였다. 아이오딘 결핍은 대부분 학생에게 영향을 미치지만 분명한 증상을 나타내지는 않는다. 오늘날 우리는 갑상선종이 가장 잘 알려진 아이오딘 결핍증이라는 것을 알고 있으며 이것은 일단 어떤 사람에게서 발병하면 식사의 아이오딘 함

---

\* (역주) 원소 I(iodine)의 이름은 예전에는 요오드라고 하였으나 대한화학회의 결정에 따라 아이오딘으로 바꾸어 사용하고 있다. 여전히 요오드라고 표기된 문헌도 있다.

량 변화에 매우 서서히 반응한다. 오늘날 아이오딘은 소변 시료의 분석으로 측정되며 배설 수준이 리터당 50마이크로그램 이하이면 이 원소의 결핍을 나타낸다.

아이오딘 섭취 결핍이 1990년에 개발도상국의 7억 5천만 명에게 영향을 주고 있으며 약 천만 명의 사람들이 발육 저해와 정신 지체를 겪는 것으로 추산된다. 1993년에 WHO는 아이오딘의 공급이 부족한 121개국의 갑상선종 환자 수에 기반을 두어 아이오딘 결핍에 대한 데이터베이스를 발표하였다. 이 부족은 한때 존재하던 대부분의 아이오딘화 이온을 제거하는 반복된 빙하 작용을 겪었거나 심하게 비가 많이 온 지역의 토양에서 가장 심하였다. 아이오딘화 이온은 특히 물에 잘 녹으며 쉽게 씻겨 내려가기 때문이다. 인도와 중국에 사는 사람들은 대부분 위험에 처해 있다.

WHO는 110개국 정부에 의무적으로 아이오딘을 함유하는 소금을 제조하라고 촉구하였다. 2004년에는 이 국가 중 56개국이 긍정적으로 반응하였고 나머지 국가들도 따르려고 하고 있지만 14개국은 여전히 이 간단한 치료제를 국민에게 공급하지 못하고 있다. 또 UN 총회는 2002년에 어린이를 위한 특별 회의를 개최하였다. 아이오딘 결핍에 대한 자료은행을 유지하고 국민들이 아이오딘화 소금을 이용할 수 있도록 회원국 국가들을 도와주는 계획을 채택하였다. 그들은 국제 아이오딘 결핍증 위원회 같은 여러 단체들과 긴밀하게 협력하여서 이것을 할 수 있었다.

아이오딘 결핍증은 태아 상태나 생후 3개월 미만의 유아들에게서 가장 심각한 영향을 나타낸다. 이 시기는 뇌 발달의 결정적 기간이며 아이오딘 결핍은 회복할 수 없는 영향을 나타내서 영구적 정신 지체를 가져온다. 그런 아이들은 평균 IQ가 85 가량으로 정상적으로 발육된 아이들의 평균 IQ 100에 못미쳤다. 낳은 사람늘은 아이오딘 결핍 때문에 뇌손상 증상을 나타내며 이 증상은 어떤 지역에서는 어린아이 7명당 한 명꼴에까지 이른다. 아이의 뇌와 신경계가 적절하게 발달하게 하려면 여성은 임신과 수유 동안 정상적인 양보다 두 배의 아이오딘을 섭취해야 하는데 하루에 140마이크로그램이 권장된다.

아이오딘 용액을 약품으로서 하루에 두 번 복용하는 것을 비롯한 여러 가지 방법이 아이오딘 결핍증 치료에 이용된다. 이 약품은 5그램의 아이오딘과 10그램의 아이오딘화칼륨을 물 100밀리미터에 녹인 것이며 표준 복용량은 1밀리미터이다. 아이오딘은 곧 갑상선으로 운반되어 신체에 필요한 호르몬인 아이오딘 함유 분자로 전환될 때까지 저장된다. 이런 형태의 아이오딘을 복용하는 더 좋은 방법은 그것을 기름에 녹여서 근육주사로 주입하는 것이다. 이 방법은 파푸아 뉴기니아에서 큰 성공을 거두었으며 이어서 중국, 라틴아메리카, 아프리카에서도 성공을 거두었다. 1967년에 뉴기니아에서 8,000명의 여성을 대상으로 한 실험에서 아이오딘의 이점이 증명되었다. 그들 중 절반은 아이오딘이 들어 있는 기름 주사를 맞았다. 4년 후 그들 중 천 명 가량이 출산을 하였고 태어난 아이들 중 7명만이 아이오딘 결핍으로 뇌 손상을 입었다. 반면에 주사를 맞지 않은 집단에서는 26명이 그런 손상을 입었다. 현재 이 치료법은 급성 아이오딘 결핍증 지역에서 이용되고 있다. 다른 지역의 경우에는, 대부분의 사람이 하루에 5~10그램씩 섭취하는 일반 소금에 아이오딘염을 첨가하여 섭취하는 방법이 좋다. 첨가되는 아이오딘염은 아이오딘화칼륨($KI$)이나 아이오딘산칼륨($KIO_3$)으로서 기후가 온화한지(아이오딘화칼륨이 사용됨) 또는 열대성인지(아이오딘산칼륨이 사용됨)에 따라서 20~40 ppm 사이로 첨가된다. 아이오딘산칼륨은 아이오딘화칼륨보다 덥고 습한 기후에서 더 안정하다. 이상적으로 세계의 모든 사람은 최소한 15 ppm 정도로 아이오딘이 첨가된 소금을 사용해야 한다.

평균적인 사람은 10~20밀리그램 사이의 아이오딘을 체내에 가지고 있으며 그중 대부분은 갑상선에서 각각 4개와 3개의 아이오딘 원자를 포함하는 티록신(thyroxine)*과 리오티로닌(liothyronine)** 형태의 두 가지 호르몬 분자로 존재한다. 이것들은 몇 가지 대사 기능, 특히 체온을 조절하기 때문에 일생 내내 필요하다. 또 아이오딘은 정상적 성장과 발달에도 필요하다. 사람은 아이오딘이 부족하면 결국 갑상선종이나 갑상선기능저하증에 걸리게 되며 이런 사람은 계속해서 피곤함과 추위를 느끼게 된다.***

안정된 사회의 사람들은 필요한 소량의 아이오딘을 식사에서 얻는다. 우유가 중요한 원천인데, 소먹이에 보충제를 넣고 원유를 담는 그릇을 아이오딘으로 소독하면서 그 정도가 증가되었다. 원유를 짠 후 멸균하는 방식으로 바뀌면서, 유용한 아이오딘이 우유에 첨가되는 것을 줄어들기도 한다. 천연적으로 아이오딘이 가장 풍부한 식품은 고등어와 대구로, 그중에서도 특히 150그램에 아이오딘 300마이크로그램을 포함하는 북대서양산 대구가 대표적이다. 아이오딘이 풍부한 다른 식품은 요구르트, 해바라기 씨 기름과 버섯류가 있다. 대부분의 아이오딘화 이온을 토양으로부터 흡수하는 채소에는 건조량으로 10 ppm 정도를 포함하는 양배추와 양파가 있다. 그러나 카사바, 옥수수, 죽순, 고구마 같은 몇몇 식품은 신체의 아이오딘 흡수를 방해하여 특히 식사에서 이미 아이오딘이 부족한 지역에 사는 사람들을 위협한다.

갑상선종과 아이오딘 결핍 사이의 연관은 약 200년 전에 알려졌지만 당시 병을 완화시키려는 시도들은 작은 성공만을 거두었다. 프랑스 의사인 코인데(Jean-Francois Coindet, 1774~1834)는 알코올에 녹인 아이오딘과 아이오딘화칼륨 용액 형태를 최초로 약품에 도입하였으며 그것을 갑상선종 환자들에게 주었다. 그것이 1820년이었다. 그는 해초를 태운 재를 먹기를 권장하는 이 질병의 오래된 치료법을 알고 있었으며 해초가 아이오딘의 풍부한 원천이

---

\*    화학식은 $C_{15}H_{11}I_4NO_4$이다.

\*\*   화학식은 $C_{15}H_{12}I_3NO_4$이다.

\*\*\* 활성이 너무 지나쳐 가만히 있지 못하고 과도한 활동 증상을 가지는 갑상선기능항진증도 있다.

기 때문에 그것이 활성 성분일 것이라고 제안하였다. 그가 옳았다. 불행하게도 코인데 용액으로 치료를 받은 갑상선종 환자들은 약품의 자극성 효과 때문에 심한 위통으로 고생하였고 결국 그 치료법은 폐기되었다. 그럼에도 코인데 아이오딘 용액은 한 세기 이상 상처 치료법으로 인정을 받았다. 그러나 그것들은 현재는 훨씬 덜 고통스러운 화학물질들로 대체되었다.

마침내 1895년에 바우만(Bauman) 박사는 갑상선의 아이오딘에 대한 필요성을 증명하였다. 그는 약간의 진한 질산을 갑상선 조직 위에 떨어뜨리고 거기에서 아이오딘의 보라색 증기가 발생하는 것을 관찰하였다.* 마침내 1916년에 미국의 생물학자인 오하이오대학의 마린(David Marine)은 갑상선종이 아이오딘으로 치료될 수 있다는 것을 증명했다. 이뿐만 아니라 식품 보조물로서 아이오딘화 이온을 섭취하면 갑상선종을 예방할 수 있다는 것도 증명되었다. 그는 이것을 수행하는 가장 좋은 방법은 일반 소금에 아이오딘화 이온을 첨가하는 것이라고 생각하였다. 아이오딘화된 소금이 1920년대에 미국과 스위스에서 처음으로 도입되었으며 그곳 사람들에게서 갑상선종을 성공적으로 없앴다. 불행하게도 이 간단한 치료법이 가장 절실한 지역에서는 이 치료법이 실행될 때까지 70년이 걸렸다.

전 세계적으로 공업적 아이오딘 생산량은 매년 약 13,000톤이며 주로 칠레와 일본에서 생산된다. 전 세계적으로 쉽게 이용될 수 있는 아이오딘의 매장량은 약 200만 톤이다. 아이오딘은 1820년대부터 1950년대까지 건조된 해초에서 추출되었으며 이것은 미래에도 지속적으로 이 무기질의 원천이 될 수 있다. 켈프(다시맛과 갈조류)에는 건조량으로 0.45%의 아이오딘화 이온이 들어 있으며 그 재에는 1.5%가 들어 있어서 해초 재 1톤으로부터 15킬로그램의 원소를 얻어낼 수 있다. 해수에는 단지 0.06 ppm의 아이오딘화 이온이 들

---

* 아이오딘이라는 이름은 보라색을 의미하는 그리스어에서 유래하였다.

어 있지만 켈프는 이것을 농축한다. 반면에 토양에는 평균 3 ppm의 아이오딘화 이온이 들어 있으며 러시아의 바라바 스테페 같은 지역에서는 아이오딘이 300 ppm까지 포함될 수도 있으며 일본과 웨일스의 해변 토양에는 150 ppm이 들어 있다.

자연에서 아이오딘은 '순환'한다. 실제로 해양생물에 의해 생산된 수천 톤의 아이오딘이 바닷물 물보라의 아이오딘화 이온 형태나 아이오딘 분자 형태로서 매년 대양으로부터 빠져나온다. 해조류는 아이오도메탄($CH_3I$)과 다이아이오메탄($CH_2I_2$) 같은 휘발성 아이오딘을 방출하며 이것은 구름 생성을 도와서 세계의 기후를 조절할 수도 있다. 이 아이오딘 중 일부는 토양에 축적되고 거기에서 생체 순환의 일부가 된다. 최근에 벼도 아이오도메탄을 방출하며 이것이 대기 중에 존재하는 양의 약 4%를 차지한다는 것이 밝혀졌다.

자연적으로 존재하는 아이오딘은 한 가지 동위원소인 아이오딘-127로만 이루어졌으며 방사성이 아니다. 그러나 핵반응로에서 생성되는 아이오딘은 더 무거운 아이오딘-131 동위원소로서 위험한 방사성 원소이다. 1986년에 러시아의 체르노빌 핵발전소 사고 이후 대량으로 방출되기도 하였다. 아이오딘-131은 반감기가 8일이지만 아이오딘은 초식동물의 모유나 수원지에 직접 들어가 사람의 식품 사슬에 빠르게 흡수되기 때문에 실제적 위험이 된다. 커다란 위험에 처한 사람들에게 이 효과를 막기 위하여 아이오딘화 칼륨 알약을 공급하였는데 이것은 흡수되는 방사선 아이오딘의 양을 제한하여서 가해질 수 있는 위험을 줄여준다.

당연하게도, 아이오딘 결핍증에 대한 위험이 있는 지역에서 사용될 아이오딘화 소금만 있다면, 갑상선종과 크레틴병은 가끔 발병하는 과거의 질병이 될 것이다. 개발도상국뿐만 아니라 선진화된 국가들에서도 아이오딘화 소금에 대한 관심이 커가고 있다. 예를 들어 영국 마트에서 판매되는 소금의 2%만이 아이오딘화되어 있으며 일부 지방에서는 여성들이 아이오딘을 너무 적게 섭취하여 출생아들이 위험에 처할 수 있을 정도이다.

약간의 소금은 이롭다고 일반적으로 여겨지고 있지만, 의사들이 여전히 줄이라 충고하는 것은 고혈압과 심장병을 가진 사람에게는 자칫 해로울 수 있기 때문이다. (고염 식품을 지속적으로 섭취하는 사람은 이러한 병에 걸리기 쉽다.) 일부 영양학자들은 소금 그 자체가 생명을 위협한다고 이야기하며 일 년에 중수만 명이 과도한 소금 섭취 때문에 사망한다고 경고한다. 이러한 주장은 일부 국가에서는 건강의 위험을 감소시킬 수도 있지만 세계의 다른 지역에서는 정반대의 결과를 낳을 수도 있다. 소금 사용을 방해할 경우, 크레틴병을 가진 아이의 출생을 예방하기 어려울 수 있는 것이다.

## 기능성
## 식품

기능성 식품이란 영양학적 가치 이외에도 많은 장점을 제공한다. 우리 신체는 삶을 유지하고 세포를 재생하기 위하여 여섯 가지 필수 식품 성분을 필요로 한다. 그 여섯 가지는 탄수화물, 단백질, 지방, 비타민, 무기질 그리고 물이다. 식품은 이것들 대부분 또는 전부를 제공한다. 기능성 식품은 이런 필수 성분들 한 가지 이상 이외에도 특별한 무언가를 제공하며 섭취했을 때 건강을 적극 향상시켜야 한다. 단지 칼슘이나 비타민 C를 '강화'한 식품은 기능성 식품이 되지 못한다. 대부분의 아침식사용 시리얼은 철이 첨가되어 있고 켈로그의 스페셜 K를 만드는 데 철가루 형태의 철이 특히 더 첨가되지만 이것으로 기능성 아침식사용 시리얼이 만들어지지는 않는다.

기능성 식품은 일본에서 최초로 시판되었으며 1980년대 일본에서는 더 건강히, 더 오래 살고자 하는 부유한 노년층을 대상으로 하였다. 1990년대에는 기능성 식품들이 미국과 유럽에서도 유행하였다. 2000년대에 들어서자 그런 식품의 판매량이 이미 연간 10억 달러를 넘어섰다. 미국에서는 그런 것들에 대하여 뉴트라슈티컬이라는 이름이 붙여졌는데 이것은 의학혁신재단의 이사인 데플리스(Stephen Defelice)가 붙인 것이다. 뉴트라슈티컬(neutraceutical)은 영양소(nutrient)와 약품(pharmaceutical)을 합성한 말이지만 소비자 조사에 의하면 응답자의 60%는 이러한 새 용어를 분명히 싫어하였으며 70%는 기능성 식품(functional food)이라는 말을 선호하였다. 식품성 약품, 식물성 영양소, 설계식품, 약품용 식품, 초영양 식품 같은 대안들도 있었지만 어느 것도 인기를 얻지 못하였다.

그러는 동안 새로운 제품들이 등장하고 광고되었으며* 신문과 잡지에 기사도 등장하였다. 일리노이대학이 기능성 식품 프로그램에 대해 자체 웹사이트까지 운영할 정도로 대학에서는 주목하는 분야였으나, 웹사이트는 자금 부족 사정으로 2004년 7월에 종료되었다. 그렇다고 하여 이것이 기능성 식품이 단지 지나가는 유행이었다는 것을 의미하지는 않으며 학문적 수준에서 연구할 자금이 충분하지 않은 것을 의미한다. 기능성 식품 너머의 새로운 생각들은 21세기가 진행되면서 더욱 중요해질 것이다.

베네콜 마가린은 성공적인 기능성 식품으로 널리 홍보되고 있다. 이것은 1995년에 핀란드의 라이시오라는 회사에 의해 등장했으며 평지씨 기름으로 만들어진 이 식품의 활성 성분은 시토스타놀 에스터라는 물질이다. 1981년의 토끼 실험에 의해, 이 화학물질이 콜레스테롤 수준을 낮출 수 있다는 것이 증명되었다. 시토스타놀은 목재 펄프 산업의 부산물인 나무껍질에서 나오는 톨유에서 추출된다. 매년 수 톤의 시토스타놀이 베네콜 제품을 위하여 생산된다. 시토스타놀 자체는 기름을 기반으로 한 식품이더라도 잘 섞이지 않

---

\* 기능성 식품의 모든 광고는 주의해야 한다. 광고에서 질병의 치료에 대해 다루어서는 안 되고 제품이 건강에 도움이 된다고만 언급할 수 있다.

기 때문에 식품 첨가물로 적당하지 않다. 이 때문에 혈중 콜레스테롤을 감소시킬 정도로 충분한 양의 시토스타놀을 마가린으로 흡수하기는 어려울 것이다. 이러한 이유로 시토스타놀을 화학적으로 시토스타놀 에스터로 전환하며 이 형태는 더 잘 녹아서 한 번에 먹는 베네콜 마가린 10그램에 1그램을 녹일 수 있다.

핀란드의 연구에 의하면 베네콜을 하루에 세 번 먹으면 혈중 콜레스테롤을 평균 10% 낮추는 활성 성분을 얻는 데 적합하고 일부 연구에서는 베네콜이 저밀도 지질단백질(LDL)이라고 하는 '나쁜' 형태의 콜레스테롤을 14%까지 감소시키는 것으로 나타났다. 혈액에서 LDL의 수준이 높을수록 심장병의 위험이 커진다. 콜레스테롤은 간에서 만들어져서 담관에 저장되며 식품 지방의 소화를 돕기 위하여 분비된다. 그중 다량이 우리가 먹은 식품의 일부인 콜레스테롤과 함께 장에서 재흡수된다.

기능성 식품을 만드는 데에는 비용이 들지만 천연의 과일과 채소 중에서 기능성을 가지는 것들도 있다. 그중 일부는 표면상으로는 영양학적 가치가 없어 보이지만 그럼에도 건강 증진 성질에 도움을 주는 천연 화학물질을 함유한다. 예를 들면, 양배추, 순무, 싹양배추 같은 채소는 사이아노하이드록시뷰텐, 설파라판과 같은 화학물질을 함유하며 일부 사람들은 이것이 심장병을 예방한다고 믿는다. 식물에서 기원하는 기능성 성분의 중요한 네 가지 범주는 카로티노이드, 플라보노이드, 아이소플라본, 시토스타놀 같은 피토스테롤이다. 모두 항산화제, 항콜레스테롤제, 항암제 성질을 가지고 심장병을 예방한다고 전해진다.

카로티노이드는 비타민 A의 선구물질이 되는 지용성 화학물질이며 자유라디칼을 중화시켜서 축퇴성 질환을 예방한다. 카로티노이드는 밝은 노랑, 빨강, 주황 색소이며 토마토, 당근, 오렌지에서 색을 나타낸다. 토마토는 라이코펜이라는 카로티노이드를 함유하며 이것은 유방암, 소화기암, 자궁경부

암, 방광암, 피부암, 전립선암을 예방한다고 생각된다.

플라보노이드와 같은 폴리페놀류는 항산화제 성질을 가질 뿐 아니라 순환을 향상하고 혈중 콜레스테롤 수준을 낮춘다. 이것은 과일, 채소, 포도주, 맥주, 차에 들어 있다. 특히 차에는 다양한 폴리페놀 화학물질들이 들어 있으며 그중 일부는 항암 성질을 가진다. 적포도주는 폴리페놀 레스베라트롤이 들어 있으며 이것은 중년들의 심혈관 질병의 위험을 감소시키는 데 효과가 있다. 또한 플라보노이드가 암과 알레르기를 예방한다는 주장도 있으나 알레르기 예방 주장은 의심스럽다.

아이소플라본은 페놀형 화학물질로 대부분의 콩에 있으며 에스트로겐과 구조가 비슷하여 유방암, 대장암, 전립선암을 예방하고 갱년기의 증상을 막아준다고 생각된다. (콩가루에는 이것에만 특이한 다른 많은 화학물질도 들어 있다.) 미국 식품의약국(FDA)은 한 번 섭취량에 최소한 6.25그램의 콩 단백질이 포함된 생산품 포장에 다음 문구를 부착할 수 있도록 허가하였다. "하루 25그램의 콩 단백질이 포함된 식사를 할 경우, 포화지방과 콜레스테롤을 낮춰주고 심장병 위험을 감소시킬 수 있습니다."

인체에 필요한 모든 비타민과 미네랄을 섭취하고자 한다면, 매일 과일과 채소를 골고루 먹음으로써 많은 부분을 얻을 수 있다. 일부 채소는 독특한 성분을 가지는데, 예를 들면 당근에 있는 팔카리놀(falcarinol)은 당근에만 있는 천연 살충제로서 진균류의 병으로부터 채소를 보호한다. 팔카리놀은 직장암을 예방한다고 알려져 있으며 쥐 실험에서 밝혀지기도 하였다. 강력 추천할 식품으로는 넌출월귤이 있는데, 이 과일에는 벤조산이 들어 있어서 비뇨기 감염을 예방한다. 또한 마늘과 양파만큼 알리인과 알리신이 높게 함유되어 있어서 암을 예방하고 혈압과 콜레스테롤 수치를 낮추어 심장을 보호한다. 석류즙은 동맥의 지방 침전물을 감소시키는 것으로 알려져 있다.

동물성 식품도 기능성 이점이 있다. 전지우유와 버터는 CLA를 함유하고 있다. CLA는 공액리놀레산(Conjugated Linoleic Acid)의 약자로서 유방암을 예방하며 양(羊)도 이런 형태의 지방을 평균 수준 이상으로 가지고 있다. 어유(魚油)에는 오메가-3 다불포화지방산이 풍부하여 몇몇 사람은 이것이 심장병을 예방한다고 생각하지만 이런 주장은 영국 이스트애글리아대학의 후퍼(Lee Hooper) 연구진이 수행하여 2006년 3월에 영국의학잡지(British Medical Journal)에 실린 연구에 의해서 의심을 받고 있다. 이것은 규칙적으로 오메가-3 식품 보충제를 섭취한 사람이 그렇지 않은 사람보다 심장병으로 사망할 확률이 낮지 않다는 것을 보여주었다. 이뿐만 아니라 어유든 아마인유든 오메가-3의 출처와 무관하게 모두 효과가 없었다. 이러한 연구에도 불구하고 기능성 식품의 행진은 거침없이 진행되고 있다. 모든 식용 식물에는 수천 가지의 천연 화학물질이 있고 일부는 분명히 건강에 도움을 주는 성질을 가지기 때문에 이를 강조하여 기능성 식품 반열에 올라서게 되는 것이다. 우리의 건강한 삶에 도움이 될지 확신할 순 없지만, 또 다른 방법도 있다. 우리 장 속의 좋은 미생물을 활성화하는 것이다.

## 잡동사니 식품?
## 500억을 먹인다

두 종류의 기능성 식품은 우리에게 영양 성분을 제공하고자 설계된 것이 아니라 장에 사는 미생물을 위한 식품을 제공하는 것이다. 이것은 소위 프로바이오틱(probiotic) 식품과 프리바이오틱(prebiotic) 식품으로 불린다. 프로바이오틱(生菌) 식품은 우리의 장 안에 더 좋은 세균을 더해주는 것이며, 프리바이오틱(助菌) 식품은 좋은 세균을 키워 그 수가 나쁜 세균의 수를 넘어서도록 하는 것이다. 이러한 식품에 대해서는 여러 주장들이 제기되었다.

인체의 장에는 약 100조 마리의 미생물이 살고 있다. 실제로 우리 신체를 구성하는 세포 수보다도 더 큰 숫자의 입주자들이 우리 장 안에 있다. 장 안의 세균은 무게가 약 1킬로그램이며 우리의 식품 소화를 도울 뿐 아니라 면역계를 자극하기 때문에 필수적이다. 소화기관의 상단에서 하단으로 내려갈수록 숫자는 증가한다. 위액 1밀리미터에 들어 있는 세균 수는 약 1천, 장에서는 밀리미터당 약 1천만, 직장의 대변에서는 밀리미터당 100억에서 10조 사이이다. 약 400종의 세균이 있으며 그중 비피더스균(Bifidobacter)과 젖산간균(Lactobacillus) 같은 일부는 유익하며 장내세균과균(Enterobacteriaceae)과 클로스트리듐균(Clostridium) 같은 일부는 해롭다. 세균은 우리가 태어나서 입을 여는 순간부터 장 안에서 번성하기 시작한다.

대부분의 세균은 이롭지만 일부는 별로 이롭지 않다는 이론이 노벨상 수상자인 메치니코프(Elie Metchnikoff, 1845~1916)에 의해서 제안되었다. 그는 1907년에 발간된 자신의 저서 《생명의 연장》에서 불가리아 농부들의 장수비결을 젖산간균 종의 세균을 함유하는 요구르트로 여겼다. 그의 이론은 한동안 유행이었지만 불가리아 농부의 장수가 도시인의 환상에 지나지 않는다는 것이 밝혀지자 서구 사회에서 지지를 잃게 되었다. 1930년대의 메치니코프 주장은 일본에서 더 우호적인 환경을 만나 교토대학의 의학미생물학자인 시로타(Minoru Shirota)에 의해서 발전되었다. 그는 높은 농도의 위산과 소화 효소가 있는 위의 가혹한 상태를 통과해 담즙의 소화작용을 견뎌내고 장까지 도달할 세균을 조사하였다. 그의 생각은 건강에 이로운 세균종을 장에서 재번성시키는 것이었다. 그는 사람의 대변에서 얻은 시료를 배양하면서 새로운 젖산간균의 세균종(Lactobacillus casei Shirota)을 발견하였으며 그것으로 야쿠르트라고 알려진 발효드링크를 만들었다. 이것은 현재 전 세계에서 팔리고 있다. 50밀리미터 야쿠르트 병에는 6백만 이상의 이 세균이 들어 있다.

그동안 우리는 장의 내용물에 관해 진지하게 논의한 적이 없었지만 그 내용물은 건강한 삶에 중요하며 연구할 만한 가치가 있다. 1990년대에 일본 아자부대학의 미추오카(Tomotari Mitsuoka)는 우리가 나이 들어감에 따라 장의 미생물이 어떻게 변하며 좋은 세균을 보충하는 것이 왜 필요한지 보여줄 수 있었다. 미생물 재이식을 통해 젖당(우유에 많이 들어 있는 탄수화물) 불내증, 염증성 장염, 소화관 궤양 같은 여러 가지 병을 극복할 수도 있다. 항생제 투여 과정에 뒤따르는 설사 같은 흔한 질환에도 유익하고 심지어 직장의 암에도 도움이 될 수 있다.

또 다른 대중적인 프로바이오틱 음료인 다농의 악티멜에는 활성 세균으로 젖산간균(Lactobacillus casei immunitas)이 들어 있다. 영국의 리즈에 있는 MD 식품도 가이오 요구르트라는 유사한 제품을 생산한다. 여기에는 코시도라는 세균 배양물이 들어 있는데 코시도는 장수하며 건강하다고 평판이 높은 우크라이나 코카서스 산맥의 주민들에서 이름을 딴 것으로, 이 세균은 그들의 대변에서 추출한 것이다. 가이오 요구르트에 대한 시험 결과 더 연구해 보아야 하지만 심지어 혈중 콜레스테롤도 낮추어주는 것으로 나타났다.

야쿠르트와 악티멜 같은 음료를 프로바이오틱 음료라고 하는데 이 이름은 1989년에 풀러(Roy Fuller)가 만든 것이다. 그는 자신을 영국의 리딩에 살고 있는 장 미생물생태학 상담가라고 소개하곤 했다. 그는 TNO의 벨드(Jos Huis in't Veld), 하베나(Robert Havenaar)와 협력하여 이러한 프로바이오틱 제품의 건강 유익성을 주장하였다. 그들은 젖산간균(Lactobacillus casei Shirota) 이외에도 다른 젖산간균들(Lactobacillus acidophilus, Lactobacillus delbrueckii bulgaricus, Lactobacillus GG, Lactobacillus johnsonii)과 비피더스균들(Bifidobacteria animalis, Bifidobacteria bifidum, Bifidobacteria brevis, Bifidobacteria infantis, Bifidobacteria lactis) 같은 몇 가지 '좋은' 세균을 확인하였다. 모두 사람의 대변에서 발견되었으며 위와 소장의 심한 소화 과정과 통과 과정을 견딜 수 있다.

프로바이오틱스 제품을 규칙적으로 먹으면 장의 미생물 성분이 변화할 수 있으며 이 변화를 지속시키려면 규칙적으로 마셔야 한다. 새로운 세균은 장의 내용물을 더 산성으로 변화시킬 수도 있어서 살모넬라균(*Salmonella*), 리스테리아균(*Listeria*), 대장균(*Escherichia*) 같은 병원균이 번식하는 것을 막을 수 있다. 또 이것은 장의 가혹한 환경에서도 견디며 만성 소화불량과 궤양을 일으키는 헬리코박터균(*Helicobacter pylori*) 증식을 억제시킨다. 프로바이오틱스 제품이 질병을 막지 못하더라도, 매년 전 세계적으로 유아 50만 명을 사망시키는 로타바이러스 같은 장 질환에서 회복하는 데는 도움을 줄 수도 있다. 핀란드 탐페레대학 병원의 이소라우리(Erika Isolauri)가 이끄는 연구진은 설사를 앓는 유아들이 병세를 회복시키는 데에 젖산간균(*Lactobacillus GG*)이 도움된다는 것을 임상적으로 증명하였다.

살아 있는 세균을 먹는 것이 내키지 않는다면 이미 존재하는 좋은 세균의 수가 나쁜 세균을 넘어서게 하는 방법도 있다. 1995년에 영국 리딩대학 식품과학대학원의 깁슨(Glenn Gibson) 교수는 그러한 일을 하는 식품을 프리바이오틱 제품이라고 명명했다. 더 과학적인 용어로 표현하자면 **올리고당류**(소당류)이다. 이것은 분해되지 않고 위와 장을 통과하는, 소화가 되지 않는 탄수화물로서 직장까지 온전하게 도달시켜 좋은 세균을 먹일 수 있다. 프리바이오틱 탄수화물에는 프락토올리고당(FOS), 갈락토올리고당(GOS), 락툴로스의 세 종류가 있다. FOS는 한쪽 끝에 포도당 단위가 있으며 여기에 과당 단위들이 사슬로 연결된 것이며 어떤 경우에는 60개까지도 연결될 수 있다. GOS는 두 개의 연결된 갈락토스 단위체들에 한 개의 포도당 단위가 결합된 것이다. 락툴로스는 갈락토스 한 단위체와 과당 한 단위체가 결합한 것이다.

이런 탄수화물은 시리얼, 케이크, 비스킷, 건강음료 같은 모든 종류의 식품에 첨가될 수 있다. 이것들은 치커리 뿌리 같은 것에서 추출되거나 특수한 효소를 사용하여 설탕으로부터 생산될 수 있다. 소량의 FOS가 바나나, 리크(배합과의 피 비슷한 식물), 밀에 존재하며 다른 프리바이오틱 제품도 천연적으로 존재하기는 하지만, 좋은 세균을 부양하는 데 하루에 필요한 5그램의 올리고당을 공급해줄 수 있는 과일이나 채소는 없다. 실제로 정상인의 식사에는 이런 탄수화물이 2그램밖에 들어 있지 않다.

　모유에도 유아가 소화할 수 없는 몇 가지 프리바이오틱 탄수화물이 들어 있으며 이 탄수화물은 유아의 장에 있는 비피더스균에게 공급된다. 장에 비피더스균이 많을수록 여러 종의 캄필로박터균, 살모넬라균, 클로스트리듐균에 의한 위장관 감염이 발생할 확률이 적어진다. 분유를 먹는 유아보다 모유를 먹는 유아한테 나쁜 세균이 훨씬 더 적은 것으로 나타나는데 이것은 순전히 모유의 올리고당 수준 때문일 수 있다. 모유에는 리터당 3~15그램의 탄수화물이 들어 있다. 좋은 세균은 그것을 발효하여 아세트산이나 뷰티르산 같은 짧은 사슬의 유기산을 생산하며, 장의 pH를 낮춰주고 다른 세균을 죽일 뿐만 아니라 장벽 세포의 에너지원이 되어서 이 세포들이 장을 덮고 보호하는 더 두꺼운 점막층을 만들도록 한다. 신체 면역계의 약 3분의 2는 이런 점막층에 있다.

　현재 유아 조제식(분유)에는 올리고당 GOS와 FOS의 비율이 90% 대 10%이다. 새로운 종류의 조제식을 유아에게 먹이면 산의 농도가 모유를 먹는 유아에서보다 더 높아지며 이것은 유아 장의 세균 증식을 위한 방법이다.

　모유에는 락토페린과 여러가지 불포화 지방산 같은 다른 보호물질도 들어 있다. 락토페린은 철 원자에 강하게 결합하는 단백질로서 철을 필요로 하는 세균, 균류, 바이러스 같은 미생물에 철이 공급되지 못하게 한다. 다불포화 지방산은 세포막을 구성하는 데 필요하며 오메가-3 지방산인 도코사헥산산(DHA)과 오메가-6 지방산인 아라키돈산(AA)은 모두 모유에 풍부하다. DHA는 눈과 뇌의 발달뿐만 아니라 건강한 심장 발달 역할을 하는 것으로 생각된다. 생선에 풍부하며 다른 방법으로도 생산될 수 있는 이런 필수 지방산을 우리는 필요로 한다. AA의 중요한 생산자는 네덜란드의 화학기업인 DSM이며 이 회사는 균류(菌類)인 모르티에렐라(*Mortierella alpine*)를 발효시켜 이것을 생산한다. 마찬가지로 DHA도 조류(藻類)의 발효로 만들어지며 생선은 여기에서 오메가-3과 오메가-6 지방산을 얻는다. 일부 양계장은 달걀에 DHA의 양이 늘리기 위해 닭 먹이에 이 화학물질을 첨가하기도 한다. 닭에게 아마씨나 생선 기름을 먹이면 달걀에 오메가-3와 오메가-6 지방산이 증가한다는 것이 이미 알려져 있었으며, 영국에서는 이러한 달걀을 콜럼버스 달걀이라고 부르며 기능성 달걀이기 때문에 가격이 비싸다. 1990년대 일본 야마자키 제빵회사는 빵에 DHA를 첨가하기 시작하였다. 우리가 평생 혜택을 받을 수도 있는, DHA와 AA를 첨가한 강화우유를 만들지 않는 건 무슨 이유 때문일까?*

## ● 빵 껍질까지 먹자!

프랑스 빵은 주로 빵 껍질을 중요시하여 프랑스 사람들은 안쪽의 부드러운 부분은 무시한다. 우리가 참고할 만한 내용인 것은, 먼스터대학의 호프만(Thomas Hofmann)에 의하면 빵의 가장 건강한 부분은 껍질이기 때문이다. 그는 2002년에 빵 껍질에 항산화제인 프로닐-라이신이 들어 있다고 보고하였다. 이 부분은 빵이 구워질 때 녹말과 아미노산인 라이신으로부터 형성되며 빵 안쪽보다는 주로 빵의 표면 가까이에서 형성된다. 프로닐-라이신이 형성되려면 온도가 100℃ 이상이 되어야 한다. 일반적으로 250℃ 이상에서 빵을 구울 때 바깥쪽은 필요한 온도를 충분히 얻게 되지만 수분 함량 때문에 내부에서는 100℃ 이상에 도달할 수 없다. 예비실험에 의하면 프로닐-라이신은 인체의 장 세포에서 암을 예방하는 효소들의 수준을 40%까지 증진시켜주었다. 이것이 대장암을 얼마만큼 예방할 수 있는지는 아직 연구가 더 필요하다. 전통적으로 영국의 부모들은 아이들에게 빵 껍질을 먹으면 머리가 곱슬곱슬해진다고 하면서 껍질까지 먹으라고 가르쳤다. 과학적인 충고는 아니지만 적절한 교육인 것이다.

---

* (역주) 우리나라에서는 DHA를 첨가한, 남양유업의 '아인슈타인 우유', 파스퇴르의 '파스퇴르 DHA 우유', 매일유업의 '1등급 우유' 같은 강화우유들이 출시되어 판매되고 있다.

## 매워, 매워, 매워

성경의 아가서 4장 14절에 의하면 중요한 양념은 다음과 같다.

> 나드풀과 번홍꽃, 창포와 계수나무 같은 온갖 향나무, 몰약과 침향 같
> 은 온갖 귀한 향료가 나는구나.

샤프란(번홍꽃)은 가을 크로커스(*Crocus sativus*)의 암술머리를 말린 것이며
천 염색용 천연 오렌지색 염료, 약초와 함께 옷감 염료로 사용되었다. 1파운
드의 샤프란을 위해서 7만 송이의 꽃이 필요하기 때문에 값이 매우 비싸고
귀하다. 현재는 스페인이 유럽 전역에 샤프란을 공급한다. 한때 영국의 동부
앵글리아 지역에 직물 공업이 번성할 때는 샤프란이 재배되기도 하였는데,
이 때문에 샤프란 왈덴이라는 마을 이름도 생겼다. 일반 크로커스에서 얻은
값싼 재료로 만든 모조 샤프란에 대해 생산자를 강력 처벌했음에도 불구하
고 문제가 끊이지 않았다. 뉘렌베르크의 핀데커(Jobst Findeker)는 이 죄 때문
에 1444년에 화형을 당하였다.

샤프란은 식품의 빛과 향을 내는 데 이용되며 파에야(쌀, 고기, 어패류, 채소
등에 샤프란 향(香)을 가미한 스페인 요리)와 프랑스 생선 수프인 부야베스(마르세유
지역의 스튜)로 유명하다. 발칸과 스칸디나비아에서는 샤프란 빵이 유행이며
영국의 콘월에서는 샤프란 케이크도 만든다. 샤프란에는 크로신과 사프라날
이라는 귀중한 천연 화학물질이 들어 있다. 크로신은 노란색 염료이며 사프
라날은 그 향기를 나타낸다.

아가서에서 언급되지 않았지만 가장 중요한 양념은 고추이다. 성서를 쓸
당시 고추를 재배하는 민족은 남아메리카의 원주민뿐이었는데, 위대한 솔로
몬 왕도 그 지역에까지는 영향을 미칠 수 없었기 때문이다. 오늘날 각양 각색
의 고추가 세계를 접수했으며 일부 국가에서는 그 지배력이 매우 강하다. 가
장 강력한 곳은 인도이다. 인도 음식을 이야기하면서 카레를 빠뜨릴 수 없는

데, 순한 카레 소스도 혓바닥이 얼얼해질 만큼 맵다. 카레 분말은 주로 파프리카, 생강, 고수열매, 소두구(열대 아시아산 생강과의 향료식물) 씨앗, 정향, 올스파이스(열대 아메리카산의 상록 교목) 열매, 계피, 설탕, 소금, 고춧가루와 버무린 심황으로 이루어진다. 이것들 중에서 파프리카와 생강은 온화한 매운맛을 내지만 고추는 천연 화학물질인 캡사이신을 함유하기 때문에 강한 매운 맛을 낸다.

고추는 고추(Capsicum frutescens)의 열매로서, 원산지인 볼리비아에서는 7,000년 전부터 재배되었다. 유럽 사람들은 처음에는 고추를 쉽게 받아들이지 못했고 유럽을 거쳐 인도로 전해졌는데 인도 사람들에게는 환영받았다. 고추는 양념일 뿐 아니라 비타민 A, C, E의 훌륭한 원천이다. 이것에는 엽산(folic acid)과 칼륨이 풍부하고 식품 열량과 나트륨이 낮지만 우리가 고춧가루를 사용하는 것이 가장 큰 목적은 식품을 맵게 하기 위해서이다.

고추의 매운 정도를 어떻게 결정할 수 있을까? 미국 화학자인 스코빌(Wilbur Scoville, 1865~1942)은 고추를 갈아서 설탕 용액에 첨가하고 시험자들에게 맛보게 하는 고추 맵기의 척도를 1912년에 개발하였다. 그 다음에 그는 맛을 느끼지 못할 때까지 그 용액을 묽히는 일을 계속하였다. 당연히 본래의 고추 맛이 강할수록 묽히는 과정이 더욱 많이 필요하였다.

부드러운 맛에 해당하는 피망의 값이 1 정도라면, 뉴멕시코 고추는 1,000 정도의 값을 가지며, 할라페뇨 고추는 5,000 가량의 값을 가지고, 타바스코 고추와 케이엔 고추의 값은 30,000에서 50,000에 이른다. 스코틀랜드 보넷과 타이 고추는 그 정도가 100,000을 넘고, 가장 매운 레드 사비나 하바네로는 577,000의 값을 가진다. 인도의 북동부 아샘 주의 나가 졸라키 고추가 855,000의 값을 가진다는 주장도 있다. 스코빌 척도에서 순수한 캡사이신의 값은 15,000,000이다. 캡사이신 효과는 사람에게 특별히 나타난다. 다른 포유류도 영향을 받지만 일부 쥐들은 맛을 느끼지 못하며 새들은 하바네로를 비롯한 아주 매운 고추도 잘 먹는다. 실제로 새들이 씨앗을 퍼뜨리는 역할을 하며, 고추의 매운 맛이 포유류로부터 고추를 보호하는 셈이다.

캡사이신 분자는 9개의 탄소 원자 사슬이 질소 원자를 통해서 벤젠 고리와 연결되는 골격으로 구성된다. (파프리카와 생강의 활성 분자는 비슷하지만 사슬의 길이가 각각 다른 화학원자단이 결합되어 있다.) 이런 복잡한 분자들이 혀의 수용체와 상호작용하는 방법이나 캡사이신이 특별히 매운 이유를 분자 구조에는 찾기가 어렵다. 캡사이신은 지용성이라 물에 녹지 않지만 알코올과 유기 용매에는 녹으며 유기 용매는 1%까지 캡사이신을 함유하는 고추에서 캡사이신을 추출하는 데 이용된다.

우리의 혀는 식품이나 음료가 뜨거운지 차가운지 즉시 감지할 수 있으며 그 뜨겁거나 차가운 정도를 판단할 수 있다. 이것은 두 종류의 수용체를 통해서 이뤄진다. 캡사이신이 혀에 매운 자극을 주는 것은 그것이 열과 마찬가지로 VRI(바닐로이드 수용체 유형 I) 수용체를 활성화시키기 때문이다. 캡사이신은 감각 신경이 뇌로 통증 신호를 보내게 한다. 캡사이신이 수용체에 결합하면 칼슘이 나가는 통로를 열어주고 이어서 칼슘은 통증 감지 신경세포를 활성화하여 통증 신호를 촉발하는 신경전달물질을 방출하게 한다. 캡사이신 분자는 강하게 수용체에 결합하여 떨어져 나올 때까지 계속 통로를 열게 한다. 온도가 43℃가 넘는 어떤 것을 입에 넣었을 때도 그것이 식어서 통로를 닫을 때까지 같은 일이 일어난다.

입에서 차가운 감각을 일으키는 화학물질과 차가운 식품 사이에서도 비슷한 연관이 있다. 멘톨과 유칼립톨 같은 화학물질은 CMR₁(차가운 멘톨 수용체 유형 I의 약자)라는 다른 유형의 수용체를 활성화시키고 마찬가지로 칼슘 이온이 그런 세포로부터 흘러나와서 통증 감지 신경세포를 자극하게 하지만 이번에 자극하는 것은 차가움을 나타내는 신경세포이다. 입에다 차가운 것을 넣었을 때도 같은 일이 일어난다. CMR₁는 세포에 금속 이온이 들락거릴 수 있는 통로를 가진 막단백질이지만 어떤 물리적 감각(차가움)이나 차가운 느낌을 주는 멘톨 같은 화학적 활성제에 의해서만 열릴 수 있는 마개를 가지고 있다. 열감지 수용체 $VR_1$도 비슷한 방법으로 작동하지만 그 단백질 구조는 아직 밝혀지지 않았다. $VR_1$와 $CMR_1$ 수용체는 8℃에서 60℃ 범위의 온도를 감지할 수 있는 온도계를 신체에 제공한다.

과자극된 통증 수용체는 결국 천연 진통제 분자인 엔도르핀을 분비한다. $VR_1$ 수용체는 캡사이신에 지속적으로 노출되면 반응성을 잃을 수도 있으며 이 때문에 양념이 많이 된 식품을 먹는 사람은 고추에 대한 참을성이 점점 쌓이게 된다. 또 이것 때문에 캡사이신은 통증을 완화하는 물질의 조성에 이용된다. 그것을 반복적으로 사용하면 감각이 무뎌지기 때문이다. 아픈 관절에 캡사이신 크림을 규칙적으로 바르면 통증이 완화되고 유연성이 커질 수 있다. 암 환자를 위한 화학요법으로는 구강 통증이 발생할 때 캡사이신이 들어간 버터스카치 사탕을 빠는 것이 효과적이다.

캡사이신은 진통제로서의 역할을 넘어서 다른 이점도 제공한다. 이것은 대사 속도를 증진시키고 콜레스테롤 수준을 낮추며, 위궤양을 일으키는 헬리코박터 세균을 죽이는 항균성으로 위를 보호하는 작용을 할 수 있다. 더운 국가에서 고추가 많이 사용되는 것은 부분적으로는 식품을 상하게 하는 세균에 대한 살균 능력 때문이기도 하다. 태국, 필리핀, 인도, 말레이시아 같은 더운 국가에서 요리에 양념을 많이 사용하며 노르웨이, 스웨덴, 핀란드 같은 추운 국가에서는 요리에 양념을 적게 사용한다는 사실로부터도 이러한 점이 확인된다.

## ● 고추 스프레이

캡사이신은 일부 경찰들이 범법자들을 진압하고 체포하는 데 사용하는 고추 스프레이의 활성 성분이다. 눈에 뿌리면 참을 수 없이 타는 듯한 감각을 느끼지만 영구적 피해는 없으며 그 효과는 약 30분 정도 지속된다. 캡사이신은 과일, 포도, 채소를 보호하기 위하여 사용되는 스프레이의 성분이며, 선박의 바닥에서 성장하는 따개비를 억제하기 위해 해양용 페인트에도 사용된다.

고추보다 더 좋은 항균성을 가진 몇 가지 다른 양념들도 있다. 마늘, 정향, 계피는 치명적 세균인 대장균 O157 : H7을 파괴하는 화학물질을 가지고 있다. 이런 양념의 활성을 나타내는 화학물질은 계피의 신남산 알데하이드, 정향의 유제놀, 마늘의 다이알릴 싸이오설핀산이다. 강한 항생제 성질을 가진 양념을 센 순서로 나열하면 첫 번째가 마늘, 다음이 올스파이스, 이어서 오레가노, 사향초, 계피, 타라곤(쑥 속에 속하며 시베리아가 원산지), 쿠민(회양 비슷한 미나릿과의 식물), 정향, 레몬초 순서이다. 항생제 효과가 가장 적은 양념은 파슬리, 소두구, 고추, 생강이다.

맛 이상의 것을 내는 다른 양념들도 있으며 우리는 그 기능적 측면도 고려해야 한다. 커쿠민은 심황의 밝은 노란색 화학물질로서 카레 가루의 중요한 양념이며 항암제 성질도 가진 것으로 밝혀졌다. 이것은 암이 혈액 공급을 받기 위해 필요한 APN(아미노펩타이드가수분해효소 N) 효소를 억제한다. APN은 아연을 함유하는 효소로서 세포 표면의 단백질을 가수분해하며 이를 통해 암세포는 이웃 세포의 공간으로 침투한다. 서울 세종대학교의 권호정 교수*는 APN의 활성을 조절을 위한 3,000가지의 분자를 선별하다가 커쿠민을 발견했다. 현재 직장암에 대해 임상 시험을 진행하고 있다. 또 다른 이점은 그것이 입으로 먹을 수 있는 약품이며 다른 부작용이 나타나지 않는 것으로 보인다는 점이다.

미시간의과대학의 과학자들은 방갈로레에 위치한 인도과학원의 과학자들과 협력하여 약품 저항성 말라리아 형태를 억제하는 커쿠민에 대해 실험하였

---

＊   (역주) 현재 연세대학교 근무

으며 그 발견을 2004년 12월 《생물화학저널(Journal of Biological Chemistry)》에 실었다. 설치류 말라리아를 일으키는 기생충인 말라리아 열원충(*Plasmodium falciparum*)에 감염된 쥐에 커쿠민을 먹였더니 혈중 기생충 수가 90%까지 감소하였으며 이것을 먹은 쥐 중에서 4분의 1은 전혀 병에 걸리지 않았다. 사람의 말라리아 치료법에도 이를 적용할 수 있을지는 더욱 연구되어야 할 것이다.

식품은 항상 흥미로운 주제지만, 대부분의 사람들은 식품이 우리를 위해 할 수 있는 일과 할 수 없는 일을 결정하는 식품의 화학적 조성에 대해서는 거의 알지 못한다. 식품화학은 중요한 학문 분야이며 식품화학자는 여러 식품회사에서 우리가 먹는 것이 안전한지 어떤 영양을 가지는지 연구하고 있다. 그들이 하는 일이 잘 알려지지 않았기 때문에 식품에 지장을 주는 것으로 여겨지기도 하며 일부 사람들은 매우 의심쩍게 생각하고 있다. 때때로 식품의 '화학물질'에 대한 경고도 필요하지만 범인은 화학공업에 의한 것이 아니라 우리가 주방에서 직접 만든 것일 수 있다.

## ● 독성을 가지는 발암물질 아크릴아마이드가 식품에서 발견된 까닭은?

아크릴아마이드*는 1950년대부터 제조되었으며 염료, 접착제, 방수제 같은 것을 만드는 데 사용되지만, 대부분의 제품들은 아크릴아마이드를 전혀 함유하고 있지 않으며 방수제에만 이 물질이 극미량 남아 있다. 이 방수제는 하수관이나 맨홀 뚜껑을 봉하는 데 이용되었지만 아크릴아마이드가 피부로 침투할 수 있고 심지어 고무장갑도 투과할 수 있기 때문에 1991년에 미국환경보호국에 의해 폐기되었다. 아크릴아마이드는 신경독소이기 때문에, 이 물질에 노출이 되면 신경계를 중독시킨다.(더 새롭고 좋은 보호복이 개발되자 2002년에 폐기는 철회되었다.)

---

\* 화학식은 $CH_2=CHCONH_2$이다.

1997년에 스웨덴 남부 터널 공사 때 물이 새어나와 연기되었다. 이를 해결하고자 대량의 방수제를 터널 벽에 발랐는데 아크릴아마이드가 지하수면으로 새어나와 그 지역의 연어에 영향을 끼쳤다. 이뿐만 아니라 터널 공사에 참여한 일부 사람들이 손발 마비, 두통, 어지럼증을 겪었다. 혈액 시료를 채취하여 스톡홀름대학에서 분석한 결과 아크릴아마이드가 존재하였다.

아크릴아마이드는 혈액에서 정상적으로 발견되는 화학물질이 아니기 때문에 아크릴아마이드에 노출되지 않은 사람들로부터 혈액 시료를 얻어 비교할 사용할 필요가 있었다. 분석자들은 모든 사람의 혈액에 상당한 양의 아크릴아마이드가 들어 있는 것을 발견하고 깜짝 놀랐다. 아크릴아마이드가 담배연기에 존재하기 때문에 흡연자들은 체내에 아크릴아마이드가 약간 있을 수 있지만 비흡연자에서도 발견되었다. 외국인을 포함해 더 많은 사람들로부터 혈액 시료를 수집하였지만 그들도 역시 이 위험한 화학물질이 혈액 중에 순환되고 있었다. 스웨덴 국립식품청은 아크릴아마이드가 사람들이 먹는 식품으로부터 온다고 추론하였다. 이 독성 화학물질이 어떻게 식품에 들어가게 되었을까?

일부 사람들이 의혹을 가지고 있었던 것처럼 화학공업에 의한 환경오염이 아니었으며 식품이 조리될 때, 그중 특히 감자튀김에 흔한 것이었다. 칩, 크리스프, 프라이 같은 튀김을 많이 먹은 사람일수록 혈중 아크릴아마이드 농도가 높았다.* 예외적이기는 하지만 감자 크리스프는 12,000 ppb를 초과하는 것으로 밝혀졌다. 식품의 아크릴아마이드 양은 미국 식품의약국의 웹사이트 www.cfsan.fda.gov/~dms/acryldata.html에서 확인할 수 있다. 물론 이것은 미국 식품에 관한 것이지만 다른 국가의 분석자들도 비슷한 값들을 보고하였다. FDA는 크리스프의 아크릴아마이드 양이 최저 117에서부터 최고 1970 ppb까지 변화하며, 프라이에서는 21에서부터 1,325 ppb까지 변하는 것을 발견하였다. 몇몇 비스킷은 1,000 ppb 이상이었으며 한 가지 아침식사용 시리얼은 1,000 ppb 이상이었지만 다른 식품들에서는 훨씬 적었다. 유아용 식품에는 거의 없었다. 빵에는 20 ppb 정도로 적었지만 이것을 토스트로 구우면 200 ppb까지 증가하였다.

---

\* 영국에서 칩은 감자를 썰어 튀긴 것이며, 프라이는 으깬 감자를 가느다란 모양으로 만들어 튀긴 것이다. 감자를 얇게 썰어 튀긴 과자를 크리스프라 하며, 미국에서는 이 크리스프를 칩이라고 부른다.

왜 아크릴아마이드가 생성되었을까? 영국 리딩대학의 웨지차(Bronislaw Wedzicha)와 모트램(Donald Mottram)이 아미노산인 아스파라진이 탄수화물과 반응하여 아크릴아마이드를 만들어낸다는 것을 증명하였다. 이 반응은 식품이 조리될 때 갈색으로 변하게 하는 종류의 반응이다. 식품을 오래 조리할수록 온도가 높을수록 더 많은 아크릴아마이드가 생성된다. 아스파라진이 풍부한 감자는 185℃에서 튀기면 대부분 아크릴아마이드가 생성된다.

스웨덴 국립식품청은 2002년에 이 사실을 발표하였고 뉴스들은 이 경고 메시지를 보도하였다. "스웨덴에서 매년 발생하는 수백 건의 암이 아크릴아마이드 때문이라고 합리적으로 생각된다." 스웨덴에서 수백 건이라면 전 세계적으로는 수십만 건이 된다. 아크릴아마이드가 특별히 암에 걸리기 쉽게 성장시킨 실험용 쥐에서 암을 유발한다는 것은 이미 알려져 있었다. 그런 감수성이 아크릴아마이드가 사람에게서 암을 유발한다는 것을 자동적으로 의미하지는 않으며 실제로 그런 경우도 드물다. 2003년에 영국암저널(British Journal of Cancer)에 발표된 연구는 식품의 아크릴아마이드 양과 가장 영향이 클 것 같은 대장암, 신장암, 방광암 사이에는 아무런 관련이 없다고 발표하였다.

분석하는 방법에 따라서 얼마나 많은 아크릴아마이드 양을 검출할 수 있는가 하는 또 다른 문제도 있다. 선도적 잡지인 《분석가(Analyst)》가 증명한 것처럼 실제로 아크릴아마이드를 측정하는 완전한 방법은 없다. 느린 용매 추출에 근거를 둔 한 방법은 스웨덴에서 사용되고 있으며 일반적으로 사용되는 빠른 추출에 근거를 둔 것보다 7배 더 높은 수준으로 측정할 수 있다. 감자 크리스프를 느린 추출법으로 측정한 결과 14,000 ppb가 나왔지만 일반적 방법으로 측정한 결과 2,000 ppb밖에 나오지 않았다. 캐나다, 영국, 미국, 일본의 분석화학자들은 느린 방법 그 자체가 높은 아크릴아마이드 양을 생성한다고 비난하였다.

일반인에 대하여 인정되는 아크릴아마이드 안전 섭취량은 하루 14마이크로그램이다. 세계보건기구는 서구형 식사가 매일 70마이크로그램을 공급한다고 평가하고 있다. 그렇다면 우리는 이를 걱정해야 할까? 아마도 아닐 것이다. 우리 몸은 천연적인 해독 방어를 할 수 있고 감자 프라이 정도는 아주 쉽게 처리할 수 있을 것이다. 여전히 걱정된다면 칩이나 프라이와 함께 단백질을 섭취하라. 이것이 아크릴아마이드에 결합하여 그것이 신체 세포 안으로 들어가는 것을 막아주기 때문이다.

편리한 삶 (3)

사소하지만
중요한 금속들

글로벌 타임스 뉴스, 2025년 3월 21일

## 제로 에너지 청구서를 받는 마을

어제 환경부 장관은 카나리아 제도의 고메라에서 돌핀 은퇴 마을을 공식적으로 개장하는 데 참석하였다. 그는 마을이 순수하게 자립 에너지로 유지된다는 사실을 칭송하였다.

모든 오두막에는 슈퍼글래스 창문과 지붕 덕분에 쾌적한 부엌, 오락 시설, 에어컨 시설이 갖추어져 있다. 슈퍼글래스는 도달하는 햇빛의 세기를 조절하여 날씨가 추우면 빛과 열을 흡수하고 날씨가 더우면 에어컨에 사용할 에너지를 생산하며, 스스로 청소도 한다.

돌핀 마을은 모든 건물과 탈염 공장이 사용하기에 충분한 전기를 생산한다. 탈염 공장은 500명 거주민에게 세탁, 청소, 화장실뿐 아니라 커다란 정원과 과실수에 공급할 관개 시설을 갖추고 매주 200만 리터의 물을 공급한다. 과실수는 주로 오렌지와 아보카도 나무로서 대서양을 굽어보는 계단식 언덕에서 자라고 있다.

또 마을에는 카페, 바, 온수 수영장, 레저클럽, 가게, 헬스센터, 골프장도 있다.

7면: 환경단체는 슈퍼글래스를 재활용하는 데 엄청난 돈이 들 것이라 주장한다.

대부분의 화학원소는 금속이며 그중 많은 것이 거의 이용되지 않는다. 어떤 것은 매우 드물어서 인공으로 만든 것들만 지구상에 존재한다. 주기율표에서 원자번호 92번인 우라늄 너머의 방사성 원소들이 그런 것에 해당한다. 또 더 가벼운 테크네튬(원자번호 43)과 프로메튬(원자번호 61)도 마찬가지이다. 그러나 그런 원소들은 용도가 있다. 테크네튬은 의학진단용으로, 프로메튬은 페이스메이커용 소형 전지에 사용된다. 대부분 사람은 이런 금속과 마주칠 일이 없기를 바라지만 몇몇 방사성 금속들은 모든 사람의 일상생활 중 일부가 되며 특히 아메리슘(원자번호 95)은 모든 연기감지기에 들어 있다. 그것에서 나오는 알파선 흐름이 연기 입자에 의해서 막히면 감지기는 경고음을 낸다.*

이 장에서 다루는 금속들은 우리가 금속 그 자체가 아니라 그것들이 만드는 화합물로 만나는 것들이다. 우리는 그 이름을 깨닫지 못하거나 그것을 금속으로 생각하지 않을 수도 있다. 산업계에서는 금속을 흔한 금속, 귀한 금속, 희귀 금속, 희토류 금속으로 분류한다. 희귀 금속 범주에 속하는 것 중 점점 더 중요해지고 있는 몇 가지를 이 장에서 다룬다. 심지어 '희귀 금속 무역 연합'도 있으며 그들은 드물게 발견되는 금속들을 채굴하여 휴대전화, 태양광 판, 레이더, 스마트 창문, 교통 신호등 같이 이미 일상생활에서 널리 사용되고 있는 제품의 생산 시장으로 가져온다. 문제가 되는 금속에는 갈륨, 인듐, 타이타늄, 루테늄, 카드뮴이 있다.

## 태양광 판은
## 광전력(PV)을 제공한다

도선을 통한 전자의 흐름은 가장 자유로운 에너지 공급이지만 발전하여 필요한 곳으로 운반하는 데는 막대한 양의 재생불가능한 연료가 소모되며 동력의 3분의 1은 전류가 목적에 도달하는 동안 주위로 손실된다. 이상적으로는 가능한 한 사용처에 가까운 곳에서, 적당한 에너지원에서 발전을 해야 한다. 태양광 판은 이런 요구사항을 모두 충족시키는 데 적합하다. 전자를 이동시키기 위하여 태양 광선을 이용하는 것은 오래 전부터 식물들이 익혀온 것이다. 식물은 클로로필을 이용하여 광자를 붙잡고 전자가 광합성의 일부로서 작동하게 에너지가 높은 곳으로 보낸다. 잎은 광합성을 통해서 필요로 하는 여러 가지 화학물질을 만들 수 있다. 자연이 행하는 이러한 일들을 우리도 할

---

* 이러한 알파 입자는 감지기에 보관되고 밖으로 나올 수 없기 때문에 사람에게 위협이 되지 않는다. 실제로 알파 입자는 종이 한 장으로도 막을 수 있다.

수 있다. 적당한 재료가 주어지면 태양광 판은 비슷한 방법으로 광자를 붙잡아서 전자 이동을 시작하고 이런 전자가 충분히 많아지면 우리는 사용할 수 있는 전류를 얻을 수 있다. 그러나 그렇게 쉽기만 한 것은 아니다. 태양 전지가 태양광을 전류로 전환하려면 흡수한 태양 에너지를 이용하여 음전하의 전자와 양전하의 정공을 만들 수 있는 반도체가 필요하다. 서로 반대쪽으로 이동하여 전류를 생산할 수 있도록 전자와 정공은 분리될 필요가 있으며 이런 일이 반도체 다이오드 접합부에서 일어난다. 그 결과 광전력(PV, photovoltaic power)이 생긴다.

제1세대 PV 전지는 결정성 실리콘으로 만들어졌으며 현재 발전되는 대부분 태양 전기를 생산하고 있지만 태양광을 전기로 전환하는 효율은 20% 이하이다. 제2세대 전지는 효율은 같지만 실리콘을 훨씬 적게 사용하거나 구리-인듐-다이셀레늄화 이온 같은 대체 재료로 만들어진다. 제3세대 전지는 다접합 태양 전지(직렬식 전지라고도 함)에서 반도체들의 조합을 이용한다. 이것의 상부층은 인화갈륨인듐(GaInP), 중간층은 비소화갈륨(GaAs), 하부층은 저마늄(Ge)으로서 더 넓은 태양광 스펙트럼에서 태양광을 포집할 수 있으며 39%의 동력 수율을 올릴 수 있다. 2005년 6월에 캘리포니아의 실마르에 자리잡은 보잉사의 자회사인 스펙트로랩 사는 자신들이 제조한 다접합 전지가 이 정도 수율이라고 주장하였다. 이런 제3세대 전지는 하늘을 가로지르는 태양의 경로를 따라가면서 태양광을 판에 집중시켜서 생산량을 최대화할 수 있다.

세계적으로 수천 개의 발전소에서 우리가 발전하는 **전기 에너지**는 막대하다. 그렇더라도 그것은 지구가 매일 태양으로부터 받는 에너지량과 비교하면 미미하다. 한 시간 동안 지구에 쏟아지는 태양광의 양은 전 세계가 필요로 하는 1년분 에너지로 충분하다. 우리는 이 중 일부를 태양광 판으로 수확할 수 있지만 세계가 필요로 하는 4,000 GW(기가와트)의 0.25% 미만이다. 2005년도 그린피스 보고서는 이것이 2040년에는 20%까지 증가할 것이라고 낙관적으로 전망하였다. 더 현실적 목표인 5%에 도달하는 데 문제가 되는 것은 거의 알려지지 않은 금속인 갈륨과 인듐 같은 원소들의 공급량이다. (예상되는 인듐 부족에 대해서는 이 장의 뒷부분에서 설명한다.) 이 '공짜' 에너지에 투자하는 것을 망설이게 되는 이유는 역설적으로 고비용 때문이다. 태양광 판에서 생산되는 에너지는 다른 방법으로 생산되는 에너지보다 몇 배 더 비싸다. 이런 점에도 불구하고 세계는 태양 에너지에 투자하고 있으며 2016년에 태양 전지로 생산된 전기는 전 세계적으로 26.2 GW에 이른다.

광전 효과는 이미 1839년에, 프랑스 물리학자 베크렐(Alexandre-Edmond Becquerel, 1820~1891)에 의해서 최초로 증명되었다. 이후 백여 년 동안은 과학적 호기심 수준에만 머물렀는데, 이처럼 발견과 응용 사이에 긴 공백이 생긴 것은 고비용과 저효율이라는 두 가지 이유 때문이었다. 1950년대에 등장한 최초의 태양 전지는 지구 주위를 회전하는 인공위성에 맞춘 것이었다. 이는 생산하는 데 매우 비용이 많이 드는 순수한 다결정 실리콘으로 만들어졌으며 단지 태양광의 4%를 전기로 전환할 수 있었다. 실리콘은 아직도 전 세계적으로 사용되고 있는 태양 전지의 약 90%를 차지하며 현재 전환 효율은 약 15%이다. 실리콘은 보라색과 빨간색 사이의 **빛**을 흡수할 수 있지만 모든 파장의 빛을 흡수하지는 않으며 흡수하더라도 매우 비효율적이다. 그 출력은 많은 용도에 충분하지만 세계 에너지에 태양 전지가 기여하기 위해서는 15% 이상의 효율을 내거나 재료의 비용이 낮아져야 한다. 실리콘 웨이퍼의 공급을 늘리고 생산된 것을 더 얇은 필름으로 잘라서 사용하더라도, 세계적인 실리콘 웨이퍼의 부족은 현재 PV 전지 생산에 제동을 걸고 있다. 적절한 등급을 가진 실리콘의 95%가 생산될 정도로 일본에서 산업이 번성한 것은 석유 파동 이후 1970년대 초반에 일본 정부가 태양 에너지로의 투자를 결정했기 때문이다.

광전 전지는 전자가 부족한 층위에 전자가 풍부한 층을 얹어서 두 층으로 만든 반도체 실리콘을 이용한다. 이것은 그 사이 접합부에서 전기장을 형성한다. 전자가 풍부한 층은 실리콘에 약간의 인 원자를 혼입하여 여분의 전자를 준 것이며 n-층(음극층)이라고 한다. 전자가 부족한 층은 약간의 붕소 원자를 혼입하여 전자가 부족하게 한 것이며 p-층(양극층)이라고 한다. n-층은 광자에 의해서 들뜨면 전자를 내놓으며 p-층은 효율적으로 '정공'을 움직인다. 정공은 화학결합에서 전자가 부족한 틈새이다. 이것들이 서로 만나면 전류가 흐를 수 있는 전압차가 생긴다. 태양 전지들은 실제적인 동력으로 사용되려면 연결될 필요가 있으며 그것이 생산하는 전류는 직류이지만 쉽게 교류로 바뀔 수 있다.*

실리콘은 태양 전지의 비용 중 60%를 차지한다.** 실리콘은 산소 다음으로 지각에서 두 번째로 풍부한 원소인데 왜 이렇게 비쌀까? 반도체급 실리콘은 먼저 초순수 상태로 만들어져야 한다. 이 때문에 어떤 오염물질도 존재하지 않는 '초청결' 조건에서 제조되어야 한다. 2004년과 2005년에는 태양 전지 시장에서 제한된 양의 다결정 실리콘만을 이용할 수 있었으며 이 때문에 그 해에는 훨씬 더 적은 태양광 판이 설치되었다. 순수한 실리콘의 값은 2000년의 킬로그램당 9달러에서 2006년에는 킬로그램당 200달러로 올랐다. (몇 년 안에 새로운 대형 제조업체들이 중국에서 움직이면 곧 형편이 달라질 것이다.) 무게가 240킬로그램이 되는 대형 주괴로 주조되기 전에 마찬가지로 정제된 소량의 인이나 붕소가 실리콘 안에 혼입되어야 한다. 이런 주괴는 폭과 길이가 각각 125밀리미터인 벽돌 모양 덩어리로 잘라진다. 각각의 덩어리를 정밀한 커팅와이어를 사용하여 400장의 웨이퍼(250마이크론 두께)로 자른다. 결국 한 주괴에서

---

* 직류는 송선 용량이 커서 더 효율적이지만 송전 거리가 짧기 때문에 현재 교류가 널리 사용되고 있다.
** 다른 재료가 약 20%, 자본에 대한 이자가 약 15%, 인건비가 5%를 차지한다.

1만 장의 웨이퍼가 생산된다. 원하는 대로 2010년까지 5 GW의 태양 에너지를 생산하려면 이상적으로는 킬로그램당 35유로 이하의 가격으로 매년 3만 톤의 태양 전지급 실리콘 생산이 필요하다. 웨이퍼당 100~130마이크론으로 결정형 실리콘을 더 얇게 자르면 이론상으로는 이 목표에 도달하는 실리콘을 충분히 제조할 수 있다. 산업체는 또 2010년까지 대량 생산되는 실리콘 기반 전지에서 에너지 전환 수율이 약 17%에 도달하기를 바라고 있다.*

　광전지의 대체 재료 연구는 실리콘보다 더 효율적이지만 더 값이 비싼 원소나 훨씬 더 값이 싸지만 저품질의 실리콘보다도 효율이 더 낮은 유기 반도체와 탄소 나노구조물 같은 재료에 초점을 맞추고 있다. 각 접근 방법은 장점과 단점을 가지고 있다.

　다른 금속에 기반을 둔 반도체들은 입사광의 에너지와 더 밀접하게 일치하기 때문에　실리콘보다 훨씬 더 좋은 PV 재료일 수 있다. 이런 것에는 비소화갈륨(GaAs), 인화인듐(InP), 텔루륨화카드뮴(CdTe)이 있다. 이 중에서 텔루륨화카드뮴만 태양광 발전에 상당히 진입하였지만 2004년에 겨우 0.013 GW(13 MW)를 발전하였다. CdTe로 만든 태양광 판은 2002년에야 에너지 전환에서 마법의 10%를 넘게 되었다. 카드뮴은 아연 제련에서 생기는 부산물이기 때문에 이 금속을 사용하는 데 경제적 제약이 있지는 않을 것이다. 그러나 이 금속이 위험하기 때문에 환경적 관점의 반론이 있을 수 있으며 철의 아연도금 같은 그전의 용도도 폐기되었다. 아연 광산에서 대량의 카드뮴이 나오지만 이 중 소량만이 태양광 판에 필요하며 이 정도로는 사람의 건강에 전혀 위협이 되지 않을 것이다.

　광범위한 응용에서 CdTe를 추월할 수 있는 재료는 다이셀레늄화 구리인

---

* 광전력 재료의 효율을 측정하는 방법에는 양자 효율과 전력 효율이라는 두 가지가 있다. 양자 효율은 어떤 재료가 광자를 전자와 정공으로 전환하는 효율이며 전력 효율은 전력으로 추출될 수 있는 실제 효율로서 훨씬 더 낮다.

듐(CIS)*이며 이것은 거대석유기업인 쉘이 뒷받침하고 있다. 쉘의 노력은 주로 CIS 박막 필름 태양광 판의 생산을 지향하고 있으며 그들의 ST40 생산품은 16볼트에서 40와트의 최대 전력량을 생산할 수 있다. 이 회사는 그것이 승리자가 될 것이라고 확신하여서 그 솔라팩에 10년의 보증을 해주고 있다. 그것은 저광도 조건에서 작동하고 고온에서 견디고 그 유리 표면이 폭풍을 비롯한 모든 종류의 기후에 견딘다고 주장한다. 미국 콜로라도 주의 골든에 있는 국립 재생에너지연구소에서 CIS로 만든 전지는 거의 20%의 에너지 효율을 기록하였으며 이것은 1970년대 중반에 메인대학에서 최초로 만들었을 때 이 PV 재료에 대하여 보고한 것보다도 6%나 더 높은 것이다. CIS의 인듐 중 약 4분의 1을 갈륨으로 대치하면 다이셀레늄화 구리인듐갈륨(CIGS)이 만들어지는데 이것은 더 값비싼 금속의 양을 줄일 뿐 아니라 합금도 더 제조하기 쉬워지며 효율까지 향상되는 것으로 보인다.

또 다른 카드뮴 반도체는 황화카드뮴(CdS)이며 이것은 소형으로 만들어져서 1제곱미터 크기의 판에 붙여져서 91와트를 생산하며 효율은 11%이다. 이 판은 상업적으로 이용할 수 있는 3.2밀리미터 두께의 유리판으로 만들어지는데 산화인듐주석을 입히고 그 위에 CdS 층과 CdTe(p-형) 층을 입힌다.

박막 광전력은 전기 생산에 중요한 기여를 할 것이다. 이것을 위한 실리콘은 비정형 실리콘이며 주괴로 주조될 필요가 없다는 점에서 결정형 실리콘과 전혀 다르다. 비정형 실리콘은 유리의 기질로 사용될 수 있으며 더군다나 유연한 재료여서 완제품이 모든 표면 형태로 주조될 수 있다. 광전력 박막은 현재 세계의 여러 공장에서 생산되며 몇몇은 뒤에 접착제가 붙어 있어서 뉴욕 브룩클린의 스틸웰 애비뉴 지하철역처럼 지붕에 부착될 수 있다. 박막 PV에 대한 연구는 주로 국방 계약의 지원을 받고 있는데 군대는 많은 무장 병사들

---

\*     화학조성식은 $CuInSe_2$이다.

이 정교한 장치를 움직이는 데 쓰이는 무거운 저장용 배터리를 대치할 가능성을 알고 있기 때문이다. 이미 박막 태양광 판이 부착된 배낭이 있으며 이것을 이용하여 휴대전화와 다른 작은 기기들을 재충전한다.

금속 기반 반도체에 대한 대안은 유기 반도체이며 고분자에 대한 과학 문헌에서 그것의 반도체 성질이 실리콘과 비교할 만하다는 암시가 있기는 하지만 효율 5%에 도달하기 위해 노력하는 중이다. 그렇더라도 고분자는 전자와 '정공'이 움직일 수 있는 구조를 제공하는데 고분자 골격을 따라 늘어선 이중결합을 이용하지만 이중결합은 항상 공기 중 산소에 의하여 산화를 받기 쉽기 때문에 보호가 필요하다.

태양 에너지 세계는 성능은 좋지만 값이 비싼 금속 기반의 태양 전지와 값이 싸지만 효율이 낮은 유기 반도체 사이에서 스스로 진퇴양난에 빠져 있다. 한 가지 답은 두 가지 반도체 유형을 조합하여 저비용과 고효율의 두 가지 이점을 가지는 혼성재료를 생산하는 것이다. 이 가능성은 캘리포니아대학 버클리캠퍼스 화학과의 앨리비사토스(Paul Alivisatos)가 증명하였다. 그의 태양 전지 재료는 20%의 나노 입자 형태 셀레늄화카드뮴(CdSe)과 80%의 전도성 고분자 $P_3HT$* 섬유로 구성되어 있으며 이 전지는 약 2%의 전력 효율을 가지고 있다. 고분자 사슬을 더 촘촘하게 쌓음으로써 전자 흐름을 향상시켜 효율을 높이는 진보가 이루어졌다. 이것은 $P_3HT$를 전자가 풍부한 층으로 하고 바구니형 분자인 $C_{60}$ 유도체를 전자가 부족한 층으로 하는 전지에서 이루어졌다. 이 이상한 분자는 60개의 탄소 원자 바구니로 이루어져 있으며 역시 PV 전위를 가지고 있다. 과거에 유기 광전지는 전자와 정공을 운반하는 속도가 낮아서 진보가 이루어지지 못하였다. 탄소 나노튜브는 이것을 향상시킬 수 있으며 고분자와 탄소 나노튜브의 복합물은 희망을 보여주고 있다.

---

* $P_3HT$는 폴리(3-헥실싸이오펜)의 약자이다.

태양이 빛날 때는 모든 것이 태양 전지에 좋지만 하늘이 잔뜩 흐리면 어떻게 될까? 일부 고위도 국가들에서는 태양이 여러 날 동안 뜨지 않고 겨울에는 낮 시간이 점점 짧아져서 8시간밖에 되지 않는다. 직접적 태양광이 없다면 답은 그래첼 전지이다. 이것은 낮의 빛만을 이용해서 작동할 수 있다. 로잔에 있는 스위스연방공과대학의 그래첼(Michael Grätzel)은 이 전지를 최초로 1991년에 만들었으며 이것은 광자를 붙잡아서 이것을 이용해서 전자를 들뜨게 하는데 희귀원소인 루테늄 화합물을 이용하였다. 다음에 전자는 이산화타이타늄 결정 층으로 전달된 후 전극으로 이동한다. 그래첼 전지는 모든 방향에서 오는 빛을 흡수할 수 있기 때문에 태양 전지보다 더 효율적이고 특히 구름을 가장 잘 통과하는 스펙트럼의 청색 말단 빛을 잘 흡수할 수 있다.

그래첼 전지는 염료−감광 태양 전지(DSSCs)라고도 하며 전하를 운반하는데 액체 전해질을 이용한다. 그러나 이것의 용매는 내구성이 없거나 전도도가 낮은 유기용액이어야 한다. 일본 오사카대학의 야나기다(Shozo Yanagida)가 발견한 것처럼 이온 액체 결정이 잘 작용하며 이것은 자발적으로 조립하여 전도도가 더 좋아지는 전도성 통로를 형성한다. 그래첼 전지는 전통적 실리콘 기반 광전지보다 훨씬 값이 싸지만 전환 효율은 10% 미만이다. 그래첼은 자신이 K−19라고 명명한 루테늄 화합물에 기반을 둔 새로운 염료를 개발하였다. 가열하면 감도를 잃거나 안정하지 못하던 그전의 염료들과 달리 새로운 염료는 80°C에서 1,000시간을 견딜 수 있고 심지어 이런 극단적 조건에서도 성능의 8%만 손상된다. DSSCs가 살아남으려면 옥외 환경에서 20년 동안 작동할 수 있어야 하며 이것은 각 염료 분자가 1억 번 작동에 견뎌야 한다는 것을 의미한다. 제네바 호수 근처에 자리잡은 스위스 회사인 솔라로닉스 사는 그래첼의 업적에 근거를 둔 DSSCs를 개발하는 중이며 이 전지는 실리콘 기반 태양 전지의 3분의 1 비용으로 전기를 전달할 수 있다.

1970년대에 집중 광전력(CPV)이 시범을 보였으며 그것은 30% 이상의 효율을 낼 수 있다. 그것은 값싼 전기를 제공하며 완전히 설치된 정상적인 평판 PV 전지의 비용은 와트당 9달러이지만* CPV 시스템은 비용이 절반으로 될 수 있다. CPV 시스템은 햇빛을 훨씬 더 작은 광전 재료에 초점을 맞추기 위하여 렌즈를 사용한다. 사용되는 렌즈는 평탄하며 소형 원형 홈을 가져서 빛을 중심 영역에 집중시키는 프레스넬 렌즈이다. 잘 설계된 전지는 100제곱센티미터 영역에 들어오는 빛을 PV 재료 1제곱센티미터에 집중시킬 수 있다. 작은 단점은 대부분 렌즈가 받는 빛을 최소한 85%를 투과시키지만 100% 투과시키지 못한다는 점이다. 더 큰 단점은 렌즈가 확산된 햇빛을 집중시킬 수 없으며 태양이 비치더라도 전지에 햇빛을 직접 집중시키기 위하여 태양광 수집기가 하늘의 태양 궤도를 정확하게 추적해야 한다는 점이다. 효율을 최대화하려면 1도도 벗어나서는 안 된다. 또 다른 CPV의 단점은 태양의 열도 집중시킨다는 점이다. 온도가 올라감에 따라서 태양 전지의 효율이 떨어짐으로써 전지에 열을 전도하여 발산하는 구리 같은 것을 장착해야 한다.

CPV의 중요한 장점은 훨씬 더 적은 태양 전지 재료를 사용하므로 GaAs 같은 값비싼 반도체 재료로도 만들 수 있다는 점이다. 독일 프라이부르크에 있는 태양 에너지 연구소에서 독립하여 그곳에 자리 잡고 있는 콘센트릭스 태양광 회사가 만든 전부 유리로 된 프레스넬 렌즈 집광기는 태양 500개 크기 면적의 빛을 구리 열배출 장치가 장착된 2제곱밀리미터의의 태양 전지에 집중시키며 효율은 25% 이상을 달성하였다. 유사한 '태양 500개' 집광기가 일본의 샤프와 디아도제철에 의해서 개발되었으며 이것은 폭과 길이가 각각 7밀리미터인 GaAs 전지에 집중시켜서 35% 이상의 전환 효율을 얻었다. 휘트필드 태양광 회사는 영국 리딩대학의 휘트필드(George Whitfield)가 설립하였으며 그의 실리콘에 기반을 둔 지적 추적 CPV는 특별히 저비용을 염두에

---

※   판 자체의 비용은 와트당 6달러이다.

두고 설계되었는데 이것은 재료를 최소로 사용하고 제조는 최대한 쉽게 한다는 것을 의미한다.

태양 에너지에서 많은 것이 약속되고 있고 이미 거대한 시설물이 세계적으로 더 설치되고 있다. 포르투갈은 남동쪽 알렌테호 지역의 모우라에 세계에서 가장 큰 태양 PV 시설을 건설하고 있다. 이것은 '해바라기' 계획으로 알려졌으며 35만 개의 태양광 판이 112 ha(헥타르)를 덮도록 설계되었는데 2009년에 완공되면 2만 가구가 사용하는 데 필요한 62 MW의 전력을 생산할 것이다. BP 태양광 회사가 태양광 판을 제조하는 공장을 건설 중이며, 이 공장이 240개의 일자리를 제공할 것이다. 전체적 비용은 2억 5천만 유로로 예상된다. 현재까지 가장 큰 태양광 구조물은 독일의 바바리안 솔라파크로서 10 MW 생산 능력을 가지며 26 ha를 덮고 있다. 그것은 57,600개의 태양광 판이 태양을 추적하며 무엘하우젠, 구엔힝, 미니호프에 자리잡고 있다. 그것은 더는 사용되지 않은 농장에 세워졌으며 5천만 유로의 비용이 들었다. 그 태양광 판은 파워라이트라는 회사가 생산했는데 이 회사는 1991년에 딩우디(Thomas Dingwoodie)가 설립하였으며 현재는 마이크로소프트 사의 일부가 되었다. 또 이 회사는 캘리포니아 주변의 지붕에 설치되어 지역 전력망에 연결되어 있는 태양광시스템을 생산하는 선도적 업체이다. 태양광 타일을 절연체 역할을 하는 폴리스타이렌 위에 설치하기 때문에 그 아래 건물은 더 에너지 효율성이 커진다.

다음의 미래 뉴스에서 볼 것처럼 집중적 노력이 커다란 이익을 가져올 수도 있을 것이다.

미래
신문

가나 선, 2025년 6월

## 선샤인 시티 문을 열다!

아프리카 각지에서 온 고위인사들이 참석한 가운데 가나 대통령은 국회의사당 지붕의 태양광 판을 아크라 태양 에너지 위원회에 연결하는 스위치를 눌렀다. 이로써 도시의 전기를 모두 태양 에너지원으로부터 발전하는 계획이 완공되었다.

"아크라는 이제 지구상에서 백만 명 이상 거주하는 도시 중 온전히 태양 에너지로 전기를 얻는 최초의 도시가 되었다."고 그는 말했다. "이 도시는 세계 최고의 전기 저장 장치를 갖추고 있으며 이것은 일주일 공급분의 전기를 저장할 수 있습니다. 많은 사람들이 아크라의 전기 수요를 태양 에너지로 충족하는 것이 불가능하다고 생각했지만 태양광 판을 스스로 지붕과 외벽에 설치한 지역 거주민들의 집중적인 노력의 결과로 이루었습니다. 모두에게 감사드립니다."

공공건물, 가게, 공장, 창고, 사무실들은 대량 유리창 개조 계획을 수행했으며 심지어 북쪽 면에도 직접 햇빛을 받지 않아도 전기를 생산하는 그래첼판을 설치하였다. 10년 계획에 필요한 비용은 이 나라 부의 원천인 코코아와 팜유 수출세에서 지원을 받았다. 주택 소유주들도 태양광 판 설치비의 75%를 세금에서 보조받을 수 있었다.

몇 가지 문제가 태양 전지의 광범위한 발달을 가로막고 있다. 사람들의 투자를 받기 위해서는 와트당 2달러 수준이어야 하는데, 여전히 비용은 높고 효율은 너무나 낮다. 이는 상당한 전력을 얻으려면 많은 면적이 덮여야 한다는 것을 의미한다. 실제로 그 비용이 비경제적인지의 여부는 다른 에너지에 달려 있으며, 전 세계적으로 수요가 증가함에 따라 그 가격이 상승하고 있다. 현재 태양 전지도 희귀 원소인 이리듐을 필요로 하며 이것이 제한 요소가 될 수도 있으며 우리는 이 문제를 이 장 끝부분에서 살펴볼 것이다.

태양 에너지는 다른 방법으로도 이용될 수 있으며 이미 가정용 온수(태양열) 공급에 대량으로 이용되고 있다. 세계적으로 4천만 가구 이상이 그런 온수기를 지붕에 장치하고 있다. 특히 가나에서는 막대한 에너지를 아끼고 있으며, 사이프러스, 그리스, 터키에서는 거의 모든 가정의 지붕에 온수기가 설치되어 있어 에너지를 절약한다. 많은 사람들이 태양열 공업을 가난한 사촌 정도로 여기지만 실제로 광전력 사업보다는 훨씬 더 크다. 2004년에 태양열 산업은 그 해에만 9 GW가 증가하였으며 그중 대부분은 태양열 온수기 수요가 꾸준히 증가하고 있는 중국에 설치되었다. 현재 중국에서 이용되는 온수의 12%를 공급한다. 주목할 만한 것은 중국의 태양열장치의 비용이 유럽보다 훨씬 더 싸다는 것이다.

태양광을 모아서 증기압을 발생시키고 이를 통해 터빈이나 스털링 엔진을 가동한다면 물을 가열하여 발전을 하는 것도 가능하다. 이런 방법의 수율은 20% 정도이다. 스털링 엔진은 1816년에 26세의 스털링(Robert Stirling, 1790~1878)에 의해서 발명되었다. 이것은 뜨거운 실린더 안의 유체를 가열해 팽창시켜 피스톤을 작동하고, 피스톤에 의해 압축이 되기 전에 차가운 실린더로 보내고 다시 강제로 뜨거운 실린더로 돌려보내서 작동한다. 스털링 엔진은 조용하고 효율적이지만 생산비가 비싸다. 태양열 발전은 500℃ 이상으로 온도를 올리는 데 충분할 정도로 집중된 태양광이 필요하며 세계적으로 몇몇이 작동하고 있다. 접시 모양의 파라볼라 거울을 단단하고 가벼운 두께 0.28밀리미터의 스테인리스강으로 제작할 수 있으며 이런 광수집기들을 배열하면 쉽게 10 kW의 전력을 얻을 수 있다. 그 비용은 태양광 판보다 훨씬 적게 든다. 접시들은 태양을 따라서 움직여야 한다.

이 장의 시작부에 소개된 '미래 뉴스'에 등장한 유형처럼 창문에 설치된 태양광 판은 금세기 중반까지는 많은 건물들에서 볼 수 있을 것이다. 쉽게 닿을 수 없는 위치겠지만 깨끗이 청소되어야 한다. 이 장의 다음 주제는 청소와 이 번거로운 일에서 해방되는 것이다.

# 유리는
## 친환경이다

오랫동안 창호 재료로 쓰인 유리는 몇 가지 이유로 미래의 새로운 건축 재료가 될 것이다. 유리의 투명성은 태양 전지의 이상적 매질로, 이것을 창호에 내장한 것은 앞으로 나가야 할 당연한 단계이며 그런 재료들이 현재 만들어지고 있다.

파워글라즈(PowerGlaz)는 건축의 전면과 지붕에 사용하게 설계된 새로운 건축 재료의 이름이다. 생산자들에 의하면 표면을 파워글라즈로 덮는 것은 표면을 광택 가공한 대리석이나 화강암으로 덮는 것보다 저렴하다. 실리콘에 기반을 둔 한 변이 12.5센티미터인 정사각형 태양 전지 배열이 $3.3 \times 2.2$ 미터 판 사이에 층을 이루며 이것은 한낮 태양을 받으면 약 900 W의 전력을 생산한다. 이 판은 영국 더럼 주의 콘셋에 있는 로막공장에서 제조된다. 이 공장은 일 년에 이러한 판 7천 장을 만들 수 있어서 6 MW의 광전력을 생산할 수 있다. 보통 집의 지붕을 그런 판으로 만든다면 자급하는 데 충분한 전기를 생산할 것이다. 게이츠헤드 근처의 국제사업센터는 파워글라즈 판을 장치한 공공 건축물 중 하나로, 이 건물에 36장이 설치되어 있어서 34 kW의 전기를 생산하며 해가 나는 날은 이 건물의 전기 수요에 충분하다. 파워글라즈의 장래는 확실해 보인다.

유리는 파라오의 시대부터 있었으며 로마인들은 최초로 이를 창호의 재료로 이용하였다. 로마시대의 유적 발굴 장소에서 극소수의 창문 유리만 발견되는데, 그 이유는 깨졌다고 내다버리기에는 너무나 값비싼 상품이었기 때문이다. 그것은 녹여서 재사용할 수 있었다. 유리를 위한 재료는 풍부하였다. 기본적 원료는 이집트에 있던 모래(이산화규소)와 탄산나트륨이었으며 여기에 석회석 가마에서 석회석을 구워서 만든 석회(산화칼슘)와 나무 재의 중요 성분인 탄산칼륨이 첨가되었다. 이 혼합물을 충분히 높은 온도로 가열하면 녹아서 화학적으로 반응하여 규소산 금속이 생성된다. 이것을 600℃ 정도로 냉각하면 투명한 고체(과학적으로는 과냉각된 액체)가 생성된다. 유리는 내부 경계가 없다는 점에서 액체를 닮았으며 따라서 빛이 굴절되지 않고 투과할 수 있다. 유리를 만드는 데 어려운 점은 모래를 녹이려면 고대의 노(爐)로는 도달하기 어려운 1,600℃ 정도의 고온이 필요하다는 것이다. 기존의 유리 조각을 녹여 다시 사용하는 것이 훨씬 더 쉬웠으므로 고대의 유리제조공은 유리를 재가열하고 녹이고 여기에 더 많은 성분을 넣어서 더 많은 유리를 만들었다. 이는 유리를 만들기 위해 유리가 있어야 한다는 점에서 닭과 달걀의 상황처럼 들리기도 한다. (해답은 먼저 모래를 적게 포함하고 다른 성분을 많이 포함한 혼합물을 녹이고 다음에 더 많은 모래를 더하는 것이다.)

유리를 미래의 건축 재료로 사용하기 위해서는 유리가 빛을 통과시키고 전기를 발전할 뿐 아니라 낮 동안 건물 안으로 들어가는 열량과 밤에 건물 밖으로 손실되는 열량도 조절할 수 있다는 사실을 확실히 알아야 한다. 이산화주석($SnO_2$) 0.3마이크론 필름과 약간의 플루오린화 이온은 가시광선을 통과시키지만 **적외선** 열을 반사시키며 이런 종류의 코팅은 CVD(화학증착)이라는 과정을 통해서 유리 표면에 적용될 수 있다. 이것은 가공 과정의 일부로서 행해지며 밀봉된 복층 유리의 안쪽에 층을 만든다. 대부분의 건물은 내부 열을 유리창을 통해서 잃는다. 밤 동안 유리창을 통해 실내의 열이 빠져나가게 되는데, 밀봉된 복층 유리는 이를 절반으로 줄이고 이산화주석 코팅은 이를 3분의 1로 줄여준다. 산화은 코팅을 한다면 열손실이 더욱 감소하겠지만, 은을 코팅하려면 단독 공정이 필요해 비용이 증가하고 필름이 벗겨지기 쉽다는 점에서 어려움이 있다.

런던의 유니버시티 칼리지의 화학자들은 창문 유리용 지능형 코팅을 개발하였다. 이것은 실내가 추우면 태양의 적외선(열)을 흡수하고 날이 너무 더워지면 적외선을 반사하도록 전환할 수 있다. 이 새로운 코팅은 이산화바나듐($VO_2$)으로 만들어지는데 가시광선의 투과를 방해하지 않는다. 코팅은 사염화바나듐($VCl_4$)을 500℃의 수증기와 반응시켜서 $VO_2$ 층을 형성하는 화학증착에 의해 이루어진다. 다만 열의 흡수와 반사가 전환되는 온도가 70℃이기 때문에 실용성이 떨어진다. 약간의 텅스텐을 첨가하면 전환 온도가 29℃로 낮아져 유용하지만, 유리가 노란 빛을 띠게 되어 당장 실용화되기는 어렵다.

스마트 창문은 전기장의 효과에 반응하는 액정을 이용한다. 전기장에 놓이면 분자들은 스스로 모두 같은 방향으로 배열하여 빛을 통과시킨다. 전기장을 없애면 마구잡이 배열로 돌아오고 유리는 불투명해진다. 스마트 창문에는 표면을 전도성으로 만들기 위하여 적당하게 산화인듐주석으로 코팅된 두 장의 유리가 필요하다. 그것들 사이에 액정이 20마이크론* 두께의 필름으로 끼어 들어간다. 전원이 꺼져서 전기장이 없으면 유리는 흐려져서 안전장치 상태가 된다. 공중화장실의 문을 스마트 창으로 한다면 문이 닫혀 있더라도 비어 있는지를 알 수 있을 것이라고 제안되었다. 화장실이 잠기면 전원이 끊어지고 바깥에서 안쪽이 보이지 않게 된다. 몇몇 이유로 이 아이디어는 끝내 채택되지 못했다.

우리가 집에서 보는 것처럼 유리는 먼지를 끌어당기는 단점이 있으며 특히 도시의 먼지와 자동차 연기가 얇은 막으로 앉는 도시환경에서는 청소가 필요하다. 필킹톤 사에서 생산하고 2002년부터 판매를 시작한 액티브 유리를 고층 건물의 유리벽에 사용한다면, 유리창을 닦는 귀찮음을 덜 수 있다. 이것은 용융된 표면을 사염화타이타늄($TiCl_4$)과 수증기를 이용한 화학증착(CVD)을 통해서 표면에 이산화타이타늄($TiO_2$) 층을 형성한 것이다. 이 층은 50나노미터 두께이며 영구적으로 표면에 결합된다.

어떻게 작용하는 것일까? 답은 그것이 태양으로부터 에너지를 흡수하여

---

\* 　마이크론(micron)은 밀리미터의 1천분의 1이다.

이산화타이타늄 표면의 전자를 활성화한 다음에 스스로 공기 중의 산소 분자를 끌어당겨서 초과산화 자유라디칼 $O_2 \cdot$ ($\cdot$은 여분의 전자를 나타냄)를 만든다. 이 라디칼은 거의 모든 다른 것을 산화시킬 능력이 있으며 적어도 표면에 있는 유기 티끌들은 이산화탄소로 산화되어서 떨어지게 된다. 그러나 무기 티끌은 어떻게 될까? 여기에 작용하는 이산화타이타늄의 또 다른 성질은 물을 끌어당기는 능력이며 이것도 태양광의 작용으로 일어난다. 표면에서 전자가 제거되면 그것은 양전하를 띠고 이어서 물 분자의 산소 원자를 끌어당긴다. 이렇게 되면 차례로 다른 물 분자를 끌어당겨서 표면을 덮는 물 분자의 얇은 막이 생긴다. 보통 유리는 물을 배척하는 성질이 있으며 우리는 비가 물방울을 형성하며 이것이 말라서 유리창에 자국을 남겨놓은 것으로 이것을 볼 수 있다. 이산화타이타늄이 코팅된 유리에서 물은 유리에 넓게 퍼진다. 그 결과 비가 액티브 유리에 부딪히면 표면을 다시 깨끗하게 청소한다. 액티브 유리의 발견으로 샌더슨(Kevin Sanderson)이 이끄는 개발팀은 워십풀 오브 글래스셀러 사가 수여하는 대망의 '최고상'을 수상하였다. 이 회사는 1630년대에 설립된 가장 오래된 유리공업회사이다.

새로운 종류의 자기 청소 창문이 2004년에 헨켈(Henkel)에 의해서 판매되었으며 그것은 유리에 자발적으로 배열되어서 음전하를 가지며 눈에 보이지 않는 막을 형성하는 실리카 나노입자를 이용하였다. 음전하 때문에 유리는 물 분자의 수소 원자를 끌어당기지만 결과는 마찬가지다. 표면은 물방울이 아닌 물 막으로 둘러싸인다.

적잖은 양의 타이타늄 때문에 유리는 미래의 외관 재료가 될 수 있으며 타이타늄도 매혹적 미래를 갖출 수 있다.

## 타이타늄의
## 마술

셰익스피어의 〈한여름 밤의 꿈〉 2막 1장에서 요정의 왕 오베론은 왕비에게 "달빛 때문에 창백한, 자랑스런 티타니아!"라고 말한다. 티타니아는 오비디우스의 《변신이야기》에서 가져온 이름으로, 셰익스피어의 작품에서 처음 등장해 유명해진 이후 수많은 문학 작품에 사용되었다.

이상하게도 이산화타이타늄이라는 이름보다 더 흔히 불리는 티타니아는 이름만큼이나 성질에도 약간 신비한 측면이 있다. 우리가 순수하게 정련할 쉬운 방법만 찾는다면 타이타늄을 공급해줄 광석은 풍부하다. 우리는 이 금속을 얻을 수는 있지만 매우 어렵다.

타이타늄은 지각에서 아홉 번째로 풍부한 원소이며 일곱 번째로 풍부한 금속이다.* 이것은 공학용 금속으로서의 쓰임새가 매우 많다. 타이타늄은 1,660°C에서 녹으며 밀도가 리터당 4.5킬로그램이어서 661°C에서 녹는 밀도가 2.7인 알루미늄 또는 1,535°C에서 녹으며 밀도가 7.9인 철 같은 금속과 대비가 된다. 현재 타이타늄이 몇몇 용도에서 이런 금속을 대치할 가능성이 커지고 있다. 앞에서 설명한 것처럼 타이타늄의 산화물은 유리에 결합시키면 거의 마술적인 성질을 가지고 있다. 최근 일본 미쓰비시 회사에서 이산화타이타늄을 녹서(Noxer)라는 상표명으로 생산하여 도로포장용 블록을 코팅하는 재료로 사용하고 있다. 녹서라는 이름에 알 수 있듯이 이는 자동차가 배출하는 공해물질인 질소 산화물 기체 NOx 증기를 제거하는 블록에 코팅된다. 시멘트 블록에는 5밀리미터 두께의 이산화타이타늄 표면이 생겨서 햇빛을 받으면 NOx와 반응하여 질산 이온을 만드는 초과산화 이온을 생성한다. 이는

---

\* 가장 풍부한 원소는 산소이고 다음이 규소(실리콘)이며 이어서 금속인 알루미늄, 철, 칼슘, 나트륨, 마그네슘, 칼륨, 타이타늄의 순서이다.

비에 씻겨가거나 포장재 자체에 흡수될 때까지 도로포장석에 붙어 있다. 녹서 블록은 원래 1997년부터 시험되었으며 일본의 30개 마을에서 기존의 도로포장석을 교체하는 데 이용되었다.

1950년대에 외과 의사들은 타이타늄 금속이 신체에 거부 반응을 일으키지 않아 골절된 뼈를 수리하는 데 이상적이라는 것을 발견하였다. 이것은 인공엉덩이와 인공무릎, 두개골 함몰을 위한 두개골판 삽입, 심지어 치아 이식을 위한 수술에 사용되며 일부는 그런 곳에서 30년간이나 유지되고 있다.* 수술용 타이타늄 도구는 고온 플라스마 방전으로 소독되며 이 과정에서 표면 원자들이 벗겨져서 새로운 금속 층이 노출된다. 이것은 빠르게 산화되고 이 산화물 피막이 신체 조직과 사이좋게 지낼 수 있다. 그러나 그 이유는 아직 잘 알려져 있지 않다.

타이타늄의 광물은 1791년에 영국 서부의 크리드의 주교대리인 그레고어(Reverend William Gregor, 1761~1816)에 의해 최초로 발견되었다. 그는 타이타늄에 알려지지 않은 원소가 포함되어 있다는 것은 알았지만 그것을 순수한 물질로 분리할 수는 없었다. 실제로 분리를 시도하였던 다른 사람들도 탄소와 함께 가열하는 일반적 방법으로는 산화물 광물로부터 타이타늄을 추출하다는 것이 불가능하다는 것을 알았다. 탄소는 산소를 제거하는 반응을 하지만 그 다음에 타이타늄은 계속 더 많은 탄소와 반응하여 탄소화 타이타늄을 형성하고 이것은 매우 다루기 어렵다. 연구자들이 이것을 형성되는 것을 방지하는 데 성공했지만 여전히 또 다른 다루기 어려운 화합물인 질소화 타이타늄을 만들게 된다. 몇몇은 소량의 금속을 생산할 수 있었지만 그 시료들도 탄소화물이나 질소화물 불순물을 포함하고 있어 부서지기가 쉽고 가공하기도 어려웠다.

---

\* 영국의 찰스 왕세자는 골절된 팔꿈치를 치료할 때 타이타늄 지지물을 사용하였다.

그런 상태로 유지되다가 1910년에 뉴욕 주의 트로이에 있는 렌슬러 폴리테크닉 연구소의 헌터(M. A. Hunter)가 제네럴일렉트릭과 협력하여 사염화타이타늄과 금속 나트륨을 밀봉된 고압 용기에서 가열해 순수한 타이타늄을 얻었다. 그의 시료는 99.8% 순수했으며 그는 타이타늄이 녹는점이 높아서 전구의 필라멘트로 적당하다고 생각하였다. 그러나 그런 목적으로는 적당하지 않다는 것이 밝혀져서 연구는 폐기되었지만 그 후에 헌터는 타이타늄이 쉽게 가공될 수 있고, 놀랍도록 강하며, 심지어 고온에서도 부식이 되지 않는다는 몇 가지 주목할 만한 특성을 가졌다는 것을 보여줄 수 있었다. 또한 바닷물에 의해서도 영향을 받지 않는다. 타이타늄 금속은 금속 표면에 즉시 생성되는 이산화타이타늄의 불투과성 층 때문에 모든 종류의 극한 조건들에 대처할 수 있었다. 이 층은 단지 1~2나노미터 두께로 시작되지만 서서히 자라 4년 후에는 약 25나노미터가 된다. 이 보호층은 거의 모든 형태의 화학적 공격을 막아낼 수 있으며 심지어 표면층이 손상되더라도 곧 스스로 복구된다. 보호성 산화막을 산화전극의 산화반응으로 인공적으로 강화시키면 그것에는 진주빛 표면이 생성되어서 보석, 특히 귀걸이용 보석으로 적당하게 된다.

타이타늄의 중요한 광물은 타이타늄철석(ilmenite; 산화 철 타이타늄, $FeTiO_3$)으로서 서부 오스트레일리아, 캐나다, 우크라이나에 막대한 모래 광산에서 채굴할 수 있다. 금홍석(이산화타이타늄, $TiO_2$)의 광상은 북아메리카와 남아프리카에 있다. 매년 생산량은 약 9만 톤이지만 430만 톤에 달하는 이산화타이타늄의 생산량에 비하면 매우 적다. 타이타늄 매장량은 6억 톤 이상이며 이 원소는 흔하지만 그것이 복잡한 공정으로 추출되어야 하기 때문에 값은 매우 비싸다. 공정을 단순화시킬 수 있다면 훨씬 더 많은 용도로 사용할 수 있을 것이다.

타이타늄은 상업적으로 사염화타이타늄과 마그네슘 금속을 1,300℃에서 반응시켜서 얻는다. 사염화타이타늄은 투명하고 휘발성인 액체로서 끓는점이 136℃라 정제하기가 쉽다. 1932년에 룩셈부르크의 크롤(William Kroll)은 환원제로서 칼슘 금속을 사용하였지만 최초로 이 공정이 실행 가능하다는 것을 보여주었다. 그는 한 번에 소량씩 생산할 수 있었지만 1938년에는 이미 20킬로그램의 타이타늄 금속을 보유하게 되었다. 1939년에 제2차 세계대전이 일어나자 그는 미국으로 이민을 가 유니온 카바이드 사에 근무했고 이후 미국 광무부로 직장을 옮겼다. 그때에는 이미 그는 사염화타이타늄으로부터 타이타늄을 얻기 위한 물질로서 칼슘을 마그네슘으로 대체할 수 있으며 그 화학반응이 공정을 지속시킬 충분한 열을 발생한다는 것을 발견하였다. (부산 물인 용융된 염화마그네슘 슬래그는 반응로의 바닥에서 빼내며 전기적으로 마그네슘 금속과 염소 기체를 생산하는 데 재활용된다. 이때 생성된 염소 기체는 더 많은 사염화타이타늄을 만드는 데 사용된다.) 1946년에 미국 공군은 타이타늄에 관심을 가지게 되었으며 1950년에는 이미 타이타늄 합금에 대한 필요성 때문에 타이타늄 정제를 미국에서 발전시켜야 한다고 확신하였다. 러시아, 일본, 영국에서도 비슷한 시도가 일어났다. 더 많은 타이타늄을 얻을 수 있게 되자 화학공업, 발전, 외과수술에서 더 많은 용도가 생겨났다.

세계적으로 발전소의 응축기에는 수백만 미터의 타이타늄 파이프가 들어 있으며 부식 때문에 그것이 작용하지 못한 적은 한 번도 없었다. 타이타늄은 강철만큼 강하지만 45% 더 가벼워서 항공우주산업의 경량 합금에 이용된다. 이것은 금속 피로가 나타나지 않는다는 추가적인 이점도 있다. 비행기 엔진의 송풍기 날개는 타이타늄 90%, 알루미늄 6%, 바나듐 4%의 합금으로 만들어진다.* 타이타늄 표면의 얇은 산화층은 바닷물의 부식 작용에도 저항성을 나타내도록 하기 때문에 해양 유정 굴착장치에 이용되며 몇몇 잠수함은 타이타늄 선체로 제작되었다. 타이타닉호의 잔해를 찾기 위하여 대서양 바닥으

---

\* 보잉 747기의 엔진에는 4.5톤의 타이타늄이 들어있다.

로 내려간 잠수함도 타이타늄 선체로 제작되었다. 일부 경주용 요트는 타이타늄 선체로 만들어진다. 타이타늄은 프로펠러 축, 선박의 도르래 장치, 소방 펌프, 열 교환기, 파이프에 이용된다. 타이타늄 금속은 냉각수가 해수이거나 오염된 물일 경우 열전달 용도에 이상적이다. 특히 해수는 금속에 대해 부식성이 강하며 이 때문에 탈염 공장에서는 특별히 타이타늄 부품을 이용한다. 타이타늄 파이프는 가볍고 유연성이 있기 때문에 심해 원유 탐사에서 선호되는 재료이다. 우리가 파도의 파력을 에너지로 이용하려면 막대한 양의 타이타늄이 필요할 것이다.

크롤 공정은 타이타늄철석을 광물로 이용하며 광석을 염소 기체와 탄소와 함께 900℃로 가열하여 사염화타이타늄을 생성한다.* 그 다음 마그네슘 주괴와 함께 밀봉된 강철로에 넣고 아르곤 기체를 이용하여 모든 공기를 제거한 후 용접한다. 이삼일 동안 900℃로 가열하면 마그네슘은 반응하여 염화마그네슘이 되고 타이타늄 금속은 스펀지 같은 고체를 형성한다. 이것을 분쇄하고 강산으로 처리하여 불순물을 제거하고 아르곤 하에서 용융시켜서 주괴로 만든다. 모든 과정을 다 합하면 타이타늄철석으로부터 타이타늄 금속을 얻기까지 약 2주가 걸린다. 이 때문에 가격은 톤당 3만 파운드에 이른다. (러시아가 세계 타이타늄 생산량의 40%를 생산하고 일본이 40%, 미국이 20%를 생산한다.)

광석으로부터 타이타늄을 생산하는 새로운 방법이 개발되었으며 이것은 전기적 공정을 이용하여 950℃로 용융된 염화칼슘 처리액 안에서 3 V의 전위를 걸어주어 타이타늄 산화물을 금속으로 환원한다. 영국 케임브리지대학에서 수행된 이 연구를 기반으로 1998년에 회사가 설립되었다. 이 신생 회사는 자립하기 위하여 노력하였다. 그것을 가능하게 한 연구자들은 프레이

---

\* 탄소는 $CO_2$ 형태로 산소를 제거한다.

(Derek Fray), 파딩(Tom Farthong), 첸(George Chen)이었으며 그들은 실제로 이산화타이타늄이 전류를 통해서 금속으로 환원될 수 있다는 것을 발견하였다. 전해 전지의 환원전극은 용기이고, 전해질은 용융된 염화칼슘, 산화전극은 탄소이다. 전류는 타이타늄 이온을 타이타늄 금속으로 전환하며 금속은 환원전극에 모이고 산소 이온은 산화전극으로 이동하여 거기에서 산소 기체로 방출된다. 발견자들의 이름을 딴 FFC 공정은 크롤법으로 일주일 이상이 걸리는 것과 같은 양의 타이타늄을 생산하는 데 24시간밖에 걸리지 않는다. 이것은 타이타늄 생산량을 연간 6만 톤에서 100만 톤으로 증가시킬 수 있었다. 이 방법으로 타이타늄 합금도 생산할 수 있다.

케임브리지 연구진은 2000년 12월《네이처》지에 공정에 대한 설명을 발표하였다. 미국해군연구소가 이에 주목하고 자금을 지원하였고 2002년에는 영국고등방위연구소와 함께 더 많은 자금을 지원하여 시험용 공장을 건설하기 위한 브리티시 타이타늄이라는 독립회사를 설립하게 되었다. 그 다음에 그들은 공정의 화학이 원래 알아낸 것보다 더 복잡하다는 것을 알아내기 시작하였다. 회사는 어려움을 겪었지만 그 상황에서 노스크 하이드로라는 형태의 제3의 후견인이 등장하여 브리티시 타이타늄은 2005년 6월에 노스크 타이타늄을 설립하였으며 연구는 노르웨이로 옮겨갔다. 마술 지팡이를 흔들기 위해서는 티타니아가 여전히 필요하겠지만 언젠가는 타이타늄이 알루미늄처럼 풍부해질 날도 있을 것이다.

예를 들면 구겐하임 미술관처럼 건축도 타이타늄 외관을 사용하기 시작하였다. 이 미술관은 스페인의 빌바오시의 강변에 있으며 33,000제곱미터의 순수한 타이타늄 판으로 덮여 있다. 이것은 100년 이상 부식이 되지 않을 것을 보장한다. 홍콩 신역의 지붕은 6,500제곱미터의 타이타늄 판으로 되어 있다.

타이타늄 금속 이외에도 커다란 이점을 가지는 이산화타이타늄, 탄소화

타이타늄, 타이타늄-니켈 합금, 질소화타이타늄의 네 가지 타이타늄 유도
체들이 있다.

이산화타이타늄은 현대의 백색 납에 해당하지만 타이타늄 화합물은 독성
이 없기 때문에 훨씬 더 안전하다. 생산된 이산화타이타늄의 절반 이상은 페
인트에 들어가며 4분의 1은 플라스틱에 들어가며 나머지는 종이, 섬유, 세라
믹, 에나멜, 식품착색, 인쇄잉크, 박판에 이용된다. 타이타늄 산화물 산업은
납의 대용품을 찾고 있던 페인트 제조업자들이 이산화타이타늄이 훌륭한 성
질을 가지고 있다는 것을 발견한 1930년대부터 시작되었다. 이것은 독성이
없고, 변색되지 않으며, 굴절률*이 매우 높기 때문에 흰색의 이산화타이타늄
은 가정용품에 사용된다.

이산화타이타늄은 타이타늄 광물을 황산에 녹인 후 침전된 산화물을
1,000°C로 가열하여 만들 수 있다. 더 현대적 공정에서는 이것을 사염화타
이타늄으로 전환한 후 1,000°C에서 산소로 산화시킨다. 이산화타이타늄을
분쇄하여 적당한 크기의 결정으로 만들며 때때로 액체와 더 쉽게 섞기 위하
여 산화알루미늄을 코팅한다. 2001년에 스웨덴 웁살라대학의 두브로빈스키
(Leonid Dubrovinsky)가 이끄는 지구과학연구소 연구진은 새로운 형태의 이산
화타이타늄을 보고하였다. 이것은 지금까지 만들어진 물질 중 가장 단단하며
다이아몬드 다음으로 단단하다. 이것은 금홍석으로부터 60 GPa(대기압의 60만
배)의 압력을 받을 수 있는 특수한 모루 구멍에서 레이저로 1,500°C로 가열
되어서 만들어졌다. 이 극단적 조건이 한 일은 강제로 타이타늄과 산소 원자
들을 더 단단한 결정 배열로 만든 것이었다. 이를 통해 티타니아는 초자연에
가까운 강도를 가지게 된다.

---

* 굴절률은 물질이 빛을 산란시키는 능력을 측정한 것이다. 이산화타이타늄의 굴절률은 2.7로서 다
  이아몬드의 굴절률 2.4보다도 더 크다.

탄소화타이타늄(TiC)는 2,000°C에서 탄소 검정(카본 블랙)을 이산화타이타늄에 작용시켜서 만들어진다. 이것은 탄소화텅스텐 다음으로 매우 중요한 단단한 금속 재료이며 실제로 이것은 금속 탄소화물 중에서 가장 단단해서 모스 경도 9이다. 다이아몬드의 모스 경도는 10이다. 이것은 순수하게 사용하면 스스로 너무 깨지기 쉽지만 탄소화텅스텐, 탄탈륨, 나이오븀과 혼합하면 커다란 강도를 나타낸다.

또 다른 마술 같은 타이타늄 재료는 그 전의 모습을 '기억'하며 그것으로 돌아갈 수 있는 합금인 나이티놀이다. 나이티놀은 니켈 55%와 타이타늄 45%로 구성되며 니켈 원자 한 개에 타이타늄 원자 한 개가 조합된 것이다. 이 합금은 1960년대에 미국 니켈 타이타늄 해군군수품연구소에서 개발되었으며 연구소는 이것을 Ni-Ti-NOL이라고 명명하였다. 이 합금은 다른 어떤 금속으로 만들더라도 영구적으로 변형될 정도로 뒤틀린 뼈대가 나이티놀로 만들어졌기 때문에 압력이 제거되면 다시 원래 모양으로 되돌아온 것으로 유명해졌다.

타이타늄은 질소 기체에서 연소하여 단단하고 부식이 되지 않는 재료인 질소화타이타늄을 형성하는데 이는 전기를 잘 전도한다. 질소화타이타늄을 코팅하면 색이 금처럼 보이며 자외선을 반사한다. 이 물질은 아주 멋지지만 고온이나 고전압(3,000 V)을 사용하지 않고서는 코팅하기가 어렵다.

## 미래의
## 청색

세계적으로 수천만 개의 신호등들이 밤낮으로 엄청난 전력을 소모하고 있다. 다행히 오늘날에는 발광다이오드(LED) 덕분에 전력 소모가 줄어들었지만 녹색 파장의 LED가 없었던 시절에는 구식의 비효율적 전구를 이용하였다. 붉은색과 같은 장파장을 발생하는 LED는 오래전부터 알려져 있었지만 청색과 같은 단파장을 발생하는 LED는 질소화갈륨(GaN)이 등장할 때까지는 발견되지 못했다. GaN을 포함하는 기구의 판매는 현재 매년 세계적으로 20억 달러 이상이다. 실제로 질소화갈륨은 실리콘이나 비소화갈륨보다 밝게 빛날 것으로 기대되는 새로운 반도체이다. 이것은 전력의 소모를 감소시키는 것은 물론 다른 많은 분야의 생활을 혁신하고 있다.

우리가 휴대전화를 사용할 때, 위성 내비게이션을 이용할 때, 게임보이를 사용할 때, 아이팟을 들을 때, 인터넷에 로그온할 때, 노트북 컴퓨터로 작업을 할 때 반도체를 이용하고 있다. 몇 년 안에 이런 작은 기기들은 자동차의 효율을 최대화하기 위하여 감시하고, 지문이나 홍채로 우리를 확인하고, 우리의 병을 진단할 것이다. 이 모든 것들이 중심에 놓인 새로운 기술은 III/V 반도체이며 그중에서 GaN은 떠오르는 별이다. 로마 숫자 III과 V는 구형 주기율표의 족을 나타낸다. 갈륨과 인듐 같은 원소는 III족(신형 13족)에 속하고 질소, 인소, 비소, 안티모니는 V족(신형 15족)에 속한다. 몇 가지 종류의 III/V(13/15족) 반도체가 있으며 가장 잘 알려진 것은 비소화갈륨(GaAs), 인화갈륨(GaP), 인화인듐(InP), 비소화인듐(InAs)이 있다. 모두가 발광체에 이용된다. GaAs와 InP는 고주파 발생과 증폭에도 이용되며 GaAs, InAs, InSb는 레이저 다이오드 생산에도 이용된다.

과학자들은 반도체 재료로서 비소화갈륨에도 흥미를 가지기 시작했는데, 이것이 실리콘보다 열을 덜 발생해서 슈퍼컴퓨터와 더 흔한 휴대전화에 사용하기에 더욱 적합하기 때문이다. 실리콘과 GaAs 반도체가 여전히 가장 많이 사용되고 있지만 그것들에는 제한이 있다. GaN 반도체는 10배 더 강력하며 훨씬 더 많은 전류를 운반할 수 있다. 그것은 또 훨씬 더 단단하다. 이 새로운 재료를 어디에 사용하게 될까? 가장 분명한 답은 청색과 녹색 빛을 발생하는 새로운 세대의 LED이며 이것은 스펙트럼의 붉은색 말단에서 발생하는 것과 조합하면 백색광을 발생할 수 있다. 녹색광의 발생은 교통신호등뿐 아니라 모든 종류의 조명에 광범하게 사용될 것이며 백색광은 일반적 실내조명의 가능성을 제공해 줄 것이다. 또 GaN은 청색 레이저를 만들게 할 수 있으며 이것은 CD나 DVD에 저장되는 데이터의 양을 증가시킬 것이다. 이론상으로 엄지손톱만한 디스크가 50 GB(기가바이트)의 정보를 담을 수 있다. 이런 모든 용도는 GaN이 커다란 띠 간격을 가져서(다음의 상자 참고) 스펙트럼에서 단파장 쪽 빛을 발생할 수 있기 때문에 가능하다.

## ● 띠 간격

어떤 물질이 반도체로서 유용하려면 원자가(原子價) 띠에서 전도성 띠로 전자를 올려주는 데 필요한 에너지가 적당해야 한다. 원자가 띠는 원자들이 결합하는 전자가 있는 곳이며 전자들이 자유롭게 운동할 수 있는 영역이 있는데 이것이 전도성 띠이다. 전자를 이 띠로 올려주는 데 에너지가 얼마나 필요한지는 재료가 도체인지, 반도체인지, 절연체인지에 따라서 결정된다. 가로지르는 에너지 간격이 너무 크면 다이아몬드와 같은 절연체가 되는데 다이아몬드에서 에너지 간격은 5.3 eV*이다. 에너지 간격이 작아서 쉽게 뛰어올라갈 수 있으면 도체가 되며 많은 금속에서 간격은 영이거나 0.1 eV 이하이다. 에너지 간격이 0.1과 3.0 eV 사이이면 이것은 연결될 수 있지만 더 많은 에너지가 필요하며 이것을 반도체로 분류한다. 실리콘의 띠 간격은 1.1 eV이고, 저마늄은 0.69 eV여서 모두 미세전자기기를 위한 반도체로서 상당히 유용하다. 비소화갈륨에서 띠 간격은 1.4 eV이며 이것은 CD 같은 광학 전자기기에 적합하며 그 빛은 붉은 색이다. GaN은 간격이 커져서 약 3 eV가 되어 겨우 연결될 수 있으며 스펙트럼 끝 부분의 단파장, 고에너지의 빛을 발생한다. 바로 이것이 전혀 새로운 응용 영역을 열었다.

1990년대 중반에 일본 니치아 사에서 근무하던 나카무라(Shuji Nakamura)

---

* 이것은 전자공학에서 사용되는 에너지 단위이며 전자가 1 볼트의 전위차를 가로질러서 가속되는 데 필요한 에너지이다.

는 최초로 강한 청색광을 발생할 수 있는 LED를 개발하였으며 이로써 가시
광선 스펙트럼의 전영역이 완성되어 모든 색의 조합이 가능해졌다. 그는 블
루레이 디스크 기술의 청색 레이저 다이오드를 가능하게 한 GaN의 기적을
발견하였다. 이것은 소니의 플레이스테이션 3 같은 형태로 우리에게 다가왔
다.

GaN은 반도체 성질을 잃지 않으면서도 높은 전압을 견딜 수 있으므로 기
어를 전환하는 동력 전달에 이용될 수 있다. 또한 고온에도 견딜 수 있기 때
문에 엔진과 다른 기기의 성능을 감시하는 데도 이용 가능하다. GaN은 많은
전류를 통과시킬 수 있어 라디오파 전달을 위한 무선 기지국 장치에도 사용
될 수 있을 것이다. 현재 휴대전화 산업은 3세대 기기의 인기에 의해서 나타
나듯이 음성을 기본으로 하기보다는 문자를 기본으로 한다. 이런 수요는 전
력 증폭기에 의한 신호의 순수성을 더 요구하며 이것을 GaN이 전달하려는
것이며 휴대전화의 기지국은 현재보다 10배 정도 먼 거리도 담당할 수 있다.
이것은 고주파에서 작동할 수 있기 때문에 GaN은 무선 광대역 접근을 위한
소형 기기 집적 회로에 사용될 것이다. 이것은 압전효과를 나타내기 때문에
다시 말해서 눌러주면 전기를 발생하기 때문에 압력 감지기에 사용될 수 있
을 것이다.

GaN은 매력적인 재료이며 그 반도체 성질을 1,000°C까지 유지하는데
이것은 실리콘이 반도체로 작용하지 못하게 되는 온도보다 더 높다. GaN은
GaAs가 이온화를 하여 반도체 성질을 끝내게 되는 전기장보다 7배 이상을
견딜 수 있다. 전압과 전류를 함께 고려하면 GaN은 GaAs보다 50배 더 좋은
전력 성능을 나타낸다. GaN은 동조 배열된 레이더 같은 더 작은 크기의 전
쟁무기를 만들 수 있게 해주기 때문에 비용이 별로 문제가 되지 않는 무기제
조업체로부터 주목을 받았다. 이것은 더 먼 범위까지 관측할 수 있으며 회전
하는 스캐너가 없기 때문에 그 위치가 노출되지 않는다. 심지어 핵무기 공격

에 이은 강력한 방사선 폭발을 겪더라도 GaN은 다른 반도체들처럼 그런 이온화 복사선에 민감하지 않기 때문에 계속 작동할 것이다.

가전제품에서 GaN은 전자레인지의 라디오파 트랜지스터에 들어 있는데, 전자레인지에서 열 복사선을 발생시키기 위해 마그네트론을 사용한다.

GaN에 대하여 의문인 것은 그것이 마이크로전자공학 재료로는 작용하지 않는다는 점이다. 이것은 마치 결정의 어긋나기로 만신창이가 된 것 같다. GaAs가 제곱센티미터당 1,000개의 어긋나기가 있다면 LED로 작용하지 못하겠지만 GaN은 제곱센티미터당 10억 개의 어긋나기가 있더라도 여전히 작용한다. GaN은 이런 불가능한 일을 어떻게 가능하게 하는 것일까? 이 의문에 대하여 아직까지 분명한 답은 없지만 그것은 반도체의 p-와 n-형 사이의 경계면과 관련이 있다. p-GaN은 양'정공'을 만들기 위하여 마그네슘 같은 전자 결핍 원자를 미량으로 첨가하여 얻어진다. 반면에 n-GaN은 실리콘을 혼입하여 만들어진다. 그것들 사이에 반도체인 질소화인듐갈륨(InGaN)을 넣으면 높은 수준의 격자 결함을 가지고 작동할 것이다. 이것을 양자 우물 영역이라고 하며 '정공'과 전자가 이동하여 들어가는 전기 전위의 영향 아래 그곳에서 결합하여 소위 여기자(勵起子)를 형성하며 이것은 광자로서 방출된다. 보통 이런 일이 발생하는 영역은 결정 결함이 없어야 하지만 GaN은 그런 결함을 견딜 수 있으며 여전히 여기자를 형성하게 해준다.

결정성 반도체 GaN의 생산은 쉽지 않은데 그 위에서 반도체가 화학증착으로 성장해야 할 완전한 표면이 존재하지 않기 때문이다. 1990년대에 GaN을 위한 실리콘 기질이 연구되었지만 실리콘의 구조가 실제로 GaN의 구조와 들어맞지 않기 때문에 이 방법은 폐기되었다. 사파이어가 대안 기질이지만 이 물질은 투명하고 값이 싸다는 이점이 있지만 열전도율이 낮은 단점이 있다. 또 다른 표면으로 탄소화실리콘이 사용되었는데 이것은 열전도율이 좋아서 흔히 선택된다. 물론 그 위에서 GaN이 성장할 수 있는 이상적 물질은 GaN 자체일 것이며 일본의 수미토모 전기산업은 이런 목적으로 단결정 GaN을 개발하였으며 현재 일주일에 500단위의 속도로 그것을 생산하고 있다. 1단위는 블루레이 디스크 장치에 사용되는 만 개의 청색 레이저 다이오드를 만드는 데 이용될 수 있다.

## ● 갈륨의 특별한 성질

갈륨은 프랑스 파리의 드 부아보드랑(Paul-Émile Lecoq de Boisbaudran)이 1875년에 피레네에서 나온 황화아연 광석의 스펙트럼을 조사하다가 발견하였다. 그는 희미한 청자색 선을 보았으며 이것은 새로운 원소가 존재한다는 표시였다. 그 존재는 이미 6년 전에 러시아의 화학자 멘델레예프(Dimitri Mendeleyev)에 의해서 예측되었다. 그는 최초로 주기율표를 만들고 III족의 알루미늄 아래에 빈칸이 있다는 것을 알았다.

갈륨은 지각에서 납보다 더 풍부해서 이 금속이 부족할 것 같지는 않지만 갈륨 원광이 전혀 존재하지 않아서 다른 원천으로부터 추출해야 한다는 점에서 납과 다르다. 이것은 알루미늄 원광인 보크사이트 같은 몇 가지 광석에 소량씩 존재한다. 보크사이트는 연간 200~300톤의 갈륨이 생산되는 원천이다. 순수한 갈륨은 2006년에 가격이 킬로그램당 3,000달러 정도이며 반도체용은 99.99999% 순수해야 한다. 다시 말해서 천만 개의 갈륨 원자당 다른 원자가 1개 정도만 있어야 한다.

갈륨은 은백색 금속이며 칼로 자를 수 있을 정도로 부드럽다. 또한 녹는점이 30℃이기 때문에 손에 쥐고 있으면 액체가 되며 드물게도 액체로 되면서 부피가 줄어든다.* 대부분의 물질은 녹으면서 부피가 늘어난다. 이것은 끓는점이 2,403℃여서 액체인 구간이 가장 길다.

GaN의 장래는 언젠가 생화학적 감지기 같은 나노 크기 전자기기에 사용되는 나노전선 형태가 될 수 있을 것이다. (반도체 GaN과 달리 이것은 결함이 없다.) 캘리포니아에 있는 로렌스 버클리 국립연구소의 양(Peidong Yang)이 산화아연 나노전선 위에서 성장시켜서 이것을 최초로 생산하였다. 그는 산화아연

---

\* 얼음도 녹으면서 부피가 줄어들고, 안티모니 금속도 줄어든다.

전선을 700°C에서 트라이메틸갈륨과 암모니아의 혼합물에 노출시켰다. 여기에서 분자들이 분해되고 갈륨과 질소 원자는 산화아연 표면에서 결합하여 GaN 막을 형성하였다. 다음에 화학적 방법으로 산화아연을 제거하면 속이 빈 GaN 나노전선이 생긴다. 화학자들이 원자 세계 수준에서 작동할 수 있는 나노 기계를 만들려고 노력하면서 나노튜브는 현재 열광적 연구 주제가 되고 있다. 그 동안에 GaN은 점점 더 적은 전기를 소모하며 작동하는 장치들에서 스펙트럼의 단파장 끝에서 나오는 빛을 계속 만들어 줄 것이다.

이 장에서는 재생불가능한 에너지원을 점점 더 적게 이용해야 하는 미래에도 현재의 혜택을 계속 누릴 수 있게 해주는 재료를 어떻게 만들 수 있는지를 살펴보았다. 그 답의 일부는 지구의 희귀 금속에 있겠지만 그중 한 가지가 우리가 달성하려는 모든 것을 제한할 수도 있을 것이다. 그 금속은 인듐이다.

## ● 태양광 판을 만드는 데 필요한 희귀 금속은 고갈되고 있는가?

고효율의 인화갈륨인듐을 사용하는 태양 에너지 발전의 전망에 인듐에 대한 의존성이라는 작은 장애물이 생겼다. 인듐은 유리 표면에 투명한 전기전도성 코팅을 만들기 위한 산화인듐주석으로서 이용되고 있기 때문에 많은 다른 태양 전지에도 매우 중요하다. 인듐은 다른 금속과는 달리 그 자체적으로 유리에 '부착'되기 때문에 널리 사용된다. 인듐은 지각에 단지 0.1 ppm 있어서 구성 성분 가운데 69번째를 차지할 정도로 매우 희귀하다. 인듐 광석은 없으며 있을 것 같지도 않다.

세계의 인듐 공급은 아연과 납 정제의 부산물로서 이루어지며 중국(연간 11톤), 일본(70톤), 캐나다(40톤), 프랑스(10톤), 독일(10톤)에서 주로 생산되며 몇몇 다른 나라에서 소량 생산된다. 전체적인 정제된 인듐 생산량은 연간 340톤이며 그중 대부분은 산화인듐주석(70%)과 인듐 반도체(15%)로 사용되며 상점과 창고의 화재 스프링클러 장치에 들어 있는 녹는점이 낮은 합금 같은 다른 몇 가지 용도도 있다.

반도체로서의 인듐은 최소한 6N(식스나인) 등급이어야 한다. 즉 99.9999% 순수해야 하지만 몇몇 용도에서는 7N을 필요로 한다. Indium Corporation of America, 독일

PPM, 영국 MCP, Japan Energy 같은 몇몇 생산자만이 이런 순도로 생산할 수 있다. 공업용 인듐(3N)의 가격은 2003년 초반까지 킬로그램당 1,000달러 정도였지만 그 용도가 늘어남에 따라서 가격이 두 배로 높아졌다. 태양 전지용 인듐은 6N 등급이 되어야 하며 이것은 가격이 킬로그램당 2,400달러 이상이다.

아연과 납 광석에서 얼마나 많은 인듐을 추출할 수 있는지는 더 알아보아야 하지만 금세기 말까지 우리가 태양 전지로부터 얻고자 하는 전기를 생산하는 데 충분하지 않을 것 같다. 현재 세계가 필요로 하는 것은 젊고 똑똑한 화학자들이 대용물질을 찾아내는 것이다. 강력한 후보들 중 한 집단은 나노튜브일 것이며 이것은 이미 LED와 PV 태양 전지에 응용되고 있다. 한편 30개가량의 희귀 금속들과 그것의 수천 가지 화합물들은 아직 연구되지 않고 있다. 그것들 중 하나가 인듐을 능가할 수도 있다.

# 풍요로운 생활

## 가정 속의 화학

글로벌 타임스 뉴스, 2025년 3월 21일

## 정제형 세제, 녹색운동을 시작하다

새로운 정제형 세제 그린 클린(Green Clean) 1년분(100)이 든 상자가 곧 인도에 상륙하여 전국 슈퍼마켓에서 팔릴 것이다. 이것은 순전히 재생가능한 자원으로만 만든 것이다. 방갈로르의 인디아켐사의 화학자들은 마침내 모든 성분이 재생가능한 원료로 만드는 문제를 해결하였다.

수석 과학자인 파텔(Donal Patel)은 다음과 같이 말했다. "우리가 직면한 가장 어려운 문제는 경수의 칼슘을 중화시키는 화학물질을 찾는 것이었습니다. 마침내 우리는 하수 처리 과정에서 인산을 추출하여 트라이폴리인산나트륨을 생성하기에 이르렀습니다." 파텔 박사는 이 화학물질이 한때 강과 호수를 오염시킨다고 비난을 받았지만 하수에서 인산을 제거하면 더는 위협이 되지 않으며 화학공업의 원료로서 재사용될 수 있다고 주장하였다.

계면활성제, 때 용해제, 염료 안정제, 증백제, 섬유 유연제, 심지어 표백제 등도 현재는 밀짚과 나무껍질을 비롯한 작물이나 해수에서 얻은 무기물로부터 얻은 화학물질로부터 만들어진다.

파텔은 "그린 클린은 실온에서 작용하며 최소량의 물을 소모한다."고 덧붙였다. 지난해 인도에서는 세탁 후 헹군 물을 소독하여 저장한 뒤 다음 세탁에 사용하는 새로운 세탁기를 개발했다고 밝혔다. 그는 "이제 우리는 세탁이 매우 자연친화적으로 된 것에 대하여 자랑스럽게 여깁니다."라고 말했다.

새로운 세탁제의 여러 성분은 알맞은 시점에 화학물질이 작용하도록 미세구로 코팅되어 있으며 총 25그램의 세탁제가 수용성 고분자인 폴리비닐 알코올 봉투에 들어 있다. 이 봉투도 식물 원료로부터 생산된다.

7면: 구루는 알약이 깨끗하지 못하고 나병의 원인이 된다고 말한다.

인류가 털로 덮인 동물로 진화하였다면 의복이 필요 없겠지만 한편으로는 패션으로 인한 생활의 즐거움을 얻지 못했을 것이다. 그러니 수 세기 동안 특히 여성들은 옷을 입는 데 꽤 많은 돈을 썼으며 그것을 세탁하는 데도 많은 노력을 들였다. 선진국에서 그 수고가 가벼워졌지만 현대 가정에서 옷을 세탁하려면 에너지와 화학물질이 필요하기 때문에 어떤 측면에서는 환경에 부담을 주기도 한다. 이 장에서 우리는 그전에 사용하던 것보다 훨씬 더 우수하지만 더 친환경적인 제품을 만들기 위하여 화학물질이 어떻게 진화해왔는지 살펴볼 것이다. 우리는 위의 2025년 뉴스가 실현되는 미래로 가는 길목에 이미 서 있다.

첫 번째 주제는 평범하게 보이는 세탁제의 세계에 초점을 맞추어서 화학자들이 소비자, 환경, 심지어 법령의 최신 경향에 항상 예의 주시하며 그전 세대들이 기적이라고 했을 제품들을 생산하는지 알아본다. 미래 세대들은 그런 이점을 이용하려면 순전히 지속가능한 원천에 기반을 둔 화학산업이 필요하며 이 내용은 이 장의 끝 부분에서 다룰 것이다. 그 이전에 우리는 계면활성제가 조산아의 생명을 구하는 방법과 찬물로 의류를 세탁하는 방법, 국가적 차원에서 세탁 방식을 바꾸게 한 잘못된 보고서, 많은 비누 거품이 항상 최선의 세탁법은 아닌 이유, 불쾌한 냄새를 다루는 방법을 찾아볼 것이다. 화학과 더 청결한 생활은 밀접한 관련이 있다.

## 내 골칫거리를 모두 씻어가라:
### 세탁보조제

빨래를 하는 전통적 방법은 가까운 강으로 가서 빨래를 물에 담근 후 빨래를 두들겨 때를 빼는 것이었다. 세계의 일부 지역에서는 여전히 이 방법으로 빨래를 하지만 더 많은 곳에서는 세탁기 드럼이 회전하여 두드리는 작용을 대신하고 있다. 그러나 때를 제거하는 것은 주로 물속의 세탁제이다.

지난 50년 동안 생활양식이 많이 바뀌었으며 우리가 입는 의류와 그것이 만들어지는 재료도 적잖이 변하였다. 환경적 이유 때문에 우리는 물을 덜 쓰고, 에너지를 덜 쓰고, 세제를 덜 쓰기를 바라면서도 오늘날 우리는 옷을 훨씬 더 자주 세탁하며 때로는 때를 제거하기 위해서가 아니라 단지 상쾌한 기분을 위해서 세탁하기도 한다. 우리는 다른 소망도 가지고 있다. 우리는 새 옷을 색이 빠지지 않도록 빨고 싶다. 우리는 여러 번 빤 후에도 옷이 헤져 보이지 않기를 원한다. 우리는 세탁과 건조 후에도 피부에 닿는 옷의 촉감이 좋기를 바란다. 우리는 섬세한 직물에 사용하는 세제가 순하기를 원한다. 우리는 일상생활에서 흔한 카레 소스, 커피, 진흙, 자동차 기름, 풀물, 그리스 등이 옷에 묻으면 세제가 얼룩을 깔끔히 제거하기를 바란다.* 이런 모든 요구는 현대 세탁제에 의해서 해결되었다.

　오늘날 세탁제는 액체, 분말, 주머니, 정제 등 형태가 다양하며 성분도 30가지 이상 함유하고 있다.** 위의 모든 요구 사항을 충족하기 위하여 그렇게까지 많은 화학물질이 필요한가에 대해 회의적이라면 세라믹 원판이 내장된 세탁기 같은 새로운 제품도 있다. 이것은 두드리는 작용을 증가시킨다고 생각되며 따라서 훨씬 더 적은 세탁제를 넣을 수 있다. 그러나 실험실 시험에 의하면 그것은 거의 소용이 없다. 반면에 유명 상표의 세탁제는 모든 얼룩을 없애주며, 의복을 손상하지 않고, 세탁기를 부식시키지 않고, 더 적은 물, 에너지, 세탁제를 사용해서 환경에 최소한의 영향을 주는 것을 보장한다. 실제로 현재 20℃의 낮은 온도에서 깨끗하게 세탁을 할 수 있다. 얼룩을 제거하기 위해서 세탁물을 삶아야 했던 우리 조상들은 그런 일이 가능하다고 생각하지도 못했을 것이다. 오늘날 대부분 사람에게 세탁은 힘들지 않다. 세탁물을 기계에 넣고 세탁제와 섬유 유연제를 채우고, 원하는 코스를 선택하면 한두 시간 안에 일이 끝난다. 오늘날 많은 가정에서 의류가 매우 자주 세탁됨에 따라

---

*　조사에 의하면 의류에 생기는 가장 흔한 얼룩은 진흙, 기름, 커피, 포도주이다.
**　유럽 소비자들은 분말과 정제 형태를 선호하고 미국 소비자들은 액상을 선호한다.

세탁기는 매일 사용된다.* 한 번 입고 빠는 것이 하루의 일과가 된 것이다.

우리의 먼 선조들은 세탁을 아주 어렵게 했으며 기꺼이 여러 가지 시도들을 하려고 하였다. 그들이 발견한 첫 번째 세탁보조제는 천연 화학물질인 사포닌이었다. 이것은 사포나리아(Saponaria officinalis) 식물의 잎과 뿌리에 들어 있다. 이것은 스테로이드와 탄수화물이 결합된 매우 복잡한 분자로서 물에서 세탁을 도와주는 풍부한 비누 거품을 형성한다. (사포닌은 독성이 다소 있고 적혈구를 공격하기 때문에 지금은 사포닌을 세탁제로 허용하지 않고 있다.) 예쁜 분홍색 꽃을 피우는 사포나리아는 보통 강가에서 자라며 잎과 뿌리를 삶아서 만든 용액은 울 세탁에 특히 유용하다. 그러면 왜 모든 식물이 스스로 세탁제를 만들 필요가 있을까? 이는 자신을 보호하기 위함이다. 영국 노르위치에 있는 존 인네스센터에서 1998년에 실시된 연구에 의하면 사포닌을 소량 생산하는 귀리를 유전적으로 변형시켜서 사포닌 생산 유전자를 제거하면 사포닌 생산 식물이 성장하는 장소와 기후의 습도에서 번성하는 진균류가 일으키는 병에 대한 저항성을 잃게 된다.

사포나리아보다 더 좋은 비누가 약 4,500년 전에 중동 지방에 등장하였으며 그 당시 그것은 세탁보조제뿐만 아니라 화장품으로도 사용되었다. 고대의 부자들은 축융업자(양털을 직물로 만드는 기술자)에게 세탁을 맡겼는데 그들은 소량의 소다(탄산나트륨)로 약간 알칼리성으로 만든 따뜻한 물이 든 통에 세탁물을 넣고 발로 세게 밟아서 세탁하였다. 실제로 고대 이집트에서 축융업자를 나타내는 상형문자는 물속에 서 있는 두 다리였다. 비누는 로마인들에 의해서 사용되었으며 작가인 플리니우스는 염소 기름으로 만들어진 '사포'에 대하여 저술하였다. 비누는 소다(탄산나트륨)를 이용하여 만든 고체형과 나뭇재(탄산칼륨)를 이용하여 만든 액체형 두 종류가 있었다.

---

* 1997년에 유니레버 사가 실시한 조사에 의하면 평균적으로 가정은 일주일에 약 5회 세탁한다.

약 천 년 전에 비누는 세탁제로 제조되어 사용되기 시작하였다. 영국의 최초 비누 제조업자는 1259년에 런던에 소파스 레인이라는 가게를 열었다. 그러나 1700년대 후반이 되어서야 공업적 규모로 소금에서 소다를 생산하는 방법이 발견되었다. 이 때문에 비누 제조는 중요한 산업이 되었으며 개인용의 화장용 비누와 세탁과 일반 청소를 위한 가정용 비누를 생산하였다. 의복은 더 깨끗해졌지만 가정의 세탁은 여전히 일주일마다 담그고 비비고 끓이고 두들기고 비틀고 헹구고 비틀고 말리는 단조롭지만 고된 일이었다.

## ● 비누란 무엇인가?

비누는 지방과 기름으로부터 만들어진다. 이런 천연 화학물질은 글리세롤(화학식 $C_3H_8O_3$)에 3개의 기다란 지방산 사슬이 결합된 것으로 대문자 E를 수평 방향으로 잡아 늘여 놓은 것과 분자 모양이 비슷하다. E자의 수직선은 글리세롤 분자의 3개의 탄소 원자를 나타내며 수평선은 지방산을 나타낸다. 지방산 중 비누를 만드는 데 가장 좋은 것은 포화된 것으로서 이 중 16개의 탄소 사슬로 된 팔미트산과 18개의 탄소로 된 스테아르산이 가장 흔하다. 지방과 기름을 탄산나트륨 같은 알칼리와 함께 가열하면 지방산이 글리세롤로부터 떨어져 나와서 팔미트산나트륨과 스테아르산나트륨을 형성한다. 이것이 비누를 형성한다. 초기에는 글리세롤을 그대로 비누에 남겨두었지만 오늘날에는 글리세롤을 분리하여 회수한 후 화학공업을 위한 천연자원으로 이용한다.

최초의 현대적 세탁제인 독일의 퍼실(Persil)이 도입되면서 1907년 세탁의 수고를 약간 덜어주는 실제적 진보가 이루어졌다. 비누, 탄산나트륨, 규소산나트륨, 과붕소산나트륨으로 구성된 이 세탁제를 물에 풀어 삶으면 완전히 깨끗하게 세탁이 되었다. 좀 더 개선되어서 1913년 독일에서 역시 애벌세탁제가 사용되었다. 이것은 단백질 가수분해효소에 기반을 둔 것으로서 이 효소는 혈액, 달걀, 고기즙, 우유 같은 단백질 얼룩을 분해할 수 있다. 그런 세탁보조제 시장은 더 좋은 효소를 이용하게 된 1950년대 후반까지 확대되었으며 지금도 애벌세탁제로 이용되고 있다. 1970년대에 녹말 얼룩을 수용성 성분으로 분해할 수 있는 아밀라아제 효소가 첨가되었다. 그후 1980년대에는 올리브기름, 요리용 기름, 버터, 마가린, 크림, 피지(피지는 죽은 피부 세포와 기름의 혼합물로서 목과 소매처럼 신체와 직접 접촉하는 부분에 얼룩을 만든다.)와 같은 제거하기 어려운 지방과 기름을 분해하는 지질 가수분해효소가 첨가되었다.

지난 몇 년 동안 효소가 향상되면서 의복에 묻은 음식 얼룩과 속옷 얼룩도 이제는 문제가 되지 않는다. 1980년대 후반에는 효소가 과산화물 표백제 작용에 저항성을 갖도록 유전공학적으로 변형되었으며, 2000년에는 이미 한 세탁제에 모든 종류의 효소를 혼합할 수 있게 되었다. 효소 자체도 단백질이기 때문에 이론상으로 단백질 가수분해효소는 다른 효소를 공격하며 소화할 수 있으므로 이것을 극복할 수 있는 특별한 변종이 개발되었다. 오늘날 효소는 유럽에서만 3만 톤이 넘게 소모되고 있으며 이것의 대부분이 세탁제에 사용된다. 그러나 이것은 이상한 오해 때문에 억제를 당한 사실도 있음을 기억해야 된다. 영국에서는 효소에 대한 오해 때문에 많은 사람이 의도적으로 효소 세탁제의 이점을 포기하였다.

## ● '비생물학적' 세탁제의 이상한 이야기

약 25년 전에 영국 BBC의 한 프로그램에서 새로운 세탁제(새로운 퍼실, Persil New System)가 발진을 일으키고 습진 같은 피부병을 일으킨다고 불평하는 사람들에 대하여 방송하였다. 그들은 효소를 의미하는 '생물학적' 성분을 비난하였다. 그들의 주장을 뒷받침해 주는 과학적 증거는 전혀 없었으며 아직까지 발견되고 있지 않지만 그것이 광범위하게 믿어지게 되었으며 오늘날 효소를 전혀 함유하지 않는 '비생물학적' 세탁제가 영국의 세탁제 시장의 30%를 차지한다. 세계의 다른 곳에서는 그런 제품이 생산되지 않는다. 오늘날 효소가 피부병을 유발한다는 생각은 논의할 여지가 없으며, 바람직하지도 않고 게다가 사실도 아니지만 뿌리가 깊은 현대적 미신이다.

지난 세기에 세탁제는 점점 더 많은 세탁을 담당하였으며 오늘날 효소 이외에도 다양한 성분이 포함되어 있다. 이런 것에는 다음과 같은 것이 있다.

- 계면활성제: 섬유에서 때를 떼어냄
- 소포제: 거품이 일어나는 것을 방지함
- 빌더: 칼슘을 제거하여 세탁용 물을 연수로 바꿈
- 재침전 방지제: 때가 다시 의복에 달라붙는 것을 방지함
- 염료 전이 억제제: 염료 분자가 다른 의류를 착색하는 것을 방지함
- 과산화물 표백제: 차, 커피, 과일 주스 같은 얼룩을 제거함
- 표백제 활성제: 과산화물 표백제가 저온에서도 작용하게 함
- 형광증백제: 흰색을 더 희게 보이게 하고 오래되어서 생기는 노란 기운을 감추어 줌
- 부식 억제제: 세탁기의 금속 부분을 보호함
- 향료: 세탁된 의류, 수건, 침구에서 좋은 냄새가 나게 함

이런 화학물질 덕분에 현대의 세탁기 안에서는 매우 정교한 화학이 일어나고 있다. 그렇다면 그것들이 어떻게 마술 같이 작용할까?

## 계면활성제

계면활성제\*에 대해서는 자연스럽지 않은 것이 전혀 없다. 때때로 사람이 변기에 소변을 보다가 마치 기포를 일으키는 물질이라도 함유된 것처럼 거품이 생기는 것을 볼 수 있다. 실제로 그렇다. 소변으로 과잉된 천연 계면활성제를 배설하면서 일어나는 현상이다. 인체는 이런 화학물질을 생산하며 특히 폐의 작용에 필수적이다.

---

\*   이 말은 '경계면을 활성화하는 물질'이라는 뜻에서 생겨났다.

수많은 미숙아가 폐에서 작은 통기간극을 열리게 해주는 계면활성제가 결핍되어서 호흡곤란증후군으로 사망한다. 물은 표면장력이 커서 이런 통기 간극을 닫는 경향이 있으며 이런 경향은 계면활성제에 의해서 감소되어야 하지만 미성숙 유아들은 이것을 아직 생산하지 못한다. 인체의 계면활성제는 지방과 단백질로 만들어지며 세탁제처럼 물의 표면장력을 낮추는 능력이 있으며 이 경우 우리가 숨을 들이쉴 때 폐가 쉽게 확장되게 해주지만 숨을 내쉴 때는 단단해져서 폐의 매우 가는 공기 통로가 붕괴되지 않도록 해준다. 오늘날 미숙아에게는 스스로 계면활성제를 생성할 때까지 인공적으로 계면활성제를 주입하여 유아사망률이 최근 절반으로 낮아졌다.

의복의 기름기와 때를 세탁하려면 기름과 물이 섞여야 하며 이렇게 해주는 것이 계면활성제의 역할이다. 계면활성제는 염과 같은 친수성 머리와 기름기와 친한 탄화수소 사슬 꼬리를 가진 분자이다. 대부분 계면활성제 분자의 머리는 음전하를 띤 원자단으로서 물을 끌어당긴다. 비누에서 이것은 카복실산염이며 합성 계면활성제에서는 황산염이나 설폰산염이다.* 인체의 계면활성제는 인산염이다. 계면활성제의 꼬리는 탄화수소이며 분자의 이 부분은 탄소 사슬의 길이를 제외하고는 거의 변화가 없다. 탄소 사슬의 길이는 일반적으로 12~20이다.

계면활성제의 가장 중요한 효과는 이상하게 들리지만, 물의 젖음성을 높이는 것, 즉 물이 섬유에 더 잘 젖을 수 있게 물의 표면장력을 낮추는 것이다. 이런 일은 계면활성제 분자가 물 표면을 따라서 모일 때 일어난다. 모든 계면활성제 분자가 더 이상 물 표면을 따라서 늘어설 여지가 없으면 구형으로 뭉치기 시작한다. 이 구형을 마이셀이라고 하며 물을 끌어당기는 쪽은 바깥쪽, 기름기를 좋아하는 쪽은 안쪽으로 향한다. 이 내부의 '기름' 환경이 때

---

\* 황산기는 $SO_4$이며 설폰산기는 $RSO_3$이다. 여기에서 R은 유기분자 성분이다.

와 결합된 그리스를 끌어당겨서 마이셀 안으로 때를 확산시킨다. 때는 씻겨 나갈 때까지 그 안에서 안정적으로 있을 수 있다. 끈적끈적한 그리스가 제거 되면 나머지 때는 섬유에서 떨어져 나와서 물에 섞이고 기다리던 다른 분자 가 이를 처리한다.

물 분자를 끌어당기는 방법은 다양하다. 물을 끌어당기는 머리에 따라 계 면활성제를 분류하면 크게 네 가지로 나눌 수 있다.

'음이온성 계면활성제'는 머리가 음전하를 띠며 중요한 것은 공업용 청소 제로 사용되는 알킬벤젠설폰산나트륨, 가정용 세탁제와 화장품으로 이용되 는 라우레스황산나트륨(sodium laureth sulfate)이 있다. 비누도 음이온성 계면 활성제이다. 음이온성 계면활성제는 풍부한 비누 거품을 만들며 지방과 그리 스를 제거하는 데 우수하다.

'양이온성 계면활성제'는 머리가 양전하를 띠며 섬유 컨디셔너로 이용되 고 살균제로도 이용된다. 이것은 섬유에 결합하여 일분자층으로 코팅을 한 다. 이것은 섬유 가닥들이 서로 얽히는 것을 막아 의복의 감촉을 더 부드럽게 해준다. 흔히 많이 사용되는 것은 염화라우릴트라이메틸암모늄이며 여러 가 지 헤어컨디셔너에는 3% 정도의 계면활성제가 들어 있다.

'양쪽성 계면활성제'는 물을 끌어당기는 쪽이 양전하와 음전하를 모두 가 진다. 양쪽성 계면활성제는 주방용 세제로 사용되지만 너무 비싸기 때문에 세탁용 세제로는 거의 사용되지 않는다. 가장 유명한 양쪽성 계면활성제는 코카마이드이다.

'비이온성 계면활성제'는 분자의 머리에 양전하나 음전하를 가지지 않으 며 일반적으로 연속된 **에톡시기**\*로서 여러 개의 산소 원자를 포함하고 있다. 이것은 음이온 계면활성제보다 거품을 덜 생성하며 30℃에서도 잘 작용하기

---

\*    에톡시기는 화학식이 $CH_2CH_2O$이며 이런 단위가 둘 이상 머리에 있을 수 있다.

때문에 저온용 세탁제로 이용된다.

생산되는 대부분의 계면활성제는 음이온성이며 그 다음은 비이온성, 양이온성 순서이며 양쪽성은 매우 소량 생산된다. 매년 세계적으로 약 9백만톤의 계면활성제가 생산되며 그중 비누가 여전히 4분의 1을 차지한다. 계면활성제는 가정용 세제와 화장품으로 이용될 뿐 아니라 제지, 페인트, 식물 보호에 이용되며 심지어 식품에도 이용된다. (예를 들면 천연 계면활성제인 레시틴은 양쪽성 계면활성제로서 초콜릿과 아이스크림의 유화제로 이용된다.) 계면활성제는 젖음제, 유화제, 분산제, 용해제, 표면 컨디셔너, 살균제, 점성조절제, 방부제, 세제로 사용된다. 특수한 곳에서는 계면활성제의 '꼬리' 탄화수소가 **실리콘** 사슬이나 **플루오린화 탄소** 사슬로 변화된다. 앞의 것은 농업용 살충제로 이용되고 뒤의 것은 소방용 거품을 만드는 데 이용될 수 있다.

## 거품조절제

수면의 거품은 세제의 활성 정도를 판단하는 데 이용되기 때문에 손으로 설거지할 때 심리적 가치를 가진다. 그런 이유 때문에 그리스를 흡수하는 것에 더해서 거품을 내기 위하여 주방용 세제는 비이온성 계면활성제를 함유하고 있다. 그러나 거품이 실제로 불리하게 작용하는 드럼식 세탁기와 식기세척기에서는 거품이 덜 일어야 한다. 그것에는 소량이기는 하지만 실리콘 기름 같은 거품억제제를 세제에 첨가한다. 다소 의외지만 비누 자체도 합성세제에 첨가되면 거품억제제로 작용할 수 있으며 비누가 거품을 유지하는 데 필요한 균일한 계면활성제 분자 층을 파괴하기 때문에 거품이 사라지는 것 같다.

## 보조제

세제의 보조제는 세탁하는 물의 성질을 향상시키는 역할을 한다. 첫 번째 보조제는 단순한 세탁용 소다로서 물에 쉽게 녹아서 물의 pH를 높여서 알칼리성으로 만들어준다. 음이온성인 수산화 이온의 일부가 그리스와 반응하여 수용성 성분인 지방산과 글리세롤로 만들기 때문에 소다 자체도 세탁 작용을 한다. 실제로 pH가 높을수록 그리스를 제거하기 좋지만 옷감이 손상될 수 있다는 큰 단점도 있다.

보조제의 주요 작용은 계면활성제를 방해하는 칼슘에 결합하여 이것을 제거하는 일이다.* 세제의 성분으로 첨가된 것들은 트라이폴리인산나트륨, 시트르산, 제올라이트이다. (모두 첨가제 1그램당 100밀리그램 이상의 칼슘을 가둘 수 있다.) 이 중 제올라이트가 환경에 끼치는 영향이 가장 적기 때문에 현재 선호되고 있다. 본질적으로 이것은 돌아다니는 칼슘 양이온이 들어가서 거기 있는 산소 음이온과 결합할 수 있는 동공을 가진 확장된 모래 형태(이산화규소)이기 때문이다. 또 다른 보조제는 규소산나트륨(물유리라고도 함)이며 이것도 어느 정도 칼슘 이온을 중화하며 좋은 부식 방지제여서 세탁기의 금속을 보호한다.

훨씬 더 좋은 칼슘 제거제는 트라이폴리인산나트륨(STPP)인데 이것은 의류에서 떨어져나온 때와 흙을 붙잡는 작용도 잘하기 때문에 1950년대와 1960년대에 표준적인 세제보조제로 사용되었지만 너무 남용되었다. 그때 남조류에 의해 물이 오염되기 시작했으며 특히 도시 근처의 미국과 캐나다 국경의 대호수들에서 심했다. 이것 중 일부는 조류의 녹색 점액물과 함께 부패 중인 덩어리로 눌러서 다른 종들을 질식시켜서 죽였으며 인산이 비난을 받게 되었다. 1970년대와 1980년대에 세제 제조업자들은 제품에 STPP 첨가를 중단하고 다른 보조제로 대치하라는 압력을 받게 되었다. 그들은 제올라이트가 조건에 가장 적합하다고 결정하였으며 이것이 현재는 가장 중요한 보조

---

* 녹은 마그네슘 이온이 존재할 수도 있으며 이것도 마찬가지로 해로운 효과를 나타낸다.

제가 되었지만 주방용 세제에는 여전히 STPP가 필요하다. 요즘은 STPP를 폐기하라는 함성이 줄어들었는데 1990년대에 마침내 비난을 받아야 대상 중 인산은 일부에 지나지 않는다는 것이 밝혀졌기 때문이다. 그것은 조류가 억제되지 않고 번식하는 것은 조류를 먹고 사는 동물성 플랑크톤이 없어졌기 때문이다. 동물성 플랑크톤은 공장 폐수로 나오는 중금속과 농장에서 흘러나오는 살충제 같은 공해물질 때문에 죽었다.

세탁할 때 보조제를 사용할 필요가 있는지는 그 지역의 수돗물에 달려 있다. 그것이 센물이라면 보조제가 필요하다. 단물이라면 보조제가 필요 없다. 일본에서 대부분 물(92%)은 단물이며 센물이 없다. 영국에서는 60% 이상의 가정이 센물을 공급받고 있다. 독일에서는 가정의 50%, 프랑스와 스페인에서는 약 45%, 이탈리아에서는 약 20%, 미국에서는 단지 5%가 센물을 공급받고 있다.

## ● 센물은 과학적 논의가 필요할 정도로 셀까?

칼슘 이온을 많이 함유한 물을 센물이라고 한다. 센물은 식수용으로는 이로울 수 있으나 세탁용으로는 좋지 않다. 물의 세기를 측정하는 것은 비교적 쉬우며 물에 녹아 있는 칼슘 양만 분석하면 된다. 이런 정보를 나타내는 방법은 별개의 문제이며 국가에 따라 다르다. 칼슘의 양은 물 1리터당 칼슘 이온 몇 밀리그램이나 리터당 탄산칼슘 몇 밀리그램을 이용해서 계산하는 것이 가장 현명하다. 탄산칼슘을 사용하는 이유는 물이 접촉하는 동안 칼슘이 녹아나온 원천이 되는 암석이기 때문이다.

물의 세기는 그것을 측정하는 현대적 방법이 확립되기 전부터 중요하였다. 이 때문에 지역마다 다르게 보고되었다. 영국식 체계는 리터당 함유된 탄산칼슘 양(그레인)으로 기록한다. 그레인은 중세 단위로 65밀리그램이다. 미국의 물 세기 척도는 갤런당 함유된 탄산칼슘 양(그레인)에 기반을 두고 있다. 독일 체계는 리터당 함유된 산화칼슘($CaO$) 양(밀리그램)에 기반을 두고 있다. 산화칼슘은 그것이 존재하는 화학식 형태는 아니다. 프랑스 체계는 녹아 있는 탄산칼슘($CaCO_3$)을 계산하며 세제곱미터당 함유된 탄산칼슘 양(몰)으로 나타낸다. 탄산칼슘의 원소 성분으로부터 계산한 1몰의 무게는 100그램(Ca + C + 3O = 40 + 12 + 48 = 100)이다. 공업화학자들은 프랑스 체계를 선호하며 이것으로부터 0에서 30 이상에 이르는 세기 척도가 만들어졌다.

단물은 리터당 함유된 탄산칼슘 양이 90밀리그램 이하이며 중간 정도의 물은 90에서 270 사이이다. FH(프랑스식 세기)로는 9 이하는 단물, 9~27은 중간 센물, 27 이상은 매우 센물에 해당한다.

## 재침전
## 방지제

전통적인 재침전 방지제는 셀룰로스의 수용성 형태인 카복시메틸셀룰로스(CMC)로서 대부분의 하이드록시기가 아세트기로 대치된 것이다. CMC는 세제에 무게로 약 0.5% 가량 들어 있지만 이것은 면이나 리넨 같은 셀룰로스 직물의 섬유에 결합하여 그것들이 그리스를 함유한 마이셀이나 때 입자와 반발을 더 잘하게 하는 데 충분하다. 또 CMC는 액체 세제를 진하게 만드는 역할도 한다.

## 염료 전이
## 억제제

매우 색이 진한 새 T-셔츠를 세탁하면 염료가 많이 물에 녹아 나온다. 이 옷을 흰색이나 밝은 색 옷과 함께 세탁하면 염료 중 일부가 결합하거나 연하게 물이 들어서 그 결과 입지 못하게 될 수도 있는 위험이 꽤 생긴다. 반대의 경우로 검은 옷이나 진한 색 옷을 자주 세탁하면 염료가 빠져나오거나 바래서 색이 희미해진다.

유색 식물의 세탁에 대한 한 가지 해법은 흰색이나 연한 색 의류와 검은색이나 진한 색 의류를 따로 세탁하는 것이며 그런 세탁에 적당한 세제가 있다. 앞의 경우에는 약간의 표백제가 함유된 것이고 뒤의 경우에는 그런 것이 함유되지 않은 것이다. 그렇더라도 이것으로 염료 전이 문제를 완전히 해결할 수는 없었는데 1990년대가 되자 화학자들이 문제를 해결할 수 있었다. 그것은 PVP라고 하는 폴리(N-바이닐피롤리돈)이었다. 이 고분자는 물에 녹으며 그 사슬을 따라서 화학적 기들이 늘어서 있어서 빨래하는 물에 떠도는 염료 분자를 끌어당겨서 붙든다. 따라서 그것이 다른 의류에 결합하지 못하게 막아준다.

## 과산화물 표백제와
## 표백보조제

원래의 퍼실에는 표백제로서 과붕소산나트륨이 들어 있었다. 붕산과 **과산화수소**로부터 만들어지는 이 간단한 화학물질은 흰색 가루로서 안정하고 물에 잘 녹지만 수온이 60℃가 넘으면 표백작용을 시작하며 온도가 이보다 높으면 작용을 더 잘한다. 이것은 가족의 세탁물을 구리 솥에서 삶던 1900년대 초반의 주부들에게 알맞았다. 더운물 세탁은 모든 세탁기가 세탁 온도를 높여주는 가열 장치를 갖춘 1970년대까지 계속되었다. 그 당시 세제에는 다른 지역에서는 10% 미만인 경향이 있었지만 유럽에서는 20~30%의 과붕소산을 함유하였다. 또 다른 고체 표백제는 과탄산나트륨이며 이것은 과붕소산나트륨을 대치하였는데 세탁수의 붕소가 하수도를 통해서 그대로 배출되면 일부 어류에게 독성을 나타낸다고 여겨지기 때문이었다. 새로운 표백제는 탄산나트륨과 과산화수소로부터 만들어졌다.*

　1973년과 1979년의 두 번의 석유 파동은 에너지가 훨씬 비싸질 수 있다

---

는 것을 보여주었다. 보통 의류를 세탁하는 데 사용되는 많은 물을 가열하는 데는 많은 전기가 소모되었으며 사람들은 40℃ 정도 되는 저온에서 세탁하기를 바랐지만 이 온도에서는 과붕소산나트륨 표백제가 별로 효과가 없었다. 과탄산나트륨도 별로 낫지 않았다. 두 가지는 모두 물에서 과산화수소를 발생시키지만 이것을 저온에서는 표백제로 충분하게 작용하지 못한다. 화학자들은 40℃에서 과산화수소를 활성화하는 새로운 물질을 찾는 것을 해결책으로 삼았다. 작용하는 물질을 찾기 위한 실험이 계속되면서 작용하는 것들은 과산화수소를 과아세트산으로 전환시켜서 작용한다는 것이 밝혀졌다. 가장 잘 작용하는 것 중 한 가지는 TAED(테트라아세틸에틸렌다이아민)였으며 비교적 값이 싸다는 이점 때문에 선호된다. TAED는 과붕소산염이나 과탄산염과 40℃나 그 이하에서 반응하며 과아세트산을 형성하고 이것이 표백제로 작용한다. 적포도주, 차, 커피, 콜라, 과일주스 때문에 생긴 의류와 식탁보의 얼룩은 쉽게 표백되어서 제거된다. 미국과 일본에서는 다른 활성제가 선호된다. 즉, NOBS(노나노일옥시벤젠설폰산)가 찬물 세탁에서 성능을 향상시킨다.

찬물에서도 잘 작용하는 표백 조합을 찾기 위한 다른 진보는 어떤 망가니즈 화합물이 표백의 촉매작용을 할 수 있다는 발견으로 이루어졌다. 유니레버 사 화학자들이 1994년 6월 23일자 《네이처》지에 세 개의 질소 원자를 가진 고리 분자로 둘러싸인 망가니즈 원자로 구성된 새로운 촉매를 보고하였다. 이 촉매가 잘 작용하기 때문에 유니레버 사는 그것을 세제에 첨가하였지만 애석하게도 그것은 아킬레스건이 되었고 몇 주 안에 사라져야 했다.

## ● 때로는 지나치게 훌륭한 화학

표백제가 들어 있는 세제에 망가니즈 화합물을 약간 첨가하면 망가니즈가 촉매로 작용하기 때문에 훨씬 너 세정력이 좋아진다. 쉽게 지워지지 않는 얼룩이 20℃에서도 잘 지워지는 것이 놀라웠으며 여러 실험실에서 한 독립적 실험과 소비자 6만 명을 대상으로 한 실험으로부터 세정력이 매우 뛰어나다는 것이 확인되었다. 따라서 1994년 5월에 유니레버 사는 이 새로운 세제를 유럽 전체에 걸쳐서 영국에서는 퍼실 파워, 프랑스와 네덜란드에서는 OMO 파워, 독일에서는 스킵 파워라는 이름으로 시판을 시작하였으며 실제로 제품은 놀랍도록 좋았으며 판매도 늘어났다. 그러나 그것은 셀룰로스 섬유를 기반으로 한 리넨과 면에 대해서는 이상한 점이 없었지만 레이온(인조실크)에 대해서는 이상 반응을 보였다. 그렇더라도 20번 이상 세탁을 해야 확실히 손상되었다.

유니레버의 중요한 경쟁사였던 프록터앤갬블은 새로운 세제의 촉매가 의류에 손상을 입힌다는 증거를 첨단연구조직에서 얻어서 새로운 제품에 도전하였다. 유니레버는 망가니즈 촉매의 양을 75%까지 줄여서 대응하였지만 이것으로는 충분하지 않았으며 결국 역선전에 대응하여 새로운 세제를 6달만에 포기하였다. 표백제의 과산화물에서 망가니즈 촉매가 자유 라디칼 형태로 방출되며 이것이 얼룩을 공격하는 데 뛰어난 능력을 보이지만 셀룰로스까지도 공격하는 것으로 보인다. 왜 리넨과 면직물은 똑같이 공격을 받지 않을까? 해답은 이런 직물이 만들어지는 고분자 사슬의 길이에 달려 있다. 레이온을 구성하는 고분자는 면이나 리넨을 구성하는 것보다 더 짧으며 그 결과 부서진 사슬은 쉽게 곧 훨씬 더 약한 섬유로 전환된다.

## 형광증백제

이것은 흰 직물을 더 희게 보이게 하는 성분이다. 세탁을 여러 번 하고 나면 많은 의류는 약간 노란 기를 띠게 되는데 주로 섬유에 침전된 철 때문이다. 1800년대에 누렇게 된 직물에 대한 처방은 마지막으로 헹구는 물에 청색 염료*를 약간 첨가하는 것이었다. 오늘날 해결책은 약 0.5%의 형광증백제를 세제에 첨가하는 것이며 제품이 세탁을 '더 희게' 해준다고 실제로 주장할 수도 있으며 이것은 터무니없이 들리지만 실제로 진실이 약간 포함되어 있다. 형광표백제는 자외선을 흡수하여 여분의 에너지를 약간 더 긴 파장의 빛, 즉

---

* 이것은 합성 울트라마린이었다. 이 이상한 화학물질은 7장에서 논의된다.

청색광으로 발산할 수 있는 원자단을 구조에 포함하는 복잡한 분자이다. 그 결과 자주 세탁하여 생기는 노란색을 감출 수 있다.

## 향료

세제 제조업자들은 1950년대부터 계면활성제 성분의 약간 느끼한 냄새를 감출 목적으로 향료를 첨가하기 시작하였다. 세탁기가 가정의 생활공간 일부를 차지하게 되면서 이는 더 중요하게 되었다. 향료는 세탁이 끝난 세탁물에 신선한 향을 주어 사람들이 좋아하였다. 모든 종류의 향료 분자들은 좋은 향기를 만드는 데 사용되며 그것은 건조와 다림질 단계를 통과하더라도 지속될 수 있다. 몇몇 사람은 세제 잔류물 때문에 피부가 민감하게 되었다고 생각하며 그 결과 원인이 되는 향료가 단계적으로 폐지되어야 한다고 주장한다. 의류에 남은 미량의 향료에 대한 모든 알레르기 반응은 과학적으로 증명된 적이 전혀 없다. 실제로 그렇게 영향을 받았다고 주장하는 소비자들이 피부 패치 **이중맹검법**에 참여하였으나 그 결과는 세제가 영향을 주는 것이 아니라고 나타났다.

산업체가 1년에 생산하는 의류용 세제의 수요량은 약 2,200만 톤에 이른다. 케냐와 나이지리아 같은 일부 국가에서는 여전히 세탁비누가 세제를 앞지르고 있지만 대부분 국가에서는 현재 세제가 월등하게 많이 사용되며 특히 대부분 서유럽과 북미 국가에서는 거의 세제가 사용된다. 그러나 현재 세제의 양이 1년에 150만 톤이 넘는 인도에서도 현재 거의 100만 톤의 세탁비누가 제조된다.

찬물로 세탁하면 환경에 대한 부담이 상당히 줄어들 것이다. 유럽의 모든 세탁이 찬물에서 이루어진다면 발전소 10개의 전력을 절약하게 될 것이며 미국에서는 에너지 절약 가치가 매년 약 60억 달러에 이를 것이다.

## 섬유유연제

섬유유연제는 양이온성 계면활성제로서 흔히 세탁 후 마지막 헹굼 단계에서 사용한다. 계면활성제가 어떻게 옷감을 부드럽게 할까? 섬유 바깥층은 음전기를 띠고 있으며 이 때문에 옷을 세탁하려면 음이온성 계면활성제를 사용하는 것이 가장 좋다. 마지막에 이 분자들이 섬유에 찌꺼기로서 달라붙지 않기 때문이다. 반면에 양이온성 계면활성제는 섬유에 끌려서 달라붙을 것이다. 이런 분자의 탄수화물 꼬리는 섬유가 서로 꼬이지 않아서 만지면 부드럽고 매끄러운 감촉을 주도록 작용한다. 각 섬유가 분자 한 개 정도의 두께로 가벼운 기름층으로 효과적으로 둘러싸이기 때문이다. 침구류와 의류를 섬유유연제로 헹구면 더 부드럽게 느껴지지만 계면활성제로 코팅되면 물이 흡수되기 어렵기 때문에 수건을 헹구는 데는 섬유유연제를 사용하지 않는 것이 좋다. 그러나 센물을 사용하는 지역에서 약간의 섬유유연제를 사용하지 않으면 수건이 뻣뻣해진다.

또 양이온성 계면활성제는 흔히 사용되는 소독연고의 기반이 된다.

### ● 양이온성 계면활성제의 숨은 이점

양이온성 계면활성제는 세균을 공격하여 파괴하는 양전하를 띤 머리와 긴 탄화수소 꼬리라는 두 가지 특징이 있다. 머리는 양전하를 띠어서 분자가 음전하를 띤 세균의 세포벽에 끌리게 하며 긴 탄화수소 꼬리는 세포벽에 침투해서 그것을 파괴한다. 이런 일이 일어나면 세포에 구멍이 생기기 시작하고 세균은 죽는다. 이런 방법으로 작용하는 양이온성 화합물을 흔히 사차 암모늄염 또는 **쿼츠**라고 한다. 대부분 사용되는 쿼츠는 염화벤잘코늄과 세트리마이드이며 피부 치료에 효과가 있어 소독연고의 원료로 사용하고 있다.

음이온성 계면활성제와 양이온성 계면활성제를 조합한 혼합 세제는 만들 수 없다. 세척작용을 하는 음이온성 계면활성제가 유연작용을 하는 양이온성 계면활성제와 혼합되면 분자끼리 서로 달라붙어서 세척과 유연작용 모두 효과가 없다. 그러나 비이온성 계면활성제와 양이온성 유연제의 조합은 서로의 장점을 상쇄하지 않으며 이런 종류의 일부 혼합 제품이 1980년대 초반부터 미국에서 판매되었다. 그러나 제품을 비싸게 팔 수 없게 되자 산업체는 더 경제적인 음이온성 계면활성제로 관심을 돌렸다. 더 최근에 세제 회사들은 다시 서로 상호작용하지 않는 화학물질들을 함유하는 혼합세제를 팔고 있다. 흔한 벤토나이트(화산회 분해 점토) 같은 전혀 다른 형태의 섬유유연제를 이용하는 혼합제품도 있다. 이런 것은 20년 훨씬 전부터 이용할 수 있었다. 이 부드러운 점토는 규소산 마그네슘알루미늄의 매우 고운 비늘로 되어 있다. 이것이 세제에 들어가면 섬유와 결합하여 마치 무기질인 탤컴(활석) 파우더를 피부에 발랐을 때처럼 부드러워진다.

## 깨끗한
## 설거지

현대의 식기세척기 세정제는 거의 의류 세제만큼이나 복합적이며 몇몇 성분은 두 제품에 모두 공통적으로 쓰인다. 그것이 도기, 조리도구, 식탁용 나이프, 포크에 남은 음식 찌꺼기를 분해하고 식탁보나 식탁용 천들을 세탁해야 하기 때문이다. 더욱이 식기세척기에서 세척되는 그릇은 옷보다 훨씬 더 자주 씻기 때문에 시간이 흐르면 이것이 특히 은을 함유하는 금속을 변색시키고 유리 제품을 뿌옇게 흐려지게 하는 결과를 가져올 수 있다는 점도 더 고려해야 한다.

세척기 세정제는 지난 몇 년 동안 더 단순한 분말이나 액체 젤에서 진화되어서 두세 가지 혹은 네 가지가 하나로 합쳐진 복합 정제로 바뀌었으며 최근 2005년부터 시판되는 정제는 다섯 가지가 하나로 합쳐진 것이다. 이 최근 것은 **고분자인** 폴리(바이닐 알코올)로 만들어진 수용성 칸막이 안에 세 부분이 봉합되어 있다. 주방용 세제의 여러 성분들은 서로 화학적으로 반응하지 않도록 분리되어 있어야 한다. 계면활성제와 효소 같은 몇몇 성분은 세탁용 분말세제에서처럼 반응하지 않고 같이 있을 수 있지만 몇몇은 헹굼 보조제처럼 세척이 끝날 무렵 방출되어야 가장 유용하다.

보통 세척기 세제의 중요 성분은 연수제이다. 몇몇 세척기에는 소금으로 채워진 연수화 부분이 분리되어 있으며 들어오는 물속의 칼슘과 마그네슘이 불용성 잔류물을 남기지 않는 나트륨 이온과 치환이 된다. 올인원 정제는 일반적으로 연수제로 작용하는 트라이폴리인산나트륨을 함유하고 있다. 이는 앞서 설명한 세탁용 세제의 성분 중 하나로 그때 설명하지 않고 남겨둔 몇몇 용도 중 한 가지이다. 세척, 특히 탄 음식 자국을 없애려면 물이 약간 알칼리성이면 더 쉬우며 이런 이유로 약간의 규소산나트륨과 탄산나트륨을 첨가한다.

알칼리성 세제의 문제점은 이것이 유리 그릇에 흠집을 낼 수 있다는 것이다. 유리는 보통 물에는 녹지 않지만 알칼리에는 약간 녹으며 시간이 지나면 이 때문에 유리 표면이 뿌옇게 된다. 유리 그릇이 잘 헹구어지지 않은 것으로 보일 수 있지만 실제로 그러한 것은 아니며, 얼룩 때문에 버려야 할 것처럼 보이더라도 용기로서 유리를 사용하는 데에는 전혀 문제가 없다. 유리에 지속적으로 일어나는 이러한 공격은 헹구는 물에 아연염을 넣어 속도를 늦출 수 있고, 일반적으로 수용성 아세트산아연이나 탄산아연 형태로 식기세척기 세제에 포함된다. 물론 유리제품을 수백 번 세척하면 아연으로 완전하게 방어할 수 없고 텀블러처럼 일상적으로 사용하는 제품은 결국 손상되지만, 유리에 무늬를 새긴 컷글라스 식기나 꽃병처럼 자주 세척하지 않는 제품에는 아연이 효과적으로 작용한다.

물이 연수화되고 유리 제품이 보호되면 다른 성분이 작용할 수 있다. 계면활성제는 그리스를 제거하고 효소는 단백질과 녹말 찌꺼기를 제거하고 표백제는 차, 커피, 포도주, 과일주스의 얼룩을 제거한다. 세척기 계면활성제를 선택하는 데 어려움 중 한 가지는 세척기에서 도기, 유리, 플라스틱, 금속의 네 가지 다른 형태의 재료와 만나야 한다는 것이다. 계면활성제는 음식 얼룩을 붙잡아서 가져가야 하지만 도기와 유리에 대한 좋은 세척제가 플라스틱에는 좋은 세척제가 아니기 때문에 서로 충돌할 수 있다. 도기와 유리의 표면은 음전기를 띠기 때문에 양이온성 계면활성제를 사용하면 달라붙어서 세척을 방해할 것이다. 반면에 플라스틱의 표면은 반대로 양전기를 띠기 때문에 음이온성 계면활성제가 얼룩 제거를 방해할 것이다. 이것 때문에 플라스틱 용기를 음이온성 계면활성제로 세척할 때 물에 젖게 하기가 어렵다. 분명히 비이온성 계면활성제가 사용되어야 한다. 금속 세척은 일반적으로 문제가 별로 되지 않는다. 화학적 공격이 이런 물건에는 위협이 된다. 은제 식기를 보호하려면 벤조트라이아졸*을 첨가하면 되는데, 은 표면에 달라붙어서 표백제 분자의 작용에 대해 일시적 보호막을 형성하기 때문이다.

거품이 많으면 기계 안의 파이프를 막을 수 있기 때문에 세척기 계면활성제는 거품이 많이 나게 만들어서는 안 된다. 이런 일은 세척기용 세제가 떨어졌을 때 대신 주방용 액체 세제를 사용할 때 일어난다. 세척기 세제의 계면활성제는 거품이 적게 나는 에톡시산 지방알코올 같은 비이온성 세제이며 특히 탄화수소 사슬의 길이는 탄소 원자가 12~14개이다. 이런 것은 거의 거품을 만들지 않는다.

세척기 세정제나 분말에 든 표백제는 과탄산염이며 이것은 표백활성제가 필요하지만 요즈음은 촉매로서 금속 화합물을 첨가할 수 있다. 몇몇 직물이 영향을 받는 것을 제외하면 세척기 내부의 물건들은 영향을 받지 않기 때문

---

\*  화학식은 $C_6H_5N_3$이다.

이다. 몇몇 정제에는 새로운 자체 활성화 표백제인 PAP[6-(프탈이미도)과산화 헥세인산의 약자]이 이용되며 이것은 활성제나 촉매가 필요하지 않다.

세척 과정의 마지막에는 헹굼 과정이 있으며 여기에도 계면활성제가 필요하지만 세척을 위해서가 아니라 물방울이 남아서 나중에 특히 유리 제품에서 쉽게 보이는 얼룩이 생기는 것을 방지하기 위한 것이다. 계면활성제는 물의 표면장력을 줄여서 세척된 식기의 '겉층'을 벗겨낸다.

세척기 세제가 일상적인 허드렛일로부터 우리를 해방시킨다고 여기면서도 지구에 부담을 주고 천연자원을 낭비한다는 생각을 할 수도 있다. 하지만 그렇지 않다. 실제로 현대의 식기세척기는 손으로 하는 설거지만큼 환경친화적인데 그 이유는 훨씬 더 적은 물을 사용하고, 매일 두 번 설거지용 물을 데우는 데 사용하는 상당한 비용을 줄여주기 때문이다. 태어나서부터 죽을 때까지 모든 투입량과 산출량을 분석하면 물, 에너지, 화학물질에서 현대의 식기세척기가 근소한 차이로 승리할 수 있다. 최소한 영국에서는 손 설거지로 인해 낭비가 생기는 것은 세척기 액체 세제의 위험성에 대한 잘못된 광고 때문이다.

### ● 엄청난 물의 낭비

전통적인 손 설거지 방법은 세척한 도기나 식기를 그대로 말리거나 마른 수건으로 닦는 것이었다. 그런데 1980년대에 세척한 식기에 남아 있는 계면활성제 LAS(선형 알킬벤젠설폰산나트륨의 약자)가 여러 가지 위장병의 원인이 될 수 있다고 발표되었다. 이 주장은 연구 결과에 근거를 둔 것으로 보여서 널리 퍼져갔다. 사람들은 해로운 화학물질을 마지막까지 제거하려고 흐르는 뜨거운 물에서 설거지한 식기들을 씻기 시작하였으며 손 설거지 세제에는 LAS가 전혀 들어 있지 않다는 사실에도 불구하고 오늘날까지도 많은 집에서 이렇게 하고 있다. 보고서에서 그들이 발견한 것을 좀 더 자세히 살펴보면 그 연구는 단지 6마리의 쥐를 관찰한 결과이며, 그 쥐들은 사람들이 노출될 수 있는 것보다도 천 배나 더 진한 세제

┃ 를 포함하는 물을 일생 마신 것들이었다.

## 탈취제와
## 공기청정제

우리가 호흡하는 공기 속에 포함된 성분은 우리의 감정에 영향을 끼치며 좋은 향기가 우리를 편하게 해주는 것과 마찬가지로 나쁜 냄새는 우리를 억압한다. 3장에서 본 것처럼, 미묘한 향기가 우리의 생각을 공상으로 이끌 수 있다. 우리의 후각은 주위에 대한 좋은 감정을 가지게 하는 데 중요한 역할을 한다. 이 때문에 대부분 집에는 공기청정제가 있다. 대부분은 원치 않는 냄새를 중화하는 데 사용하거나 그것을 더 좋은 향기로 바꾸는 데 이용한다.

방이나 제한된 공간에서 불쾌한 냄새를 제거하는 방법은 세 가지가 있다. 훨씬 더 강하고 상쾌한 냄새로 그것을 제압하거나, 코가 상쾌하게 인식하는 분자 혼합물에 섞이도록 하여 감추거나, 공기 중에서 그것을 제거하거나 화학적으로 파괴하여 물리적으로 제거하는 것이다. 이런 모든 방법은 공기청정제로 팔리는 제품에 이용되며 여러 가지 방법으로 작용한다. 몇몇은 심지, 초나 젤에서 단순한 증발에 의해서 작용하며, 몇몇은 가열하거나 작은 선풍기에 넣어서 공기청정제의 분산을 증가시키는 장치에서 빠져나와서 작용하며, 몇몇은 작은 깡통에서 분무된다.

가정에서 사람이 가장 불쾌하게 느껴서 없애기를 원하는 냄새는 다섯 종류가 있다.* 그것은 화장실 냄새, 담배 연기, 퀴퀴한 음식 냄새, 애완동물 냄새, 곰팡내이다. 중요한 악취 분자가 확인되었고 시험을 위한 특별한 냄새를 모방하기 위하여 이것들의 혼합물을 사용할 수 있기 때문에 각 냄새 유형은 실험실에서 복제될 수 있다. (흔히 공기청정제를 시험하는 가장 좋은 방법은 고양이 오

---

\* 불쾌한 체취에 대해서는 3장에서 다루었다.

줌이나 담배 연기 같은 실제 물질을 이용하는 것이다.) 악취를 구성하는 분자는 무엇일까? 그것은 그것이 속하는 화학물질 종류에 따라서 분류할 수 있다. 몇몇은 **카복실산**이고 몇몇은 질소 함유 화합물이며 몇몇은 2가의 황 원자를 가진 화합물이다. 마지막 종류는 다른 원자, 특히 수소와 탄소 원자와 두 개의 결합을 생성하는 황 원자를 나타내며 흔히 악취실험실이라는 악명을 얻은 구식 화학실험실에서 만날 수 있는 냄새나는 황화수소($H_2S$) 같은 것들이다. 3장에서 설명한 것처럼, 그런 황 원자를 함유한 분자는 세상에서 가장 나쁜 냄새에 속한다.

우리는 화장실 냄새가 원시적 감각을 자극하며 특히 다른 사람의 배설물에서 나는 불쾌한 냄새를 제거하고 싶은 자연적 충동을 느끼게 된다는 것을 알고 있다. 그것은 뷰티르산과 아이소발레르산 같은 몇 가지 강력한 냄새 분자로 구성된다. 그것은 사람의 대변에 존재하며 세균에 의해서 생성되며 화장실 냄새에 상당한 부분을 차지하지만 황화합물을 비롯한 다른 여러 가지 분자들도 존재한다. 3장에서 설명한, 질소를 함유하는 화합물인 스카톨은 특히 사람의 대변에 특징적인 냄새를 나타내며 화장실 냄새를 모방하는 데 부분적으로 사용된다.

좋지 않은 냄새를 없애는 가장 쉬운 방법은 그것이 사라질 때까지 훨씬 더 강하고 좋은 느낌을 주는 향기 속에 숨기는 것이다. 더 좋은 방법은 그것을 좋은 냄새를 내는 혼합물의 베이스 노트*(base note)로 편입시키는 것이다. 이것은 향수 가게에서 새로운 향수를 고안할 때 하는 것과 유사하다. 이것은 레몬이나 잔디 같은 상쾌한 향을 내는 탑 노트(top note), 흔히 붓꽃이나 난초 같은 흥분시키는 꽃향기의 미들 노트(middle note), 매우 동물적이며 가죽이

---

*  (역주) 향수는 다양한 성분으로 구성되며 배합된 성분들에 따라서 시간 차를 두고 다른 향을 느낄 수 있다. 탑 노트는 사용 후 가장 먼저 느껴지는 향이며, 미들 노트는 중심 향으로 사용 후 약간의 시간이 지난 다음에 휘발되며, 베이스 노트는 마지막 향으로서 가장 오래 지속된다.

나 심지어는 소변이나 정액 냄새 같은 베이스 노트로 구성된다. 사향은 베이스 노트인데 원료 상태에서 너무나 불쾌감을 주기 때문에 사람들은 보통 혐오감을 느끼지만, 아주 유명한 향수를 포함한 대다수의 향수에 첨가된다. 그러나 이런 베이스 노트가 없으면 향수는 깊이가 없으며, 향수화학자들의 기술은 성분들을 조합하여 그것들이 함께 증발하도록 하는 것이다. 배합이 좋지 않은 향수를 뿌린 사람은 저녁에 외출할 때 처음에는 매우 상쾌한 냄새를 맡겠지만 파티가 끝날 무렵에는 매우 불쾌감을 주는 냄새를 맡을 것이다. 여러 가지 노트의 향수를 함께 혼합하는 지식은 몇몇 공기청정제가 작용하는 방법의 기초가 된다. 나쁜 냄새를 안에 넣어서 전체적으로 수용할 만한 냄새의 일부로 바꾼다.

이상적으로는 공기청정제는 악취를 완전히 제거해야 하며 몇몇 화학물질은 이런 작용을 하는 데 크게 이바지할 수 있다. 예를 들면 트라이에틸렌글라이콜(TEG)*은 공기 중에서 분자를 흡수하고 제거하는 데 매우 우수하다. 이것은 오래전인 1966년에 이미 알려졌으며 공업적으로는 오래 전부터 사용되었지만 최근에야 TEG가 가정용 제품에 들어가기 시작하였다. 공기청정제 분무액에 약 5%의 TEG를 첨가하면 물방울이 마루로 떨어지면서 나쁜 냄새를 흡수할 것이다. 미국에서는 병원에서 사용되는 제품 중에 공기 중의 미생물까지 제거할 수 있는 분무액 종류도 있다. 1980년에 미국 환경보호국은 그것의 사용을 허가하였으며 그런 분무액이 5% 이상의 TEG를 함유해야 효과적이라고 추천하였다. 이 용매는 많은 악취 분자들이 갖는 2가 황 원자와 방향족 고리** 같은 분자 특징을 함유하는 화학물질을 잘 녹인다. TEG는 곰팡내에 대해서는 특별히 효과가 없지만 애완동물, 화장실, 담배 냄새에 대해서

---

\*    화학식은 $C_6H_{14}O_4$이며 구조는 $H(OCH_2CH_2)_3OH$이다.
\*\*   다중 결합을 한 납작한 고리이며 스카톨은 그런 고리가 두 개 있다.

는 효과가 크다. TEG가 붙잡지 못하는 악취를 감추기 위해서 공기청정제에 향수를 조금 넣는 것도 좋다. 그러면 꽃이 핀 정원이나 고사리가 우거진 숲속 빈터나 상쾌한 야외를 상상하게 하는 향기가 남을 수도 있다.

사이클로덱스트린은 악취 분자를 작은 공동에 가두어서 강력한 냄새를 사라지게 한다. 사이클로덱스트린은 물에 녹으며 개집, 운동화, 고약한 냄새가 붙은 소파 같은 좋지 않은 냄새가 나는 근원에 뿌리는 페브리즈 같은 제품에 사용된다. 오염된 물체 표면이 축축해질 때까지 뿌린 다음 마르면 이 놀라운 화학물질 층이 표면을 덮어 냄새를 내는 분자가 대기 중으로 나오지 못하게 한다. 사이클로덱스트린은 여섯, 일곱 또는 여덟 개의 포도당 단위로 구성된 고리형 중합체이며(각각 $\alpha$-, $\beta$-, $\gamma$-사이클로덱스트린이라고 한다.) 바실러스균(*Bacillus macerans*)의 아밀라아제 효소에 의해서 녹말로부터 만들어진다. 사이클로덱스트린은 원형으로 결합된 환상구조로 들어오는 작은 냄새 분자를 붙잡아 묶어둘 수 있다. 결국 분무된 사이클로덱스트린 층은 사라지지만 그때까지는 냄새도 사라질 것이다. 그렇지 않으면 냄새나는 물체가 다시 퍼질 수 있다.

리시놀레산아연도 좋은 냄새 제거제이며 이것은 악취 분자의 황과 질소 원자에 결합하여 그것들을 비휘발성으로 만들어서 공기를 오염시킬 수 없게 한다. 이 화합물은 가정용과 개인용 위생용품뿐 아니라 세제에도 도입되었다. 산성 악취를 중화시키는 데 효과적인 다른 화합물로 탄산수소나트륨*이 있으며 이것은 몇몇 공기청정제에 첨가되어서 공기 중에 분무된다.

우리는 주위를 청결하게 하고 환기를 잘 시키면 공기청정제가 없이도 지낼 수 있으며 이런 제품은 단지 대기에 불필요한 짐만 될 것이라고 생각할 수도 있다. 자극적인 것이 포함되지 않도록 실험하고 있지만 당신은 몇몇 성분

---

\*   화학식은 $NaHCO_3$이다.

에 민감할 수도 있다. 식물에서 나오는 천연 휘발성 화합물과 비교하면 사람이 환경에 내놓는 것은 여전히 극히 작으며 천연 화학물질처럼 공기청정제 분자도 쉽게 산화되며 비에 의해서 공기 중에서 씻겨 내려간다.

이 장에서 설명한 제품들은 생활을 더 편하고 즐겁게 하며 우리가 더는 그것이 필요 없는 세계로 되돌아가는 것은 생각조차 할 수 없다. 다음 세대를 위한 도전은 재생가능한 자원으로부터 그것들 모두를 만드는 방법을 찾는 것이다.

### ● 미래 세대도 우리처럼 세탁과 설거지를 손쉽게 할 수 있을까?

화석 연료가 고갈되면 이 장에서 설명한 제품을 지속가능한 자원으로부터 만들 수 있을까? 또 공해도 전혀 일으키지 않을 수 있을까? 그렇다. 심지어 무기질 화합물인 인산염에 대해서도 마찬가지이다. 세계의 여러 지역에서 인산염은 현재 하수로부터 추출되어서 무기질 인산염으로 재사용되고 있어서 지속가능한 자원이다. 계면활성제는 식물 재료로 만들 수 있으며 실제로 일부는 이미 설탕 같은 탄수화물을 코코넛 오일 같은 지방산에 결합시켜서 만들고 있다. 설탕은 충치를 유발하고 코코넛 오일은 포화지방산이라 심장에 좋지 않다는 이유로 비난받으며, 특히 비만을 유발하여 식품으로서 환영받지 못하고 있다. 이 두 가지로 몸을 씻거나 의류를 세탁하는 것은 인정할 만한 대안이다.

식물에서 유도되는 슈크로스 에스터나 알킬글리코사이드* 같은 몇몇 계면활성제를 현재 공업적으로 이용할 수 있다. 알킬글리코사이드는 탄수화물 단위들 사슬로 된 친수성 머리와 10~18개 탄소의 지방산 꼬리로 구성된다. 꼬리의 길이는 용도에 따라서 달라진다. 이것은 이미 몇몇 용도, 특히 계면활성제가 직접 사람 피부와 접촉하는 곳에 사용되었다. 이런 새로운 계면활성제가 얼마나 안전한지는 몇몇은 먹어도 안전하다고 생각된다는 사실로도 판단될 수 있다. 예를 들면, 스테아르산슈크로스는 설탕 분자에 불포화 18-탄소 사슬이 결합되어 있으며 식품 유화제로 사용된다.

슈크로스 에스터는 특수 용도에 따라서 슈크로스에 결합된 단수화물 사슬의 수를 조

---

* 알킬폴리글라이코사이드 또는 APG라고도 한다.

절할 수 있으며 이런 계면활성제는 색, 냄새, 맛이 없기 때문에 식품에 이용된다. 예를 들면 수분 함량이 많고 저지방인 스프레드를 만들려면, 마가린과 물을 부드럽게 혼합하는 데 적당한 계면활성제를 만들기 위해 세 가지 지방산기가 필요하다. 슈크로스 에스터를 초콜릿에 첨가하면 가끔 표면에서 형성되어서 맛없어 보이는, 코코아 버터 결정의 흰색 꽃이 피는 것을 방지할 수도 있다. 유럽에서 슈크로스 에스터는 E473의 E-코드를 부여받았는데 이것은 EU 모든 국가에서 식품첨가물로 사용될 수 있도록 안전성 시험을 통과하였다는 것을 의미한다.

그러나 세제로서 사용하기 위해서는 대량 생산이 가능해야 한다. 이미 알킬글라이코사이드는 1년에 10만 톤 이상 생산되고 있다. 탄수화물 부분은 옥수수 전분, 밀, 감자에서 추출할 수 있다. 알킬글라이코사이드는 주로 다른 계면활성제에 첨가되어서 보조 계면활성제로 사용된다. 두 가지 계면활성제가 모두 더 적게 사용되어도 같은 결과를 얻는 것으로 보아 상승작용을 일으키는 것으로 보인다. 머리인 두 개의 포도당 분자에 12개 탄소의 꼬리가 결합된 라우릴다이글라코사이드는 특히 피부 손상을 최소화하기 때문에 식기세척제용 액체와 손빨래를 해야 하는 섬세한 직물용 액체 세제에 사용된다.

한 세대 안에 현재 화석 연료에서 생산되는 수백만 톤의 계면활성제가 식물성 천연 화학물질로 대치될 것이다. 아직 화학자들이 찾아내지 못한, 오늘날 우리가 사용하는 계면활성제보다도 더 좋은 탄수화물과 지방산의 조합이 있을 수도 있다. 그것을 찾으면 우리는 훨씬 더 적은 양을 사용하게 될 것이고, 그것이 찬물에서도 작용한다면 에너지 절약에도 기여할 것이다.

아름다운 생활

예술 속의 화학

글로벌 타임스, 2025년 3월 21일

## 도둑맞은 명화들 창고에서 발견되다

1990년대에 미술관과 화랑에서 도둑맞은 20점 이상의 명화들이 아일랜드에 있는 부유한 은둔자 소유의 외딴 시골집에서 발견되었다. 캐나다에 살고 있는 친척이 소유자인 오브리엔 교수와 여러 번 전화 통화를 시도하였으나 실패하자 경찰에 신고했다. 경찰은 심하게 부패된 은둔자의 시신을 찾아냈으며 시신 주위에는 역시 썩어가는 명화들이 놓여 있었다. 경찰 대변인은 수집가가 범죄조직에 명화를 훔치라고 돈을 주었으며 그는 주로 16세기와 17세기 화가들의 유화를 목표로 삼았던 것으로 보인다고 말하였다.

더블린 미술관 감독은 "그림들은 엉망인 상태입니다. 그림들은 습기가 차고 곰팡이와 백분으로 덮여 있지만 우리는 복구할 수 있을 것으로 생각합니다. 금세기의 보존 기술 진보로 복구할 수 있는 것은 복구하고 심지어 손상된 것도 현대 화학기술을 사용하여 재구성할 수 있다고 확신합니다. 복구된 부분들은 그림의 나머지 부분과 구별이 되지 않을 것입니다."

고급 연하장 인쇄업자들은 아일랜드 정부가 복구계획을 진행하려면 500만 유로를 제공해야 할 것으로 믿고 있다.

5면: 환경운동가들은 유독성 납 색소를 포함한 오래된 그림들은 밀봉된 보관실에 두어야 한다고 말한다.

이 마지막 장을 '명화를 더 아름답게'로 부르는 이유는 예술품을 그전의 빛나는 상태로 복구하는 작업, 단순한 물체의 표면보다 더 깊게 보이게 하는 것, 예술품이 진짜인지 구별하는 것에 대한 설명이기 때문이다. 현대 화학분석기술의 도움으로 원래 미술가가 어떤 재료를 사용하였고 어떻게 이용하였는지 정확하게 알아낼 수 있다. 또 그림의 밑에 있는 아마도 미술가가 불만족스러워 했을 어떤 원래 그림이 있었는지 찾아낼 수도 있으며 어떤 부분을 나중에 화가들이 덧칠하거나 그 위에 그렸는지 알 수 있다. 또한 위조범들이 개입되었는지도 찾아낼 수도 있다. 어떤 경우에 분석가들은 시험을 위해서 소량의 시료를 떼어내야 하지만 오늘날 이 양은 매우 적어서 맨눈으로는 거의 보이지도 않거나 눈에 보이지 않는 캔버스 귀퉁이에서 채취할 수도 있다. 심지어 분석에 비파괴법을 이용한다면 그럴 필요조차 없다. 그림 분석에 덧붙여서 화랑과 미술관의 화학자들은 필요하다면 현재 예술품을 원래 상태로 되돌려 놓는 작업을 할 수 있다. 그러나 몇몇 사람들은 세월이 만든 변화를 긍정적 가치로 보기도 한다.

미술품 복구에서 화학의 중요성에 대한 관심은 2003년에 런던 왕립화학회에서 열린 '성모의 꿈'이라는 그림전시회를 참석했을 때 생겼다. 이탈리아 볼로냐 출신의 거장인 크로체피시(Simone dei Crocefissi, 1330~1399)의 이 작품은 1370년경에 그린 것으로서 1938년에 볼로냐의 역 호텔에서 발견되어 런던 골동품학회에 기증되었으며 그곳에서 60년 동안 방치되었다. 그림의 많은 부분이 짙은 갈색으로 덧칠되었으며 일부는 금박 처리되었으며 전체적으로 여러 겹의 니스로 칠해져 있었다. 보존가는 X-선으로 그림을 조사하고서 배경에 풍경이 있다는 것을 알았다. 다른 조사 방법을 통해서 성모의 옷이 희귀하고 값비싼 색소인 울트라마린이라는 것이 밝혀졌으며 작가인 크로체피시가 1300년대에 그림을 그리는 표준 방법대로 색소에 계란 노른자를 개서 사용하였다는 것이 알려졌다. 보존가는 니스 층과 덧칠을 해부용 메스와 특별히 제조된 용매*를 사용하여 제거하였다. 그림은 매우 아름다운 작품이 되었고 이것은 화학자들이 미술에 어떤 공헌을 할 수 있는가를 보여주는 예가 되었다.

그림은 완성된 날로부터 변하기 시작하지만 화가와 애호가가 살아 있는 동안에는 변화를 알아보기 어려울 수 있다. 그러나 그들이 아주 오랜 세월이

---

\*    피닉스(Alan Phenix)에 의해 제공된 정보에 의하면, 이것은 아세톤, 자일렌, N-메틸필로리딘으로 구성되었다.

지난 황폐한 모습을 볼 수 있다면 틀림없이 놀랄 것이다. 열, 빛, 먼지, 공기 중 기체들의 영향으로 색은 옅어지거나 진해지고, 니스는 갈색으로 변하고 그림 전체를 금들이 뒤덮을 것이다. 금은 화가가 팔레트에서 색을 혼합할 때 사용한 기름이 천천히 마르기 때문이거나 환경에서 온도와 습도가 변함에 따라서 밑면이 수축하거나 팽창하기 때문에 생긴다. 이런 변화 일부는 대처할 수 있지만 모두가 가능한 것은 아니다. (종이에 그림 그림도 종이에 포함된 산에 의해서 종이의 셀룰로스가 분해되는 공격을 받기 쉽다.) 이 장은 주로 캔버스나 나무 위에 유화를 그린 옛 거장들에 관한 설명이다.

이 장에서 미술품 복구에 매우 중요한 화학에 대해 다룰 것이다. 그 네 가지 분야는 색, 분석, 복구, 위작이다.

## 색

우리는 무지개에 빨강, 주황, 노랑, 초록, 파랑, 남색, 보라의 일곱 가지 색이 있다고 알고 있지만 대부분 사람들은 여섯 가지만을 구분하며 나는 보라와 남색에 대한 색맹이어서 이것들을 거의 같은 색으로만 본다. 사람의 눈은 빨강, 초록, 노랑의 세 가지 색을 인식하는 수용체를 가지지만 우리 뇌의 교묘한 기술로 우리는 4가지 원색(빨강, 파랑, 초록, 노랑)을 받아들일 수 있다. 그러나 우리는 수천 가지의 색조를 구별할 수 있으며 옛 미술가들은 물감을 섞거나 한 색상 위에 다른 색상을 덧칠하여 이것들을 재현하였다. 오늘날에는 모든 것을 나타낼 수 있는 수백 가지의 혼합 물감이 있어서 미술가가 그 중에서 고를 수 있으며 이런 것은 새로운 유색 분자들의 무리를 발견한 1800년대와 1900년대 화학자들의 연구에 기반을 두고 있다. 미술가들은 특히 새롭고 밝은 초록을 환영하였다. 그전 세대들은 고운 가루로 갈 때 색을 유지하는 자연스러운 초록 무기질이 없었기 때문에 될 수 있는 대로 초록을 회피하였으며, 또 초록색 염료도 믿을 만하지 못하기 때문에 회피하는 경향이 있었다.

때때로 그림 중 남아 있는 것은 고고학적 발굴 동안 발견된 소석고의 파편들뿐인 경우도 있다. 그것은 미술 작품에 대하여 그것이 어디에서 왔는지에 대해서 많은 것을 말해주지는 않을 지라도 그것이 다루어졌던 당시 이용할 수 있던 재료들에 대하여 무엇인가를 밝혀줄 수 있다. 영국에 있는 로마시대 마을의 벽화들은 거의 남아 있지 않지만 때때로 주홍색, 석간주, 황토, 초록색 토양, 숯, 검댕, 사산화삼납, 이집트 파랑, 웅황 같은 고대 화가들이 사용하던 색소를 밝히는 데는 충분하였다. 크레타 섬의 미노아 문명의 궁전과 고대 이집트 무덤 같이 지중해 연안의 건조한 지역에서 드러난 그림들은 미술가들이 같은 색 물질 재료들을 이용하였다는 것을 보여준다. 중세 시대의 거장들은 수산화알루미늄으로 침전되는 유기 염료인 '레이크' 안료를 이용할 수 있었지만 이것은 지속성이 훨씬 떨어졌다.

색소와 염료는 식물, 곤충, 무기질에서 얻을 수 있으며 그 원천은 시대에 따라서 변하였다. 식물과 곤충에서 얻는 것은 유기 분자이며 맨 바깥 전자들을 들뜨게 할 수 있는 가시광선과 반응하여 색을 나타낸다. 우리가 보는 색은 그것들이 흡수하는 빛에 따라 달라진다. 즉 염료가 녹색과 파랑을 흡수하면 빨강으로 보인다. 식물은 클로로필 분자 때문에 녹색으로 보이는데 이것은 잎이 빨강과 파랑을 흡수하기 때문이다. 이런 행동의 이면에는 이런 쉽게 들뜨는 전자들이 화학적으로 반응하기 쉽다는 사실이 놓여 있으며 이 때문에 염료들은 시간이 지나면 그 분자들이 산소나 자외선과 반응하면서 색이 바랜다. 반면에 금속 색소는 수천 년 동안 색을 유지할 수 있다. 이것은 일반적으로 화학적으로 변화를 받기 쉽지 않은 금속 이온 상태에서 생성되기 때문이다. 색소의 비금속 부분에 색소 성분이 있으면 더 영구적이지 못하며 백색납은 그런 약점을 보여주는 가장 극단적인 예이다. 나중에 더 다루겠지만 백색 납은 황화수소 기체와 반응하면 순수한 흰색에서 진한 검정으로 변한다.

먼저 매우 흥미로운 이야기를 많이 가지고 있는 빨강과 파랑의 전통적 색소와 염료를 살펴보자.

## 빨강

1400년과 1890년 사이에 미술가들이 사용한 빨강색은 꼭두서니 같은 식물이나 깍지벌레(*Dactylopius coccus*) 같은 곤충을 짓이긴 것에서 추출하였다. 또는 가루로 만들면 고미술품에 많이 사용된 주홍색 색소가 만들어지는 진사(황화제이수은, HgS), 신석기 시대 동굴 화가들이 많이 사용하였던 붉은 산화철(Fe$_2$O$_3$)이나 연단(鉛丹)(붉은 산화납 Pb$_3$O$_4$) 같은 무기질 원천을 가진 것도 사용하였다.

플로렌스, 시에나, 베니스 같은 이탈리아 도시국가 화가들에게 가장 인기있던 것은 동양에서 수입되는 실거리나무의 빨간색이었다. 그러나 1453년 콘스탄티노플이 함락된 후 곤충에서 추출한 빨간색을 주로 사용하였다. 1497년에 독일의 화학자 뒤러(Albrecht Dürer)는 아버지 초상*을 그리면서 꼭두서니 빨강색을 사용하였다. 같은 해에 미켈란젤로는 '성 요한과 천사들과 함께 있는 성 모자상'**을 그렸으며 그림에서 성 베로니카의 밝은 붉은 옷을 그리면서 곤충에서 나온 연지벌레 적색 염료를 사용하였다. 1533년에 소(小) 한스 홀바인(Hans Holbein the Younger)은 '대사들'을 그렸으며 역시 곤충에서 나온 락깍지벌레 적색을 사용하였으며, 틴토레토(Tintoretto, 1518~1594)도 그의 작품 '은하수의 기원'에서 앉아 있는 비너스의 붉은 주름옷을 그릴 때 그 염료를 사용하였다. 다음 세기에 새로운 염료로 대체되었는데 그것은 코치닐 깍지벌레에서 나오는 코치닐이었다. 카민적색이라고도 불렸던 그것은 네덜란드의 화가인 반다이크(Anthony van Dyck)가 '자비심'(1627)과 스페인의 화가

---

\* '화가의 부친'이라고 불리는 이 그림은 그의 작품이라고 하지만 논쟁이 계속되고 있다.
\*\* 특별히 언급하지 않는 한 이 장에 나오는 그림들은 런던 국립미술관에 있는 것들이다.

벨라스케스(Diego Velázquez)가 1740년에 그린 '페르난도 데 발레스 대주교의 초상'에서 사용되었다. 1740년에 그린 '대운하의 곤돌라 경주'에서 나타난 것처럼 1700년대에는 카민 적색이 카날레토(Canaletto)*의 팔레트에서 사용되었다. 한편 영국 화가 레이놀즈(Reynolds, 1723~1792)와 게인즈버러(Gainsbrough, 1727~1788)도 카민 적색을 좋아하였다.

꼭두서니(*Rubia tinctorium*)는 약 5,000년 전에 인도에서 염료로 사용하였던 야생 덩굴식물이다. 고대 이집트인들은 꼭두서니로 의류를 염색하였으며 로마인들도 마찬가지였는데 이것을 잉글랜드 북부의 하드리안 장벽에 있는 빈돌란다에서 발굴한 천 조각에서 볼 수 있다. 꼭두서니는 지중해 연안에서도 자라며 중세 유럽에서 염료로서의 중요성이 일단 알려지자 북부 프랑스와 네덜란드에서도 재배되었다. 꼭두서니는 뿌리를 짓이기면 진한 빨강색 분자인 알리자린**과 퓨퓨린***이 나온다. 대부분의 꼭두서니 제품은 직물 염료로 사용되지만 일부는 미술가들을 위한 레이크 안료에 사용된다. 레이크 안료는 염료 용액에 명반(황산알루미늄칼륨)을 첨가한 후 소다(탄산나트륨)를 넣어서 용액을 알칼리성으로 만들어서 염료 분자들과 결합된 수산화알루미늄을 침전시킨 것이다. 이것은 미술가들의 색소로 사용되었으며 영국 화가 터너(Turner, 1775~1851)는 1800년대까지도 꼭두서니로 작업을 하였다.

랙깍지벌레 적색은 인도와 동남아시아에서 자라는 무화과나무 같은 여러 가지 나무의 가지에 군집을 이루는 곤충인 개미(*Kerria laccia*)에서 추출된다. 이런 지역에서는 아직도 랙깍지벌레에서 빨간 염료를 얻었다. 염료를 추출한

---

* (역주) 베니스 출생의 화가로서 본명인 지오반니 안토니오 카날(Giovanni Antonio Canal, 1697~1768)보다 카날레토로 널리 알려졌다. 로마, 런던 등 17세기 유럽의 도시생활상을 많이 그렸다.

** 화학명은 1, 2-다이하이드록시안트라퀴논, $C_{14}H_8O_4$이다.

*** 화학명은 1, 2, 4-트라이하이드록시안트라퀴논, $C_{14}H_8O_5$이다.

후 남은 재료를 알칼리로 처리하면 셸락을 얻을 수 있다. 이것은 전에 가구, 시계, 그림, 새까만 78 rpm 레코드*에 니스와 라커로 광범위하게 사용되었다. 셸락 500 그램을 얻으려면 약 5만 마리의 벌레가 필요하다. 락깍지벌레 적색은 기원전 1200년부터 이미 인도에서 사용되기 시작하였으며 1600년대까지 유럽으로 수출되었다. 이것은 특별히 1400년대 플로렌스 화가들에게 인기가 있었으며 미켈란젤로의 일부 작품에도 사용되었다.

케르메스 적색은 아마 가장 오래된 염료일 것이며 깍지벌레(당시 이름이 *Kermes vermilio*)에서 얻어졌다. 이 벌레는 지중해의 남동부 연안 국가들에서 발견된다. 이것은 성경에도 언급된다. 케르메스산**은 색을 나타내는 원인이 되는 천연 화학물질로서 벌레 무게의 1%를 차지한다. 이것은 로마시대에는 지배하고 있는 군대에 바쳐야 하는 공물의 일부로서 중요하였다. 이것은 중세시대에도 매우 귀중하여 지주들은 소작료로 이것을 받았다고 하며 로마 가톨릭 추기경들은 권위를 위해 비싼 값을 지불하고 이것으로 염색한 망토를 입었다. 케르메스 적색은 코치닐이 수입되던 1750년대까지 베니스에서 사용되다 점차 수요가 줄었다. 1995년에 튀니지의 전통적 염색가들이 여전히 케르메스 적색을 사용하고 있는 것이 발견되었지만 깍지벌레는 희귀한 곤충이 되었다.

코치닐 이야기는 2005년에 발간된 그린필드(Amy Butler Greenfield)의 《완벽한 빨강》이라는 책에서 아름답게 다루어졌다. 코치닐은 아즈텍인들이 발견한 염료였으며 가시가 많은 배선인장에서만 자라는 깍지벌레(*Dactylopius*

---

\* 이것은 25% 셸락과 셀룰로스(면화에서 얻음), 점판암 분말, 왁스의 혼합물로 구성되었다.
\*\* 화학명은 9, 10-다이하이드로-3, 5, 6, 8-테트라하이드록시-1-메틸-9, 10-다이옥소-2-안트라센카복실산, $C_{16}H_{10}O_8$이다.

*coccus*)가 생산한다. 코치닐의 빨강 분자는 카민산*이며 체중의 10%를 차지한다. 그 색이 특히 강하였으며 그것은 곧 케르메스 적색을 밀어내게 되었다. 중앙아메리카를 식민지로 삼았던 스페인인들은 비싼 값을 치를 준비가 된 유럽으로 코치닐을 수출하기 시작하였다. 그동안 식민지 개척자들은 그것이 나오는 원천을 숨겼으며 유럽 사람들이 그것이 씨로부터 추출된다고 믿고 있어서 더 좋아하였다. 몇몇 상인과 탐험가들은 그 원천을 찾으러 떠나서 멕시코에서 그 벌레를 몰래 가져왔지만 그것을 키우는 것이 불가능하다는 것을 깨달았다. 코치닐은 역사상 붉은색 코트로 유명한 영국 육군의 군복 염색에도 사용되었다.

약간 의문인 것은 1300년대 치오네(Nardo di Cione)의 그림 '세례 성 요한과 복음 성 요한과 성 제임스'에서 코치닐이 검출된다는 점이다. 구세계에 코치닐 벌레가 있었으며 폴란드가 원산지인 이것도 모아져 같은 카민산을 생산하는 데 이용되었지만 이것은 신세계에서 생산되는 코치닐보다 빨강 세기가 부족하였다. 1800년대 후반에 독일 화학자들에 의해서 발명된 콜타르 염료가 더 값이 싸고 광범위한 붉은색들을 제공하여 주기 때문에 더 선호되기까지 코치닐 거래시장은 거의 350년 동안 생생하게 유지되었다.

천연 염료의 빨강은 항상 그런 것은 아니지만 시간이 흐르면 대부분 바랜다. 1910년에 스웨덴의 오버호그달 마을에서 발견된 벽걸이들은 천 년 이상이 된 것으로 국보나 다름없다. 벽걸이들은 외스터순드의 옘트란드스 렌스(Jämtlands läns) 박물관에 전시되어 있으며, 생명의 나무와 오딘의 다리가 8개 달린 말을 포함하는 바이킹 신화를 나타내고 있다. 벽걸이의 중요한 색실은 빨간색이며 오늘날에도 서기 800년에서 1000년 사이에(탄소-14 연대측정법에

---

\*    화학명은 7-α-D-글루코피라노실-9, 10-다이하이드로-3, 5, 6, 8-테트라하이드록시-1-메틸-9, 10-다이옥소-2-안트라센카복실산, $C_{22}H_{20}O_{13}$이다.

의하면) 처음 수놓았을 때처럼 찬란하다. 빨강색 염료는 꼭두서니로 밝혀졌다. 그것이 그렇게 오랫동안 색을 유지하였던 이유는 추운 기후와 햇빛으로부터 보호되었던 결과라고 생각된다.

무기질 색소의 빨강은 시간이 흘러도 보통 바래지 않지만 변할 수 있으며 이것은 주홍색에서도 일어난다. 이 색이 때때로 검게 변하는 이유는 아직 알려지지 않았다. 주홍색이 예술가들이 사용할 수 있던 유일한 붉은 색소는 아니었다. 또 다른 색소 중 하나인 연단(鉛丹, 붉은 산화납, $Pb_3O_4$)은 약간 주황색 기운을 띠었다. 유럽에서는 세밀화를 그리는 데 사용되었으며 특히 중국에서 인기가 있었다. 다른 색소로는 아이오딘 적색(아이오딘화 수은, $HgI_2$)이 있었으며 식물도감 삽화를 그리는 빅토리아 시대의 수채화 화가들이 좋아하였다.

## 파랑

파랑은 오랫동안 화가들을 매혹시킨 색이었다. 자연에는 아주 다양한 파랑이 있지만 색을 유지할 수 있는 색소로서 발견되는 것은 너무 적다. 흔한 식물인 승람(Isatis tinctoria)에서 추출한 청색 염료 인디고는 색이 너무 빨리 바래기 때문에 유럽 화가들은 선호하지 않았다. 그들에게는 알려지지 않았지만 대서양 너머의 마야 화가들은 인디고로 우리가 치첸이차의 유적에서 볼 수 있는 것과 같은 멋진 벽화를 만들었다. 현재 이미 바래서 없어져야 했겠지만 실제로 그렇지 않다. 어떻게 보존되었을까? 염료에 팰리고르스카이트(palygorskite, 산성백토)를 첨가하여, 이 분자 바구니가 인디고 분자들을 가두고 햇빛과 산소에 의한 퇴색 효과를 막아주었기 때문이다.

이집트 파랑은 파라오 아켄하톤(기원전 1353~1336 재위)의 왕비인 네페르티티의 흉상에서 찾아볼 수 있다. 이 흉상은 텔엘아르만에서 발견되었으며 머리쓰개의 파란색이 인상적이다. 이 색상에 대한 제조법은 로마가 이집트를 정복한 기원전 30년에는 이미 없어졌지만 최근의 분석 결과, 모래, 석회, 공작석으로 만들어진 규소산 구리($CuSiO_3$)임이 밝혀졌다. 깨끗한 흰색 모래를 석회 반죽에 넣어 저은 후 여기에 공작석 분말을 넣으면 이집트 파랑이 된다. 현대에 만든 이 색소 시료를 당시 사용된 것과 비교하였는데 X-선 분석 유형이 정확하게 같았다.

고대 화가들은 두 가지 다른 진한 파랑색 색소를 알고 있었으며 그것은 남동광과 청금석에서 만들어졌다. 남동광은 염기성 탄산구리가 여러 가지로 변화된 것이다. 청금석은 더 복잡하며 알루미늄, 나트륨, 칼슘, 황이 포함된 규소산 암석이며 울트라마린 군청이라고도 한다. 이런 광물은 대리석과 함께 발견되며 암석이 커다란 압력을 받으면서 가열될 때 생성된다. 이것은 아프가니스탄의 바닥산에서만 채굴되며* 유럽에서는 희귀하기 때문에 같은 무게의 금만큼 귀중하였다. 이것은 베네치아를 통해서 수입되었으며 많은 사람들은 그것이 베네치아에서 비밀스럽게 제조된다고 믿었다. 색상이 매우 아름답고 진하기 때문에 중세 화가들이나 그 후원자들은 비싼 값을 지불하였다. 그 이전 서기 800년의 수도승들은 켈스의 서(書)**에 매우 아름다운 그림을 그릴 때 울트라마린 군청을 사용하였는데, 이 그림들은 현재 아일랜드 더블린 트리니티 칼리지에 보관되어 있다.

울트라마린 군청은 눈부신 청색이며 빛의 영향을 받지 않는다. 울트라마린 군청의 생산과정은 오래 걸린다. 암석을 가열하는 것으로 시작해 찬물에 담가 균열을 만들어 가루로 만든다. 그 다음에 가루를 기름과 섞고 불순물을 제거하기 위하여 가성 칼리로 추출하는 것을 포함하는 일련의 많은 단계들이 계속된다. 청색의 작은 입자들이 남으면 갈아서 왁스와 반죽하여 불순물과 너무 고와서 색이 없어진 가루를 제거한다. (광물질은 가루로 만들면 색

---

* 18세기에 시베리아의 바이칼 호 주변 광산에서 청금석을 함유하는 암석이 발견되어서 더 많이 이용할 수 있었다.

** (역주) 9세기 초에 완성된 라틴어 복음서로 켈트적 채식(彩飾)을 한 사본이다.

이 엷어진다.) 그 화학적 조성은 1806년에 파리의 에콜 폴리테크니크의 디소메(Charles-Bernard Desormes)와 클레망(Nicolas Clément)의 연구에 의해 이미 알려졌지만 재료의 정확한 본질은 X-선 분석법에 의해서 결정 구조가 알려진 1929년에야 해결되었다.

합성 울트라마린 군청을 위한 최초의 성공적 처방전은 1824년에 국가산업진흥회의 현상금에 응모한 기메(Jean Baptistie Guimet)에 의해서 만들어졌다. 그는 고령토, 탄산나트륨, 소량의 황, 더 소량의 실리카, 송진이나 피치를 사용하였다. 그는 이것을 750℃까지 천천히 가열한 후 가열로를 밀봉한 채로 냉각시켰다. 성분의 비율에 따라서 여러 가지 색조의 파랑이 만들어졌으며 일부는 초록 색조를, 일부는 약간 붉은 색조를 띠었다. 그 후부터 울트라마린 군청의 값은 천연 색소 값의 10분의 1이 되었다.

프러시안 블루*는 아마도 가장 유명한 청색 염료일 것이다. 이 염료는 1704년에 우연히 발견되었으며 사이안화철(II) 칼륨과 염화철(III)로부터 만들어진다. 베를린의 염료제조업자인 디에스바하(Heinrich Diesbach)는 붉은색 레이크 안료를 만들 가성칼리(탄산칼륨)가 바닥이 나자 연금술사인 디펠(Johann Dippel)에게서 소량을 빌렸다. 이것은 잘 작용하였지만 붉은색 레이크 안료를 걸러낸 후 남은 용액에 약간 이상한 일이 생겼다. 그것이 진한 파랑색으로 변하였다. 디펠의 가성칼리는 뼈를 하소**하여 만든 것으로서 단백질 성분이 분해되어서 생긴 사이안화염이 함유되어 있었으며 이 사이안화염이 반응하여 오늘날 프러시안 블루라고 하는 진한 청색 화합물을 만든 것이었다. 곧 이것은 색소로 만들어졌고 큰 성공을 거두었다.

1800년대에 프랑스 정부는 화학자들에게 새로운 색소를 만들도록 격려하

---

＊   회학식은 $Fe_4[Fe(CN)_6]$이나.

＊＊  (역주) 물질을 직접 불꽃으로 태우지 않고 용기에서 가열하여 휘발 성분을 없애고 재를 만드는 일이다.

였으며 그 결과 드모르부(Guyton de Morveau)와 테나르드(Louis Thénard)가 만든 새로운 파랑색, 코발트 파랑이 1802년에 발표되었다. 이것은 산화알루미늄 코발트*로서 순수한 '파랑'으로 생각되는데 전통적 파랑에 들어있는 약간의 초록이나 인디고의 파르스름한 색조를 가지지 않기 때문이다. 더 최근에는 프탈로사이아닌 구리 색소가 예술가들에게 인기가 있다.

## 노랑

노란 황토색은 마지막 빙하시대의 동굴 화가들에 의해서 사용되었다. 이 색소는 수화된 산화철**이었으며 프랑스의 루시용 같은 일부 지역들에서는 이 광물이 대량으로 난다. 아르데슈의 발롱퐁다크(Vallon-Pont-d'Arc) 동굴 벽에 남아 있는 검댕이를 추출하여 1995년에 세 연구실이 독립적으로 탄소연대측정법으로 측정했는데, 벽화들이 30,000년에서 33,000년 사이의 연대를 가진다는 것이 확인되었다. 수백 점의 그림이 작업될 당시 화가가 횃불을 사용하면서 검댕이 남게 되었다. 3만 년에 비해 최근의 예술가라 할 수 있는 고대 이집트의 화가들 또한 천연 광물인 노란 웅황(황화비소, $As_2S_3$)***을 좋아했으며, 중세 시대 화가들은 생산자들이 비밀 방식으로 만든 선명한 납-주석 노랑(납과 주석의 산화물)을 사용하는 경향이 있었다.**** 이 색소는 앞으로 설명할 것처럼 그것을 포함하는 모든 그림에서 시한폭탄이 된다.

카드뮴 노랑 같은 다른 합성 색소도 있다. 카드뮴 노랑은 황화카드뮴($CdS$)으로서 그 선명한 색깔 때문에 한때 인기를 얻었지만 그것에 포함된 카드뮴이 체내에 축적되기 때문에 더는 사용되지 않는다. 또 다른 밝은 노란색은 크

---

*      화학식은 $CoAlO_3$이다.

**     화학식은 $FeO \cdot OH$이다.

***    황화비소의 다른 형태는 계관석($As_4S_4$)이며 주황색이다.

****  그 조성식은 $Pb_2SnO_4$이다.

로뮴산납(PbCrO₄)이라는 크롬 노랑인데 이것은 두 가지 독성 원소에 기반을 두고 있으며 콜론 노랑 또는 킹스(King's) 노랑과 같은 여러 이름으로 팔린다. 이것은 천연적으로 존재하는 광물이지만 미술가들이 사용하는 것은 제조된 것이었다. 드문 색소로는 레몬 노랑의 크로뮴산스트론튬(SrCrO₄)이 있었다.

심황과 베르베린* 같은 천연 노란 식물 색소는 훨씬 더 약하지만 때때로 그런 착색제를 잘못 사용하면 세계에서 가장 귀중한 책의 경우처럼 손상을 입을 수도 있다.

## ● 노랑이 항상 노화를 의미하는 것은 아니다

'금강경'은 1,200년 전 최초로 인쇄된 책이기 때문에 매우 귀중하다. 이 두루마리 책은 길이가 5미터이며 서기 868년 5월 11일의 날짜가 적혀 있다. 그것은 중국 둔황 근처의 석굴에 저장된 두루마리들 중 하나였으며 1025년 이전 언젠가 봉해졌다가 스스로 경비원이 된 도교의 승려 왕유안류(王圓籙)에 의해서 재발견되었다. 그는 영국의 탐험가 스테인 경(Sir Mark Aurel Stein)에게 1907년에 그 수집품을 보여주었으며 그중 7,000개의 두루마리가 런던으로 옮겨졌다. 이것은 단지 수집품 중 일부였으며 오늘날 베이징의 중국국립박물관에 있는 1만 점을 포함해 그 일부들이 전 세계의 박물관에서 발견된다.

마크 경은 1913년 세 번째 여행에서 600개의 두루마리를 더 수집하였다. 이것들은 현재 모조품으로 여겨지며, 실제로 그 당시 이미 지역 모조품업자들이 너무 잘 조직화되어 있어서 전 세계에서 수집된 두루마리 중 많은 것이 가짜로 여겨진다.

'금강경'은 진품이지만 1909년에 영국박물관에 도착하였을 때 낱장으로 찢겨 있었고, 이를 종이에 풀로 붙였다. 그리고 앞부분의 노란색을 노화 때문이라고 생각해 표백제로 처리하였다. 노란색은 없어졌지만 다행스럽게도 나머지 면들은 표백제 처리를 하지 않았다. 실제로 노란색은 장엄함을 나타내고자 한 불교도의 신념을 따라서 특수하게 사용된 염료였다. 그 염료는 황벽나무(*Phellodendron amurense*)에서 추출된 것이다. 1995년에 현대

---

\* (역주) 황련(*Coptis japonica*) 뿌리, 황벽나무 수피, 매발톱나무(*Berberis vulgaris*)의 뿌리 등에서 얻는 아이소퀴놀린 알칼로이드의 한 종류이다.

분석 기술을 사용하여 중국 종이를 분석한 결과 당시의 인쇄 잉크를 확인할 수 있었다. 박물관 측은 현재 그 두루마리를 원래 상태로 복원하는 중이다.

## 초록

초록은 중세시대 화가들에게 큰 관심을 일으켰다. 염기성 탄산구리*인 녹색 광물에서 얻어진 공작석이 있었으며, 이것은 밝은 녹색이고 세계 각지에 천연으로 존재했지만 곱게 갈면 색이 매우 연해졌다. 1400년대 화가들은 이 색소를 산 귀스또 알레 무레의 수사(修士)로부터 얻었으며, 합성품도 만들었다. 두 가지 변종은 입자 모양이 약간 다르기 때문에 그림에서 구별 가능하다. 공작석은 앞선 시대의 화가들이 사용하던 파랑과 노랑의 혼합물로 대치되었으며 이어서 그것은 1500년대에 기름과 더 잘 혼합되는 녹청(綠靑)으로 대치되었다. 녹청이 달걀과 잘 섞이지 않기 때문에 과거의 피렌체 화가들은 사용하지 않았다. 녹청은 염기성 아세트산구리**로 금속 구리를 식초 증기로 부식시켜서 만든다. 이것은 처음에는 연한 녹색이지만 아세트산염이 아세트산으로 빠져 나가면 갈색으로 변한다. 공작석도 황화구리($CuS$)가 형성되기 때문에 어둡게 된다. 그 후 화가들이 이용할 수 있던 초록은 아세토아비소산 구리인 에메랄드 녹색이었으며 최근에는 프탈로사이아닌 구리를 이용한다.

## 자주

자주색 물감은 심홍색 레이크 안료와 검정과 약간의 흰색을 혼합하여 만들 수 있었으며 루벤스도 이것을 사용하였다. 로열 자주라고도 불렸던 티루스 자주 염료는 지중해 해안에서 자라던 조개(*Murex bradaris*)에서 추출하였지만*** 값이 너무 비쌌다. 로마시대에는 황제의 의복 염색을 위해 따로 보관되었으

---

\*　화학식은 $CuCO_3 \cdot Cu(OH)_2$이다.

\*\*　화학식은 $Cu(CH_3CO_2)_2 \cdot Cu(OH)_2$이다.

\*\*\*　자주색은 6-브로모인디고와 6, 6-다이브로모인디고 분자에서 나온다.

며 이 때문에 '자주색을 입다'는 말은 높은 지위로 승진하는 것을 나타내게 되었다. 자주색을 입기를 원하는 더 낮은 지위의 사람들은 모브 염료가 등장한 1800년대 중반까지 기다릴 수밖에 없었다. 그 후 자주색과 모브는 모든 제품에서 크게 유행하였다. 모브는 1856년에 18세의 실험기술자이던 퍼킨(William Perkin)이 이스트 런던에 있는 집안 실험실에서 발견하였으며 그 이야기는 가필드(Simon Garfield)의《모브》라는 책에 자세히 실려 있다. 오늘날에는 코발트 바이올렛 같은 현대적 자주색 색소가 있다.

## 갈색

갈색은 스펙트럼의 빨강–노랑 끝 부분에 있는 색들을 혼합하여 얻어진다. 천연과 구운 점토 같은 몇 가지 토양 색소도 있었는데 황토색과 더 진한 황갈색을 만드는 데 이러한 색소가 주로 사용되었다. 갈색 색소는 고대 이집트 미라를 고운 가루로 갈아 만드는데 화가들은 이것을 매우 소중하게 여겼다. 1800년대에 송진, 유향, 밀랍을 피치가 될 때까지 강하게 가열하여서 이것의 합성품을 만들 수 있었다. 그것을 가루로 만들면 고운 갈색 색조가 생겼다. 그 후 1800년대에 여러 가지 콜타르 색소가 등장하였다.

## 검정

검정은 흔히 등잔의 검댕이를 사용하였는데, 이 검댕이는 기름, 타르, 피치, 송진을 공기를 제한하며 태워서 생기는 유연(油煙)이었다.

## 흰색

연백(鉛白)은 염기성 탄산납으로서 그 놀라운 덮는 능력 때문에 2,000년 동안 예술가, 화학, 장식가들에 의해서 사용되었다. 로마시대에 연백은 지중해 로도스 섬에서 산출되었다. 얇은 금속 띠를 식초 수발에 걸어 수개월을 두면 색소로 덮이게 되는데, 이를 긁어모아 고운 가루로 만들었다. 연백은 두 단계로 형성된다. 첫 단계에서 식초에서 나온 아세트산 증기가 납을 공격하여 아세트산납을 생성하며 그 다음 단계에서 공기 중의 이산화탄소와 수증기가 그것과 반응하여 염기성 탄산납을 생성한다.* 이 연백 제조방법은 네덜란드에서 1600년대에 거름 더미를 식초를 따라서 늘어놓은 방 안에서 공정을 수행하여 생산량을 증가시키는 더 좋은 방법이 발견될 때까지 수백 년 동안 유지되었다. 그 후 그 방을 90일 동안 봉쇄하면 마지막에 모든 납이 연백으로 전환되었다. 분해되는 거름은 온기와 많은 이산화탄소를 공급하였다.

예술가들과 화가들에게는 연백의 명도와 농도를 따라올 만한 것이 없었다. 분필, 굴 껍질, 불에 타 생석회가 된 뼈, 심지어 진주 가루로 만든 대용품이 있었지만 연백과는 비교가 되지 않았다. 오늘날에는 이 색소를 거의 사용하지 않으며 보존가나 복원가들만 제한적으로 사용한다. 269쪽을 통해 우리는 이 금속이 얼마나 유독한지 알고 있으며, 연백은 똑같은 흰색 명도를 가지며 건강의 위협도 없는 이산화타이타늄으로 대체되었다.

## 기름과
## 니스

염료를 조합하는 기술은 예술가의 문하생으로 지낼 동안 꼭 배워야 할 것이었으며 그것에는 달걀노른자나 기름 같은 유기 접합제와 함께 색소를 가루로 가는 일도 포함되었다. (달걀노른자는 단백질과 지방의 혼합물이다.) 이탈리아의 예술가들은 1400년대 초부터 달걀을 주로 사용했고 14세기 말에는 주로 '건조용' 기름을 사용하였으며 일부는 두 가지의 혼합물을 사용하였다. 밑층을 칠하거나 피부색이나 연한 하늘색 부분 같이 더 차가운 느낌의 흰색이 필요할 때는 여전히 달걀이 사용되었다. 건조용 기름은 굳는 과정의 일부로서 증

---

\*     화학식은 $PbCO_3 \cdot Pb(OH)_2$이다.

발이 일어나는 것을 의미하지만 실제로 증발이 일어나지 않으며 '경화'라는 용어가 더 좋을 것이다. 색소도 경화 과정에 영향을 주며 때때로 이것을 느리게 하기도 하고 빠르게 하기도 한다. 1500년대와 1600년대 그림에서 가장 흔히 사용된 기름은 아마인유, 호두유, 양귀비 종자유였으며, 빨리 굳게 하는 기름들은 황화를 일으키기 쉽기 때문에 경화를 느리게 하는 양귀비유도 사용되었다. 유화가 굳어지는 이유는 지방산 사슬에 있는 이중결합이 산소나 빛과 반응하여 사슬들이 서로 결합하기 때문이다. 마이에른(Theodore Turquet de Mayerene)이 1620년과 1646년 사이에 편찬한 처방전에는 양귀비유가 여러 차례 언급되었으며 실제로 이것은 매우 연한 기름이어서 연한 색깔의 색소에 사용하기가 좋았을 것이다. 이것은 1637년경에 샴페인(Philippe de Champaigne)이 그린 '리슐리외 추기경'의 흰색 모피 부분에서 확인되었다.

몇몇 예술가들은 특별한 기름을 좋아하였으며 그것을 모든 색소에 사용하였다. 잘 알려져 있듯이 다빈치(Leonard da Vinci)는 1508년에 그림 '암굴의 성모'에서 모든 색에 호두유만을 사용하였다. 다른 예술가들은 두 가지 이상의 기름을 사용하였으며 푸생(Nicholas Poussin)은 일생 동안 호두유나 아마인유만을 사용하였으며 때때로 '물 푸는 남자와 로마군의 전투 풍경'(1638), '샘에서 발 씻는 남자가 있는 풍경'(1648)에서처럼 두 가지 모두를 사용하였다. 터너는 색을 혼합할 때 사용하는 재료에 덜 까다로웠다. 더욱이 그가 사용했다고 알려진 기름으로는 여러 가지 니스 이외에도 밀납과 경랍(鯨蠟, 고래에서 얻음)이 있었다.

옛 거장들은 부분적으로는 색의 깊이를 강조하고(색 포화라고 함) 부분적으로는 건물 난방에 사용한 불과 난로에서 나오는 증기와 연기로부터 그림을 보호하기 위해 니스로 마감을 하였다. 현대 화학분석을 이용하면 예술가들이 사용한 기름과 니스를 정확하게 알아낼 수 있으며 화학은 그런 분석으로 지난 25년 동안 예술 복구를 하는 데 중요한 이바지를 하였다.

# 분석

화학분석의 세밀함은 엘리자베스 1세를 그린 작은 세밀화를 통해 1999년에 알려졌다. 이 그림은 1600년대 여왕이 헤니지 경(Sir Thomas Heneage)에게 선물한 것으로, 그림이 들어 있는 케이스는 '무적함대 보석'으로 알려져 있다.[*] 유리 덮개를 관통해 그림의 여러 부분에 도달하는 레이저를 사용하는 리만분광법으로 분석되었고, 빛을 기록하고 파장을 측정하면서 분산된 빛이 그림 색소의 진동 에너지에 해당한다는 것이 밝혀졌다. 진주 목걸이는 연백, 그 주위는 웅황, 붉은 꽃은 깍지벌레의 붉은색 안료, 그 잎은 공작석, 파란색 배경은 남동광과 울트라마린을 혼합한 것이다.

그림의 단면은 아주 많은 것을 알려줄 것이다. 아래층은 나무판이거나 캔버스이며, 그 위층은 '바탕칠'이라고 하는 회반죽 층이다. 회반죽 층은 백악(탄산칼슘, $CaCO_3$)이나 광물인 석고로부터 만들어질 수 있는 황산칼슘($CaSO_4$)의 한 형태로부터 만들어진다.[**] 예술가들은 숯 등을 사용하여 흰 바탕에 주제를 스케치한 후 그림이나 초상을 그릴 것이며 일반적으로 여러 층의 물감을 칠할 것이다. 그림을 보호하고 색에 깊이를 더하기 위해서는 투명한 니스 코팅을 한다. 이런 여러 가지 층을 어떻게 분석할 수 있을까? 1956년에 플레스터스(Joyce Plesters)는 5~10밀리그램 정도의 무게가 나가는 작은 시료를 그림의 모서리나 손상된 부분에서 떼어내 폴리에스터 수지에 넣고 현미경을 통해서 층 구조를 연구할 수 있도록 수직 방향으로 자르는 방법을 설명

---

[*] (역주) 이런 작은 세밀화(miniature portrait)는 왕이나 왕가 가족을 아주 세밀하고 작게 그린 그림으로서 나중에 목걸이용 금함이나 보석으로 장식한 작은 케이스에 넣었다. 힐러드(Nicholas Hillard)가 그린 엘리자베스 1세 초상화는 1588년에 스페인의 무적함대를 격파한 것을 기념하여 헤니지 경에게 하사되었다. 초상화는 케이스 안 5×7센티미터의 타원형 유리 아래에 들어있다.

[**] 그림이 그려지는 벽 위의 회반죽도 황산칼슘의 한 형태이며, 이 경우는 이수화물($CaSO_4 \cdot 2H_2O$)이다. 젖은 회반죽 위에 물감으로 그리면 그것이 스며들어 물감과 단단하게 표면에 결합된다. 이렇게 만들어지는 것이 프레스코화이다.

하였다. 그 다음 결정 형태로부터 몇 가지 색소를 확인할 수 있다. 현대 색소들은 전통적인 막자사발에서 갈아지지 않으며 공업적으로 분쇄되므로 옛 거장들의 것보다 훨씬 더 곱다.

원작자 또는 출처가 의심스럽다면 그 그림의 분석은 필수적이다. 분석은 사용 재료와 사용법을 알아내고 그전의 복원가들의 수정이나 변형 정도를 확인하기 위하여 흔히 실시된다. 화학자들은 몇 가지 자유롭게 사용할 수 있는 분석 기술들을 가지고 있다. 몇몇은 그림에서 시료를 영원히 사라지게 하는 파괴적인 경우도 있지만 현대적인 방법은 로마시대 작품에 대하여 사용한 것과 같이 비파괴적이다. 물론 비파괴적 분석법이 선호되지만 '파괴적 방법'의 경우에도 보통 그림틀 아래 숨겨져 있거나 너무 작아서 제거하더라도 알지 못할 정도의 아주 작은 조각으로 막대한 양의 자료를 얻어낼 수 있다.

일부 파괴적 기술은 1천분의 1그램을 필요로 하지만 100만분의 1그램이면 충분한 경우도 있다. 특별히 유용한 기술의 조합은 기체크로마토그래피(GC)와 연결된 질량분석계(MS)이다. 이것들을 연결하면 복잡한 혼합물을 분리하여 확인할 수 있다. MS에서는 기체 상태에서 분자들이 이온화되어서 전기장으로 들어간다. 이온화된 분자들은 전기장에서 가속되고 이어서 자기장에서 입자의 원자량에 따라서 휘어지는 정도가 달라지므로 구성하는 원자들을 알 수 있게 된다. 그것으로부터 원자 구조를 추정할 수 있다.

염료의 화학성분들을 분리하는 데는 액체 크로마토그래피가 이용되며 분리된 성분은 분광학적 분석법으로 확인할 수 있다. 1980년에 독일의 염료 화학자인 슈베페(Helmut Schweppe)는 얇은 층 크로마토그래피를 사용하여 여러 가지 천연 염료들을 분리하여 확인하는 방법을 발표하였다. 현재는 고성능 액체 크로마토그래피(HPLC)에서 자주 사용되는 기술이다. 이것은 250에서 750나노미터의 파장 범위를 주사할 수 있는 자외선-가시광선 분광계와 연결될 수 있어서 분리되어 나오는 염료의 각 성분을 분석할 수 있기 때문이다. 대신에 HPLC를 질량분석계와 연결시키면 성분들을 더 정확하게 확인할 수 있다.

　그림을 분석하는 최초의 비파괴적 방법은 X−선 분석법이었다. 이 방법은 예술가가 사용한 재료들을 확인할 수 없었지만 아래에 숨겨진 그림이나 그림에 가해진 어떤 변화를 찾아낼 수 있어서 어떤 그림이 다른 그림 위에 그려졌다는 것을 알아냈다. 가장 많은 정보를 얻을 수 있는 것은 연백의 납이었는데 색들과 연백을 많이 혼합할수록 그림이 X−선에 불투명해지기 때문이다. 그러나 X−선이 그림의 뼈대를 보여주는 것 이상의 역할을 하기도 하며 최근 X−선 형광분광법(XRF)은 운반용 장치로도 할 수 있는 비파괴적 분석의 중요한 방법이 되었다. 이 정교한 기술은 소량 시료에 있는 원소 분석에 X−선을 이용하고 원소마다 에너지 유형이 독특해서 원소를 확인할 수 있다. XRF는 정교한 위조품 적발에도 이용된다.

### ● 가짜 교황님!

워싱턴 DC에 위치한 국립미술관은 알레산드로 파르네스에서 1468년에 태어난 교황 바울 III세의 청동 흉상을 구입하였다. 이것은 다른 박물관의 청동상들과 마찬가지로 미켈란젤로의 제자인 포르타(Guglielmo della Porta)의 작품으로 알려져 있었다. 모든 것이 가짜라는 소문이 돌았고 보존과학자인 글린스먼(Lisha Glinsman)에게 분석을 의뢰하였는데 그녀는 X−선 형광분광법을 이용하였다. 그녀가 조사한 결과 청동(구리−주석 합금)이 아니라 황동(구리−아연 합금)으로 만들어졌다는 것이 밝혀졌다. 두 가지 합금이 중세시대에 모두 알려져 있었기 때문에 그 자체로는 진위를 판단할 수 없었지만 그녀는 결정적인 것을 발견하였다. 1534년부터 1549년까지 재위한 교황 바울 III세 시대에 정련된 구리에는 몇 가지 미량 불순물이 포함되어 있었으며 이것이 그 시대 금속의 특징이었다. 위작은 1800년대에 모든 불순물을 제거하고 정련하는 전기분해법으로 만든 구리를 사용하였기 때문에 흉상에는 이러한 불순물이 존재하지 않았다. 글린스먼은 바울 III세 흉상이 1800년대 후반이나 1900년대 초반에 만들어졌다고 결론 내렸다.

적외선은 X−선처럼 투과성이 좋지는 않지만 화학성분들을 확인하는 데 이용될 수 있다. 특히 탄소를 함유하는 숯, 흑연 연필, 검정 잉크가 사용된 그림이라면 적당한 카메라를 통해 그림의 밑에 숨은 그림을 알아낼 수 있다. 적외선 반사법은 때때로 원작과 복사본, 심지어 복사본이 같은 예술가의 작업실에서 나오더라도 구별하는 데 이용될 수 있다. 예를 들면 런던 국립미술관과 파리의 루브르박물관에는 레이머스웨일(Marinus van Reymerswale)의 '두 세금징수관'이라는 그림이 있으며 작가의 그린 방법으로 보아서 아주 싫어한 두 사람을 나타내고 있다. 두 그림 중 어느 것이 원작일까? 적외선 검사법에 의하면 런던의 그림은 원작을 모방하여 조심스럽고 정확하게 복제한 그림이며 파리의 그림 밑에 숨어 있는 그림이 훨씬 더 자유로운 형태의 원작이라는 것이 밝혀졌다.

적외선 분석은 시료를 적외선 전 영역에 노출시켜서 흡수되는 파장을 알아낸다. 분자 안의 화학결합은 적외선에 해당하는 진동수로 진동하므로 그것이 어떤 진동수인지 알아내면 흔히 재료를 알아낼 수 있다. 역시 미량의 시료가 필요하며 얻어진 스펙트럼은 저장된 스펙트럼들과 비교하여 시료의 재료를 확인할 수 있다. 적외선 분석과 마찬가지로 라만 분석도 분자 진동에 기반을 두고 있으며 이 기술은 색소를 확인하는 데 사용되었다.

또 다른 미량 파괴분석법은 물감 층을 분석하는 데 사용되는 레이저 유도 파괴 분광법(LIBS)이다. 나노초의 레이저 맥동으로 표면 물감에서 얻은 소량의 재료를 증발시키는 데 손실되는 양은 500억분의 1그램 정도로 작아서 맨눈으로는 볼 수 없다. 증기가 두 고전압 전극 사이를 통과하면 원자가 들뜨고 이어서 원소를 확인할 수 있는 광에너지 띠 유형이 발산된다. LIBS를 라만 분광법과 결합시켜서 여러 층으로 된 러시아 성상(미콘)을 조사하는 데 이용하였다.

## 보존

현대 보존법은 최소한의 간섭을 목표로 하며 미래의 그림 손상을 예방하는 법을 찾고 있다. 그 동안 자외선, 열, 습도, 대기 중 기체들에 의해 여러 가지 화학적 변화가 일어났기 때문에 예술가가 작품을 완성하였을 때의 형태로 옛 그림을 보는 것을 불가능하다. 자연적인 변화 이외에도 그림을 보호하기 위한 니스 칠과 같이 손상된 부분을 손보기 위해 의도적으로 변화를 준 경우도 있다. 예술 작품이 자연스럽게 나이가 들 수 있다고 하더라도 쌓이는 세월의 때와 서투른 사람들에 의한 엉성한 복원 시도는 용인될 수 없을 것이다. 불필요하게 덧칠된 첨가물들을 어떻게 제거해야 하며 보존과 복원이 어느 정도로 이루어져야 하는가? 복원화학자들은 그림을 거의 원래 상태로 되돌려 놓을 수 있는 수준에 이르렀다. 어떤 사람들은 예술가가 의도한 작품을 보길 원하겠지만, 세월에 따른 변화를 예술 작품에 첨가된 매력으로 보는 사람들도 있다. 두 가지 관점 모두 고려되어야 한다.

바티칸 보존가들이 로마의 시스티나 성당 천정화를 복원한 것이 적절한 예이다. 미켈란젤로가 걸작을 마쳤을 때의 찬란함을 되살려냈는데, 그의 색이 너무 자극적이어서 일부 비평가들은 당황하기도 했다. 디즈니 만화 같다고 표현한 사람도 있었지만 현대의 가장 위대한 현시로 평가되기도 했다. 수세기 동안의 묵은때를 제거하기 위해 보존가들은 보통은 대리석 청소 방식을 이용하였다. 셀룰로스 젤에 탄산수소나트륨과 탄산수소암모늄을 분산시킨 화학물질 AB57을 사용한 후 물로 씻어내는 과정도 포함된다.

미켈란젤로의 색들은 세월을 견디어냈지만 다른 옛 거장들은 화학변화를 일으키는 염료를 사용하였기 때문에 회복이 불가능하였다. 우리는 그려진 당시에는 녹색이었지만 현재는 파랑색 잎을 가지는 나무들이 그려진 1600년대 네덜란드 그림에서 이 효과를 볼 수 있다. 그 이유는 공작석 같은 녹색 색소를 사용하는 대신에 남동광 같은 파랑색 색소에 물푸레나무, 잇꽃, 갈매나무 같은 천연 노란색 염료에 기반을 둔 식물성 주황색 레이크 염료를 혼합하여 녹색을 만들었기 때문이다. 세월이 흐르면서 노란색 염료는 분해되어서 파이나커(Pynacker)*의 '사냥 장면'처럼 파란색 잎이 남게 되었다. 마찬가지로 스코틀랜드 국립미술관에 있는 그뢰즈(Greuze)의 '죽은 카나리아를 든 소녀'에서 죽은 새는 파란색 잎이 우거진 화관을 쓴 흰색 카나리아의 모습이다. 그뢰즈는 새의 깃털과 나뭇잎의 녹색을 만드는 데 모두 노란색 레이크 안료를 사용하였다.

반 고흐의 붉은 석양 그림 중 몇몇은 합성 알리자린을 사용하였기 때문에 회색으로 변하였다. 우리는 그의 '오베르의 와즈'(런던 테이트 모던 소장)가 그림틀에 의하여 빛으로부터 보호된 캔버스 부분의 색깔이 아직도 분홍색이기 때문에 원래 분홍색 하늘을 가졌었다는 것을 알고 있다.

사진기가 발명되기 전에 부자들은 자신의 생김새를 영원히 남기거나 본인이 얼마나 중요한 사람이었는지 후세에 전하고자 초상화를 이용하였다. 현재 수천 점의 그런 초상화는 저택의 벽과 미술관의 벽을 장식하고 있는데 모두가 높은 예술적 가치를 가지지는 않더라도 화학적 이야기를 전해줄 수는 있다. 영국의 가장 위대한 화가인 레이놀즈 경(Sir Joshua Reynolds)이 그린 많은 초상화 속 얼굴들은 왜 모두 창백할까? 분명히 1700년대 영국의 신사 중 일부는 식사 중 빈혈을 일으키는 납에 너무 많이 노출되어 빈혈이었거나 창백한 피부가 고위층에 속한다는 것을 나타내주기 때문에 단순히 고위층으로 보이려는 유행을 따랐을 수도 있다. 하지만 그러한 이유보다는 레이놀즈가 피부색을 꼭두서니 염료로 채색했기 때문일 것이다. 꼭두서니의 붉은색 알리자린 분자는 산화되면 무색으로 되는데 이런 일이 일어난 것이다. 레이놀

---

* 이것은 런던의 덜위치 미술관에서 볼 수 있다.

즈는 마침내 노년이 되어서야 세월의 손상에 저항성을 가지는 케르메스 적색 사용을 인정하였으며 그 때까지 이 레이크 안료를 계속 사용하였다.

모든 색이 바래는 것은 아니며 일부는 다른 방향으로 변하는데 특히 가장 흔하게 사용되는 연백이 그렇다. 석탄으로 난방을 하는 공간에 그림이 걸리면 타는 연료에서 황을 포함하는 증기가 연백과 반응을 해서 그것을 검은 황화납(PbS)으로 바꿀 것이다. 이러한 결과는 많은 옛 문헌에서도 볼 수 있는데 원래 연한 분홍색으로 그린 표지가 지금은 진한 검은색이 되었다. 황화납을 원래의 염기성 탄산납으로 되돌릴 수 있지만 이것은 복잡한 과정이며 과거 복원가들의 능력을 벗어나는 것이었다. 그들이 할 수 있던 것은 황화납을 또 다른 흰색 납 화합물인 황산납으로 바꾸는 것이었으며, 이것은 황화 이온을 황산 이온으로 산화시키는 과산화수소를 이용하여 이루어졌다. 과산화수소는 1800년대 후반에 상업적으로 이용할 수 있게 되었으며 광범위하게 이용되었다. 때때로 연백이 산소와 빛의 작용에 의해서 검은색의 산화납(PbO)로 산화되었기 때문에 이 처치법은 작용하지 않았다. 그러나 이것도 원래의 염기성 탄산납으로 다시 바뀔 수 있다. 아세트산과 **과산화수소**를 혼합하면 아세트산납이 만들어지고 이것이 천천히 공기 중의 이산화탄소와 수분을 흡수하여 원래 색소로 되돌린다.

납은 옛 유화에서 다른 역할도 하였다. 실제로는 돋보기를 통해서만 볼 수 있지만 많은 옛 유화들에서 작은 흰색 뾰루지를 볼 수 있다. 이런 결점들을 연구한 결과 그것이 원래의 기름이 분해되면서 생기는 지방산의 납염이라는 것이 밝혀졌다. 벨기에의 보존과학자인 콕케르트(Leopold Kockaert)는 이 결점을 최초로 연구하고 그것이 결합제인 달걀의 단백질 때문이라고 생각하였다. 콕케르트는 예술가들이 기름을 사용할 때 약간의 달걀노른자를 섞었다고 생각하였다. 그러나 그가 옳지 않다는 것이 2003년에 런던 국립미술관의 히기트(Catherine Higgit)와 동료들의 보고로 알려지게 되었다. 작은 흰색 뾰루지는 기름 자체로부터 생긴 것이며 이것이 납 색소와 반응하여 카복실산인 스테아르산과 팔미트산, 그리고 들어 있던 다불포화지방산의 분해생성물인 아젤라산의 납염을 생성한 것이었다. 신선한 달걀에는 다불포화지방산이 전혀 들어 있지 않기 때문에 아젤라산은 달걀 템페라화법 시대에는 생성되지 않았다. 납염은 적외선 현미경으로 지름 10마이크론의 작은 시료를 확인하면서 발견했는데, 시료를 두 다이아몬드 창 사이에서 압축한 후 적외선 살을 시료에 통과시켜서 구성 성분을 밝혀냈다.

흰 뾰루지의 형성은 연백의 사용에만 관련되지 않으며 화학적으로 더 반응성이 크다고 생각되는 붉은색 사산화삼납, 납-주석 노랑 같은 다른 색소의 사용과도 연관되어 있다. 그렇다면 이 모든 것은 유화의 기름은 결국 천천히 분해된다는 것을 의미하는가? 그렇지 않다. 현재 전문가들은 일부 흰색 반점이 불가피하기는 하지만 그것은 눈에 보이는 변화가 일어나기 전에 결국 멈추게 되는 자기-억제 과정이라고 믿고 있다.

## 복원

오늘날의 복원가들은 현대적 재료를 이용하여 예술가들이 최초에 사용하였던 재료와 색을 찾아내려고 노력하고 있다. 그러나 적절한 복원으로 여겨지지 않거나 더 나은 복원 방식이 있다면, 복원 작업된 부분은 언제든 쉽게 제거될 수 있어야 한다. 오리건 주 포틀랜드의 갬블린(Gamblin)과 같은 특별한 회사에서 복원용 물감과 니스를 구입할 수 있다. 이런 새로운 물감은 쉽게 제거될 수 있을 뿐 아니라 안정해야 하며 거장들이 사용한 여러 예술 작품의 유형에 적합해야 한다. 또한 물감의 재료가 최초에 쓴 물감과 달라서 장래 복원가들이 원래의 것과 새로운 것이 정확히 구분할 수 있어야 한다. 갬블린이 33가지 물감은 복원용으로 특수하게 제작되었으며 라이(René de la Rie)가 워싱턴 DC의 국립미술관에서 근무할 때 연구한 것에 기반을 두고 있다. 그는 앞서 뉴욕의 메트로폴리탄 미술관에 근무하였는데, 복원할 때 제거한 니스를 대체할 새로운 니스를 찾는 일에 노력하였다. 그 니스를 몹시 필요로 하는 곳이 많았다.

오래된 그림에서 니스 층을 제거하면 눈에 띄는 세밀한 점들과 놀라운 색들이 볼 수 있는데 이것은 화학적 용매를 사용하여 이루어진다. 여러 용매가 있지만 강력한 용해성 때문에 일부만이 안전하게 사용될 수 있다. 캘리포니아 주에 있는 게티보존연구소의 피닉스(Alan Phenix)는 40가지 이상의 용매를 연구하여 변색된 니스를 제거하는 데 중요한 성질들에 대한 도표를 작성하였다. 일부 용매만이 작업에 적절하며 오늘날 보존화학자들은 밑에 있는 그림에 손상을 주지 않으면서 옛 니스를 벗겨낼 수 있는 상태에 도달하였다. 델라웨어대학의 월버스(Richard Wolbers)는 그림을 청소하는 방법도 고안하였는데 그의 방법은 니스와 니스에 결합된 때를 제거하기 위하여 물을 용매로 사용하고 세탁제와 효소를 사용하는 것에 기반을 두고 있다.

그림 청소를 마치고 복원을 하면 그것을 보존하고 원래 니스에 의한 색의 깊이를 만들기 위하여 무엇을 칠해야 할까? 화학공업에서 폴리(아세트산 바이닐)과 폴리(n-뷰틸메타크릴산) 같은 새로운 니스가 만들어졌으며 몇몇 보존가들은 새로운 니스가 원래의 그림에 미치는 영향을 밝혀내기 전까지 이것들을 사용하였다. 이런 투명한 고분자 중 일부는 실제로 원하는 효과를 거두었지만 공기 중 산소를 흡수해 고분자 사슬이 교차결합을 하면서 제거가 거의 불가능해졌다. 다행스럽게도 그런 일이 폴리(아세트산 바이닐)에 의한 것은 아니었다. 라이는 니스로 칠했을 때 필요한 성질을 가진 두 가지 재료를 밝혀냈다. 그것은 수소화된 탄화수소 수지와 요소-알데하이드 수지였다. 이것들은 투명하고 광택을 유지했으며 원하던 색의 채도를 주고, 오래되어도 금이 생기지 않고 간단한 탄화수소 용매에 의해서 쉽게 제거되었다.

프레스코 기법의 그림을 보수하기 위해서는 서로 다른 화학적 기술들이 필요하다. 이탈리아 중부의 피렌체 지역에는 프레스코화가 수천 점이 있으며 일부는 복원이 절실하게 필요하지만 프레스코화는 복원이 가장 어려운 작업이다. 이 약점은 기반 재료와 회반죽 사이의 접착력이 부족해 생겨난다. 프레스코 기법은 부드러운 석회 회반죽을 벽에 바르고 나서 축축한 상태에서 그 위에 그림을 그린다. 일주일 정도 지나면 표면은 공기에서 이산화탄소를 흡수하여 탄산칼슘을 형성하고 이 과정이 그림의 색소와 염료를 붙잡아서 영원히 혹은 최소한 수백 년 동안 보존할 것이다. 프레스코화를 가장 위협하는 것은 대기 중 공해물질인 이산화황의 공격이며 이것은 탄산칼슘을 결정이 훨씬 더 큰 황산칼슘으로 전환시킨다. 이 과정에서 프레스코화 표면에 가루가 일어나기 시작하고 이 가루를 쓸어내면 그림의 많은 부분이 손상된다. 1970년대에 피렌체대학의 화학교수인 바글리오니(Piero Baglioni)는 붕괴 중인 프레스코화에 대한 자문을 의뢰받고 미술 보존가인 디니(Dino Dini)의 도움을 받아 다음과 같이 밝혀냈다. 표면을 탄산암모늄 용액으로 처리하면 이것이 손상을 주는 황산칼슘과 반응하여 용해성인 황산암모늄을 생성하고 그 뒤에 불용성 탄산칼슘이 남는다. 이 과정 이후 수산화바륨 용액을 처리하면 남은 황산과 반응하여 황산바륨을 형성하고 이것은 원래의 표면과 더 잘 어울리며 어느 정도 표면을 보호한다.

바글리오니는 2000년에 프레스코화를 보존하는 새로운 기술을 발표하였다. 그는 프레스코화 보존 전문가인 여섯 개 대학의 표면화학자들의 연구진을 이끌고 있었다. 그들의 새로운 기술은 1-프로판올* 용매에 녹인 수산화칼슘 콜로이드 현탁액과 함께 탄산암모늄으로 처리하는 것이었다. 이것은 프레스코에 잘 침투하고 시간이 흐름에 따라서 다시 공기 중의 이산화탄소와

---

* 화학식은 $CH_3CH_2CH_2OH$이다.

반응하여 탄산칼슘을 재생시킨다. 이 기술은 과거의 보존가들은 되살리는 것이 거의 불가능하다고 생각하던 것을 복원할 수 있다. 하지만 불행하게도 일부 프레스코화는 이런 복원 기술로도 복원이 불가능하였다.

가장 위대한 벽화 중 하나는 밀라노의 산타마리아 델레 그라체스 수도원에 있는 다빈치(Leonardo da Vinci)의 그림이다. 이 유명한 걸작 '최후의 만찬'은 1495년부터 1497년에 걸쳐 그려졌다. 그 이후 이것은 약간 어려움을 겪었는데 다빈치가 사용한 재료, 과거에 수리하고 복원한 사람들의 솜씨, 환경에 의해서였다. 또한 그림이 그려진 수도원 식당 벽에 직접적으로 가해진 1943년의 공습 때문이기도 했다. 거의 기적적으로 그 프레스코화는 소생하였다. 그 작품은 빠른 속도로 중단 없이 그려야 하는 회반죽 기술을 사용하지 않았기 때문에 기술적으로는 프레스코 기법이 아니다. 그는 다른 형태의 벽화를 원하였기 때문에 먼저 물감 층으로 회반죽을 봉하였다. 이를 통해 그는 더 천천히 그릴 수 있었지만 이 아래층이 회반죽의 호흡을 막았기 때문에 그 안으로 새어나온 물기가 빠져나갈 수 없었다. 그 결과 그림을 그린지 20년 후 손상의 신호가 나타났다.

1700년대에 당시의 몇몇 예술가들이 떨어져 나간 부분을 손질하면서 더 많은 손상이 이루어졌다. 1726년에는 니스를 칠해 원래의 것이 더 손상되는 것을 막았지만 1700년대 후반에는 그 니스를 긁개로 제거했으며 도움이 되지는 못하였다. 이후 1800년대에 식당의 습한 공기로부터 다른 자리로 그림을 옮기려는 시도가 한 차례 있었지만 실행되지 못했다. 제2차 세계대전 말에 그 그림은 방수 펠트와 판자로 덮였으며 성당 식당이 재건되기 전까지 3년 동안 먼지가 끼고 어두워지고 얼룩이 생기고 표면이 삭았다. 1960년대와 1970년대에 더 많은 과학적 복원이 이루어졌지만 이 시기의 화학 발전은 복원을 어림짐작에서 과학으로 전환시키는 여명기였다. 오늘날 이탈리아 화학 산업의 후원 덕분에 다빈치의 걸작들은, 소실된 부분이 기술적으로 보수되어 원래의 찬란함을 되찾게 되었다. '최후의 만찬'은 브라운(Dan Brown)의 소설 《다비치 코드》로 인해 더 큰 명성을 얻었는데, 매년 수많은 사람들이 이 그림을 보기 위해 몰려든다. 그 소설은 이 그림이 예수의 성생활에 대한 비밀을 드러내는 단서를 포함하고 있다는 이론에 근거를 두고 있다.

## 사기와 가짜

프랑스 인상파 화가 곤잘레스(Eva Gonzalès)가 그린 '숲속의 독서'는 이제까지 알려지지 않은 작품이었다. (이 제목을 가진 그녀의 진짜 그림은 매사추세츠 주의 월덤에 위치한 브랜다이스대학의 로즈미술박물관에 있다.) 하버드대학의 X−선 형광분석과 런던 유니버시티대학의 라만 현미경으로 다른 그림을 조사한 결과 그 당시 사용된 색소가 들어 있어 1879년에 그려진 것으로 주장되었다. 그러나 이 그림은 위작은 아니지만 서명이 가짜라고 밝혀졌다. 곤잘레스의 아들인 쟝이 그 그림을 팔았으며 그것은 또 다른 인상파 화가인 뒤팽(Edmond−Louis Dupain)이 그린 것으로 중개상이 값을 올리기 위해서 곤잘레스 서명을 첨가하였다.

쉽게 팔기 위해 덧칠을 하는 경우도 있는데, 매우 존경받았던 프로테스탄트 화가 소 홀바인이 그린 루터(Martin Luther)의 초상화가 대표적인 예이다. 그 그림이 그렇게 알려지게 된 것은 당시 그 그림이 있던 버킹엄의 대형천막 야외석 스토 하우스의 1797년 안내서 때문이다. 현재 그 그림은 바바리아에 위치한 란드슈트 마을의 성직자 '알렉산더 모나우어'의 초상으로, 1470년 경의 작품으로 알려져 있다. XRF를 이용하여 1991년에 그 그림을 조사하던 런던 국립미술관의 보존가들이 이상하게 여기게 된 것은 파란색 바탕 색소가 프러시안 블루였기 때문이다. 나중에 덧칠된 것이 분명했다. 파란색 바탕 아래에는 니스 층이 있었고 그 아래에는 갈색의 다른 바탕 층이 있었다. 두 가지 배경 중 원래 층에서는 초상화가 그려진 당시에 사용되던 아마유였고, 프러시안 블루에는 양귀비 종자유가 사용되었다.

현재 런던 국립미술관이 소장하고 있는 이 그림의 맨 위층을 벗겨 내보니, 아래층의 손상이 없는 것으로 보아 아래층 보수를 위해서 칠한 것이 아니라는 게 밝혀졌다. 어떤 이유 때문인지 그림의 상단 몇 인치가 잘려나가고 균형이 맞지 않은 구도를 가지게 되었다. 앉아 있는 사람의 모자가 너무 높아서 위쪽 절반에 덧칠을 해서 그 크기를 배경에 어울리게 줄였다. 그보다 더욱 중요한 것은 그림 속 인물 옆에 적힌 글씨를 읽을 수 있게 되었다. 그것은 '나의 훌륭한 후원자이자 란드슈트 마을의 성직자이신 존경 받고 현명한 알렉산더 모나우어에게'였다. 앉아 있는 사람은 모나우어와 발음이 유사한 무어의 머리를 나타내는 왼손 엄지에 반지를 끼고 있었는데, 실제로 그는 1464년부터 1488년까지 24년 동안 작은 바바리아 마을의 성직자였다. 1700년대 더 잘 팔리고 희귀한 루터의 초상화로 변모하였고 200년 이상 지속되어 온 것이었다.

이러한 작품은 매우 부유한 사람들만이 구입할 수 있는 일부 예술가들의 명작이다. 희귀함은 그림을 위조하여 돈을 벌려는 다른 예술가들에게 유혹이 되기도 하며, 그들의 기술은 전문가마저 속일 수 있다. 하지만 그들은 화학자는 속일 수 없으며, 오늘날 예술계에서 종사하는 과학자들의 수가 점점 늘어나고 있다. 예술 작품 분석에 전문인 이들은 국립미술관이나 감식연구실에서 예술 작품의 진위 여부를 증명한다. 분석 기술이 부족하던 초기에는 위조자들이 성공하기가 더 쉬웠고 일부는 굉장히 뛰어났다.

1937년에 예술품 중개상인 반 메게렌(Han van Meegeren)은 네덜란드에 있는 한 성의 보관창고에서 오래 전 잊혀진 그림을 발견하였으며, 그것이 유명한 네덜란드 화가인 베르메르(Johannes Vermeer, 1632~1675)의 것으로 생각된다고 주장하였다.

전문가들은 그것을 거장의 초기 작품으로 열렬하게 지지했으며, 로테르담 미술관은 약 25만 달러에 '에마우스의 예수와 제자들'을 구입하였다. 제2차 세계대전 동안 네덜란드는 나치에 의해서 점령당하였는데, 전쟁의 말기에 괴링이 수집한 그림 수집품들을 조사하던 중 반 메게렌의 또 다른 초기 작품들이 빛을 보게 되었다. 그것 또한 반 메게렌에게서 구입한 것이며 괴링은 국가 재산을 적에게 판 반역죄로 체포되었다. 그 후 그는 그것이 위작이었으며 전쟁 중에 팔린 다른 베르메르 작품들도 가짜라고 고백하였다. 당국은 확신하기가 어려웠으며, 반 메게렌이 실형을 받지 않으려고 꾸며낸 진술이라고 생각했다.

재판 동안 반 메게렌은 본인의 진술이 진짜라는 것을 증명하기 위하여 자신의 그림 솜씨를 법정에서 선보였으며, 어떻게 그것을 오래되어 보이게 만들었는지를 설명하였다. 그는 별로 중요하지 않은 1600년대 작품을 구하여 그림을 제거하고 거장이 사용한 것과 정확히 같은 색소와 기름으로 자신의 베르메르 그림을 그렸다. 마지막으로 그는 완성된 그림을 오븐에 넣고 구워서 색소를 굳히고 진짜처럼 보이는 금이 생기게 하였다. 반 메게렌에게 반역 혐의 기소는 기각되었으나 위작에 대한 기소로 바뀌었다. 그는 유죄가 인정되었지만 형기가 시작되기 전 1947년에 사망하였다.

1968년에 국립브룩헤이븐연구소의 카이쉬(Bernard Keisch)는 가짜 베르메르 작품들이 1930~1940년대에 만들어졌다고 밝혔다. 그는 그림의 방사능을 분석하여 반 메게렌이 사용한 연백이 비교적 새로운 것이라고 밝혔다. 납에는 약간의 방사성 우라늄−238이 함유되어 있어서 다른 방사능 동위원소 계열로 붕괴하는데 그 동위원소 중에는 라듐−226도 있다. 고대의 연백에는 방출하는 방사능으로 확인할 수 있는 이런 동위원소가 미량 포함되어 있다. 현대의 납은 채광되어서 정련되면 라듐−226이 제거되는데 이것이 반 메게렌의 위작에 사용된 것이었다.

이집트 파피루스 문서 6건을 위조하여 판매하려던 일당이 화학자에 의해 붙잡혔다. 이 일당은 1건의 문서는 기원전 1200년경의 것으로, 나머지 문서 5건은 기원전 100년 이전의 것으로 둔갑시킨 혐의를 받았다. 그들은 파피루스가 매우 섬세하게 다뤄져야 한다면서 이 문서들을 유리판 아래에 두거나 보호틀을 제거할 수 없다고 고집을 부렸으나 시료를 유리판 아래에 놓고도 진품을 가릴 수 있는 라만 분광법 때문에 그들의 계획은 수포로 돌아갔다. 이것으로 고대인들이 사용했을 법한 산화 철, 백악, 울트라마린 같은 색소들을 확인하였다. 이집트 예술가들이 3,000년 전에 사용했을 거라 생각하기 어려운 프러시안 파랑이 독자적으로 발견되었으며, 1930년대에 스코틀랜드에서 최초로 만들어진 파랑과 노랑의 두 가지 프탈로사이아닌 염료도 검출되었다.

1900년대 초반의 유명한 예술 위조가였던 조니(Federico Joni)는 1400년대 이탈리아 예술가들의 그림을 전문으로 위조했는데 500년 전에 그려진 걸작이라고 설명될 만한 것들을 만들었다. 그 후 비파괴 화학 분석법이 발달하여 그의 작품들에서 카드뮴 노랑, 크롬 노랑, 코발트 파랑, 1400년대에는 사용할 수 없던 녹색을 찾아내서 가짜라는 것이 밝혀졌다. 조니는 오래된 그림의 잔금 형태를 넣는 방법을 개발하여, 완성된 작품에 최종적인 니스 코팅을 하기 전에 셸락 수지와 송진 혼합층을 칠하여 잔금을 만들었다. 셸락 수지가 굳어지면서 수축하면 중세 그림에서 생긴 것과 같은 금이 만들어졌다. 셸락도 1400년대 이전에 유럽에서는 이용할 수 없었기 때문에 꼬리가 잡히고 말았다.

화학자들은 이제 존경받는 예술 복원의 구성원으로서, 이미 훌륭한 그림을 더욱 훌륭하게 보이도록 하고, 현재와 과거의 속임수를 밝히고 있다. 모든 예술가들은 자신이 사용한 재료로부터 영향을 받기 때문에, 화가들이 사용했던 색소를 확인하면 그들이 앓았던 병을 밝혀낼 수도 있다.

## ● 거장 예술가들의 건강에 색소는 어떤 영향을 끼쳤을까?

예술가들이 비정상적 감정에 빠지거나 건강이 나빴다는 것을 그들이 사용한 색소들을 통해 예측할 수 있다. 앞서 설명하였듯이 많은 색소는 수은, 납, 비소 같은 독성 원소들의 화합물이다. 1713년에 이미 의사 라마치니(Bernardino Ramazzini)는 코레조와 라파엘로가 납중독의 희생자일 수 있다고 의심하였다.

스페인 화가 고야와 붓을 입으로 빠는 것을 특히 좋아했던 반 고흐가 사용했던 물감에도 분명히 납이 들어 있었을 것이고 그들도 납의 영향을 피하지 못했다. 반 고흐의 별난 행동과 정신 상태도 납중독과 일치하지만 납은 고야에게 가장 심각한 영향을 끼쳤다. 그는 1746년에 스페인의 푸엔데토도스 주의 아라고네스 마을에서 태어나 미술 공부를 하였다. 1775년 왕립 태피스트리 공장의 디자이너로 채용되어 17년 동안 일하면서, 태피스트리 디자인 바탕을 위해 과도한 양의 연백을 사용했는데, 돈을 절약하기 위해 자신이 직접 그 연백을 갈았다. 1780년대에 들어서 그는 심한 복통, 변비, 일시적 시각 상실뿐만 아니라 망상증과 발작 같은 정신적 혼란 등 만성 납중독의 모든 증상에 시달렸다. 그는 두 달 동안 누워만 지내면서 다행히 회복했지만 청력을 잃게 되었다. 그의 그림은 오늘날 가장 잘 알려진 '1803년 5월 3일: 마드리드 방어자들의 처형'과 같이 더욱 어두운 형태로 변하였다. 이 그림은 마드리드의 프라도 미술관이 소장하고 있다.

예술가들에게 위협을 준 색소는 연백 이외도 더 있었다. 크롬 노랑, 납-주석 노랑, 산화납 안료 같은 다른 색소들도 납으로 만들어졌으며 모두 1900년대에 널리 사용되었다. 코펜하겐대학 병원의 페데르센(Lisbet Pedersen)과 펄민(Henrik Permin)이 1988년에 《란셋(The Lancet)》지에 르누아르(Auguste Renoir, 1841~1919)가 애연가였고 수은을 포함하는 색소를 사용한 손으로 직접 담배를 말아 피운 것이 건강에 영향을 끼쳤을 것이라고 발표했다. 이러한 사실들이 그의 후기 작품들이 이전 작품들보다 뛰어나지 못한 이유일 수 있다.

거장 미술가들의 괴팍함은 일종의 중독증상이 아니었을까? 납과 수은은 뇌에 영향을 미치는 것으로 알려져 있다. 언젠가 위대한 예술가들의 머리카락 또는 흔적 일부를 구할 수 있다면 오늘날의 감식화학 기술을 통해 더 많은 것을 밝혀낼 수 있을 것이다. 어쩌면 모르는 것이 더 좋을 수도 있겠지만 말이다. 거장들의 흔적에서 납과 수은이 발견된다면, 신비

함으로 남아 있던 그들의 세계관을 사라지게 할지도 모른다. 예술에 관한 모든 것에 화학을 사용하더라도 그들의 프라이버시를 침해하는 일들은 지나친 일이 아닌가 한다.

# 용어집

본문 중 **고딕**으로 표시한 단어에 대해 추가 정보를 제공한다.

**감마-하이드록시뷰티르산 이온**(Gamma-hydroxybutyrate, GHB)  옥시브산(oxybate)
이라고도 하며 감마-하이드록시뷰티르산의 음이온 형태이다. 감마-하이드
록시뷰티르산은 신경전달물질이며 화학식이 $CH_2(OH)CH_2CH_2CO_2H$이다.
이것은 나트륨염인 감마-하이드록시뷰티르산 나트륨 형태로 이용할 수 있
다. GHB는 중추신경계를 완화시키기 때문에 사람들이 억제를 덜 받는 것
으로 느끼게 한다. 간은 GHB를 빠르게 이산화탄소와 물로 전환하여 처리
한다. 의료 행위에서 GHB는 수면병인 수면발작 치료에 사용되며 5그램까
지 처방된다.

**고분자**(Polymers)  중합체라고도 하며 같은 반복 단위를 가진 기다란 원자 사
슬로 구성된다. 고분자가 만들어지는 기본 화학물질을 단위체라고 한다. 생
물학적 고분자와 합성 고분자가 있다.

대표적인 생체고분자는 머리카락이며 이것은 **케라틴**이라고 하는, 아미노
산들이 서로 연결된 기다란 사슬 분자이다. 셀룰로스로 만들어진 종이는 포
도당 분자들의 사슬이며 고무는 탄화수소 분자인 아이소프렌으로 만들어진
천연 고분자이다. 이런 생체고분자들도 많이 이용되지만 현대 세계는 주로
합성 고분자를 이용한다.

고분자가 만들어지는 가장 흔한 분자는 에틸렌(화학식 $CH_2 = CH_2$)과 그 유
도체들이다. 중합반응에 가장 중요한 것은 이중결합이며 이것이 열려서 다
른 에틸렌 분자와 결합을 형성하며 그 결과 $CH_2$기들의 사슬인 $-CH_2-CH_2-$
$CH_2-CH_2-CH_2-$가 생기는데 길이가 수백만 개 탄소에까지 이를 수 있다.

이것이 폴리에틸렌이다. 또 다른 흔한 고분자는 폴리(염화바이닐)이고 염화바이닐(화학식 $CH_2 = CHCl$)로부터 만들어지며 흔히 PVC라고 한다. PPMA와 HEMA도 참조하라. 다음 표는 에틸렌과 그 유도체들에 기반을 둔 여러 가지 흔한 고분자들을 싣고 있다.

| 고분자 | 약자 | 응용 |
| --- | --- | --- |
| 폴리에틸렌 | PE | 밀도에 따라 다름 |
|   저밀도 폴리에틸렌 | LDPE | 플라스틱 필름, 봉지, 종이 코팅 |
|   고밀도 폴리에틸렌 | HDPE | 주형 제품, 용기, 상자 |
| 폴리(메타크릴산 메틸) | PMMA | 표지판, 병원 인큐베이터, 자동차 조명 |
| 폴리프로필렌 | PP | 필름, 카펫, 등산복, 병 |
| 폴리스타이렌 | PS | 포장재, 장난감, 식탁용 도구, 유리잔 |
| 폴리(염화바이닐) | PVC | 창틀, 바닥재, 관, 파이프 |
| 폴리(에틸렌 테레프탈산) | PET | 병, 쟁반, 이불 충진재 |
| 뷰타다이엔 고무 | BR | 타이어, 테니스공 |
| 스타이렌 뷰타다이엔 고무 | SBR | 타이어, 신발, 주형 제품, 아스팔트 |
| 아이소프렌 고무 | IR | 타이어, 신발, 주형 제품, 페인트 |
| 폴리유레탄 | PU | 거품 내진재, 표면재, 탄성재 |
| 폴리케톤 | PK | 벽, 분출재, 주형 제품 |
| 에폭시 수지 | ER | 표면 코팅, 접착제, 복합물 |
| 폴리(바이닐 피롤리돈*) | PVP | 개인 위생 용품 |

* 피롤리돈은 pyrrolidone 또는 pyrrolidinone이라고 표기한다.

**공중합체(Copolymer)** 고분자를 보라.

**과산화수소(Hydrogen peroxide)** 화학식이 $H_2O_2$이고 두 개의 연결된 산소에 각각 수소 원자가 결합되어 있다. 강한 산화작용을 하며 표백제로 이용된다. 요소를 보라.

**기가와트(Gigawatt, GW)** 전력의 측정 단위로서 10억 와트를 나타낸다.

**기체 투과성 고분자(Gas permeable polymers)** 이것은 사슬이 트리스[트라이메틸 실록시실레인, 화학식 $CH_2CH_2CH_2Si(OSi(CH_3)_3)_3$] 같은 몇몇 실리콘기와 결합된 고분자인 폴리(메타크릴산)에 기반을 두고 있다. 이런 고분자는 공기 중에서 산소를 흡수할 수 있다.

**노녹시놀-9(Nonoxynol-9)** 벤젠 고리에 탄소 9개의 탄화수소 사슬($C_9H_{19}$)과 하이드록실기(OH)로 끝나는 에톡시기($OCH_2CH_2$)가 9개 연결된 사슬이 결합되어 있다. 화학식은 $CH_3(CH_2)_8C_6H_4(OCH_2CH_2)_9OH$이다. C-필름, 엔케어, 인터셉트 등의 여러 가지 이름으로 팔린다.

**라우릴(Lauryl)** 12개의 탄소 원자에 대한 구식 이름이다. 현대의 이름은 도데실(도 = 2, 데실 = 10)이다. 흔히 사용되는 계면활성제 라우릴황산나트륨은 코코넛유나 팜종자유에서 나오는 라우릴알코올로부터 만들어진다.

**라텍스(Latex)** 고무나무 즙에 함유된 단위체인 아이소프렌이 중합하여 생기는 천연 고분자. 즙의 생산량은 합성 식물 호르몬으로 촉진될 수 있으며 이 즙은 지속가능한 생산 원천이며 생산량은 연간 약 8백만 톤이다. 아이소프렌 자체는 휘발성 액체이며 끓는점이 34°C이며 화학식은 $C_5H_8$이다. 분자는 4개의 탄소 사슬에 이중결합이 양쪽 끝에 있으며 메틸기, $CH_3$ 하나가 안쪽 탄소 원자에 결합되어 있어서 $[CH_2 = C(CH_3)-CH = CH_2]$의 구조이다. 그런 이중결합을 가진 모든 물질들처럼 아이소프렌은 촉매 존재 하에서 중합반응을 하며 천연 상태에서는 공기 중의 산소 분자가 이 과정을 촉발한다. 라텍스는 여전히 이중결합을 가진 긴 탄화수소 사슬로 구성되어서 길이를 따라서 구부러지게 된다. 사슬은 잡아당기면 펴져서 늘어나지만 놓으면 원래의 배열로 돌아간다. 천연 라텍스 고무는 매우 부드럽지만 황을 포함하는 분자를 통해서 고분자를 교차결합시키면 더 단단하게 만들 수 있으며 이 과정을 가황이라고 한다.

**마취제(Anaesthetics)** 이 책에서 언급된 마취제는 다음과 같다.

| 마취제 | 화학식 | 끓는점(℃)* |
|---|---|---|
| 클로로폼 | $CHCl_3$ | 61 |
| 데스플루란 | $CF_3CHFOCHF_2$ | 25 |
| 다이에틸 에터('에터') | $CH_3CH_2OCH_2CH_3$ | 35 |
| 엔플루란 | $CHF_2OCF_2CHFCl$ | 56.5 |
| 할로탄 | $CF_3CHClBr$ | 50 |
| 아이소플루란 | $CF_3CHClOCHF_2$ | 58.5 |
| 산화이질소 | $N_2O$ | (기체) −88 |
| 서보플루란 | $(CF_3)_2CHOCH_2CH_2F$ | 58.5 |

\* 끓는점이 낮을수록 실온에서 증기압이 높아진다.

**무게 단위(Units of weight)** 화학자가 사용하는 것은 분자에서 광물에 이르기까지 폭넓게 이용할 수 있어야 한다. 흔히 이용되는 것은 다음과 같다.

| 단위 | 기호 | 척도 | 무게 | 대강 크기 |
|---|---|---|---|---|
| 나노그램 | ng | $10^{-9}$ | 1조분의 1그램 | 눈에 보이지 않음 |
| 마이크로그램 | $\mu$g | $10^{-6}$ | 100만분의 1그램 | 작은 티끌 |
| 밀리그램 | mg | $10^{-3}$ | 1천분의 1그램 | 모래 알갱이 |
| 그램 | g | 1 | 1그램 | 땅콩 |
| 킬로그램 | kg | $10^3$ | 1천 그램 | 물 1리터 |
| 톤 | t | $10^6$ | 100만 그램 | 1톤짜리 물탱크 |

**베테인(Betaines)** 쿼츠를 보라.

**빛(Light)** 지표면에 도달하는 태양 전자기 스펙트럼의 일부로서 눈에 보이는 부분이다. 눈에 보이지 않는 광선도 있다. 전자기 스펙트럼은 다음과 같이 분류된다.

| 파장(nm)* | 색 | 효과 |
|---|---|---|
| 200~285 | 자외선–C | 눈에 보이지 않으며 세포에 손상을 줌 |
| 280~302 | 자외선–B | 눈에 보이지 않으며 피부가 검어짐 |
| 320~390 | 자외선–A | 눈에 보이지 않으며 유익함(피부에서 비타민 D 생성) |
| 390~445 | 보라 | 가시광선 |
| 445~500 | 파랑 | 가시광선 |
| 500~575 | 녹색 | 가시광선 |
| 575~585 | 노랑 | 가시광선 |
| 585~620 | 주황 | 가시광선 |
| 620~740 | 빨강 | 가시광선 |
| 740 이상 | 적외선 | 눈에 보이지 않지만 따뜻하게 느껴짐 |

* 파장은 나노미터 단위로서 밀리미터의 100만분의 1이다.

**실리콘(Silicones)** 규소와 산소 원자가 교대로 사슬이나 고리로 연결된 화합물을 말하며 가장 흔하게 사용되는 것은 각 규소에 두 개의 메틸기가 결합된 것으로서 기본적 화학식은 $-Si(CH_3)_2O-$이다. 실리콘은 방수 밀봉재로 광범위하게 사용된다.

**아이소트레티노인(Isotretinoin)** 비타민 A 산으로 더 잘 알려진 트레티노인의 변종으로서 화학명은 3,7-다이메틸-9-(2,6,6-트라이메틸-1-사이클로헥센-1-일)-2,4,6,8-노나테트라엔산이다. 구조에는 9개의 탄소 사슬을 포함하며 사슬을 따라서 교대로 이중결합이 들어 있다. 트레티노인은 사슬이 체계적으로 지그재그 배열을 가지는 트랜스 이중결합을 가지며 아이소트레티노인은 더 불규칙한 구조를 생성하는 시스 이중결합을 가진다.

**약품 시험(Drug trials)** 약품이 허가를 받기 전 엄격한 시험을 거쳐야 한다. 새로운 물질은 먼저 독성이 아닌지 확인하고 질병을 치료하는지 알아보기 위해서 설치류 같은 동물에 시험한다. 그 다음 더 큰 동물에 시험하며 마지막으로 영장류에 시험한다. 이러한 동물 시험을 통과하면 사람에게 시험되며 이것은 4단계로 시행된다. 제1단계는 건강한 지원자 소수 집단에서 그것이 유해한 부작용이 없는지 조사한다. 제2단계는 그 병에 걸린 더 많은 집단(100~200명)에게 그것이 실제로 유익한 치료제인지 시험한다. 이런 결과가 양성으로 나오면 제3단계 시험으로 옮겨가서 의료진의 감독 하에 3천여 명의 환자에게 시험한다. 마지막 제4단계에서는 당국으로부터 약품을 허가 받아 의사들이 환자들의 처방에 이용할 수 있다. 이 단계에서도 드문 부작용이 나타날 수 있기 때문에 여전히 감시가 이루어진다.

**에터(Ether)** 마취제를 보라.

**에톡시(Ethoxy)** $CH_2CH_2O$ 원자단의 이름이다.

**역학(Epidemiology)** 역학은 질병의 발생 형태에 영향을 주는 인자들을 찾으려는 목적으로 하는 인구집단에 대한 연구로서 분명하게 밝혀지지 않은 원인이나 영향을 주는 인자를 찾아낸다. 역학 연구는 이상적으로는 각각 최소한 천 명 이상으로 이루어진 커다란 두 집단을 비교한다. 한 집단은 의문이 되는 질병에 걸렸으며 다른 집단은 질병에 걸리지 않은 집단이다. 인종, 성, 연령 분포, 사회적 계층, 지역, 심사, 음료와 흡연 습관 등 질병 이외의 모든 관점에서 두 집단은 동일해야 한다. 전문가에 의해서 수행된 역학 연구는 신중한 조사 과학의 지위를 얻게 된다. 불행하게도 많은 역학은 아마추어들에 의해서 행해지고 그 발견은 과학적 발견이라기보다는 일화적 증거나 현대적 신화에 지나지 않는다. 당연히 그런 연구 수행은 일반적으로 그들이 찾기를 바라는 것을 확인해주는 결과에 다다른다. 흔히 감추어진 인자들이 고려되지 못하여 잘못된 결론에 도달한다. 이런 감추어진 인자들을 혼란 변수라고 하며 그중 적잖은 것은 질문을 받은 사람들이 절대 옳은 기억을 가지고 있으며 항상 진실을 말한다는 가정 하에서 이루어진다.

**염화알루미늄**(Aluminium chloride)  무수 염화알루미늄(화학식 $Al_2Cl_6$)과 염화알루미늄 6수화물(화학식 $Al_2Cl_6 \cdot 6H_2O$)의 두 가지 형태가 있다. 무수물은 물과 반응하면 많은 열을 발생하기 때문에 다루기 위험하며, 6수화물은 안전하지만 물에 녹으면 약한 산으로 작용한다. 염화 이온의 일부가 수산화 이온(OH)으로 치환된 염기성 염화알루미늄도 있으며 이것에는 흔히 사용되는 $Al_2(OH)_5Cl_2$와 $Al_2(OH)_4Cl_2$의 두 가지가 있다. 그것을 흔히 알루미늄 클로로수화물이라고 하며 위험하지 않고 산성도 아니다.

**올리고당**(Oligosaccharides)  탄수화물을 보라.

**요소**(Urea)  화학식은 $(NH_2)_2CO$이며 다른 구식 이름은 카바마이드이다. 요소는 공업적으로 암모니아($NH_3$)와 이산화탄소($CO_2$)로부터 제조되며 주로 비료로 사용된다. 또한 동물 사료에 첨가되어 질소 함량을 증가시키며 수지, 플라스틱, 약품 제조에도 사용된다. 요소 과산화수소는 요소와 과산화수소의 단순한 조합이며 이것은 안정한 백색 결정성 고체 형태로 **과산화수소**를 얻는 데 이용되는 원천이다.

**이중맹검법**(Double-blind test)  약품을 받는 사람과 주는 사람이 모두 치료제가 시험 재료나 가짜약인 줄 모르는 조건에서 행해지는 시험법이다.

**자외선**(Ultraviolet, UV)  빛을 보라.

**적외선**(Infrared light, IR)  빛을 보라.

**전기 에너지**(Electrical energy)  전기 에너지는 시간당 와트(W)로 측정된다. 저에너지 전구는 10와트 정도이며 전기히터는 2,000와트(2킬로와트(kW)) 정도이다. 100만 와트를 메가와트(MW)라고 하고 10억 와트를 기가와트(GW)라고 한다.

**착색제**(Colorants)  1983년에 미국 의회는 연방식품의약품화장품법(흔히 FD&C 법이라고 함)을 통과시켰다. 이것에 의하면 미국에서는 단지 7가지 식품 착색제의 사용만 허락된다. 그것들은 다음과 같으며 유럽 E 번호도 같이 나타냈다.

| FD&C 부호 | EU 부호 | 화학명 | 색깔 |
| --- | --- | --- | --- |
| 청색 1호 | E133 | 밝은 파랑 FCF | 밝은 파랑 |
| 청색 2호 | E132 | 인디고 카민 | 로얄 블루 |
| 녹색 3호 | E143 | 패스트 그린 FCF | 해록 |
| 적색 3호 | E127 | 에리토신 | 체리 레드 |
| 적색 40호 | n. a. | 아룰라 적색 AC | 다홍 |
| 황색 5호 | E102 | 타트라진* | 레몬 노랑 |
| 황색 6호 | E110 | 선셋 옐로우 | 오렌지 |

* 타트라진은 어린 아이에서 과잉활동성을 일으킨다고 고발되었지만 이에 대한 과학적 증거는 전혀 없다.

　머리카락 염색약과 같은 다른 목적의 착색제는 그리 엄격하게 규제되지 않는다. 반영구적 퍼머 염료로 사용되는 것들은 2-나이트로-1,4-다이아미노벤젠(오렌지/빨강), 2-아미노-4-나이트로페놀(노랑), 1,4-다이아미노안트라퀴논(보라), 1,4,5,8-테트라아미노안트라퀴논(파랑)이며, 이런 것의 조합으로 원하는 색을 만들 수 있다.

**카복실산(Carboxylic acid)** 탄소 원자에 두 개의 산소 원자가 결합된 것이 특징이며 산소 중 하나에는 산성 수소가 결합되어 있다. 그런 원자단의 화학식은 $CO_2H$이다. 가장 간단한 카복실산은 폼산($HCO_2H$)인데 이것은 관용명이며 화학자들은 메탄산이라고도 부른다. 다음 표에는 몇 가지 흔한 카복실산을 흔히 사용되는 관용명과 함께 나타내었다.

| 관용명 | 화학명 | 화학식 | 천연 원천 |
|---|---|---|---|
| 땀산 | 3-메틸-2-헥센산 | $CH_3CH_2CH_2C(CH_3)$ $= CHCO_2H$ | 겨드랑이 |
| 락트산 | 2-하이드록시프로판산 | $CH_3CH(OH)CO_2H$ | 우유 |
| 벤조산 | 벤조산 | $C_6H_5CO_2H$ | 베리류 과일 |
| 뷰티르산 | 뷰탄산 | $CH_3CH_2CH_2CO_2H$ | 땀 |
| 살리실산 | 2-하이드록시벤조산 | $C_6H_4(OH)CO_2H$ | 동록유 |
| 스테아르산 | 옥타데칸산 | $CH_3(CH_2)_{16}CO_2H$ | 기름과 지방의 지방산 |
| 아라키돈산 | 에이코사테트라엔산 | $C_{19}H_{31}CO_2H^*$ | 필수 지방산 |
| 아세트산 | 에탄산 | $CH_3CO_2H$ | 식초 |
| 아이소발레르산 | 3-메틸뷰탄산 | $(CH_3)_2CHCH_2CO_2H$ | 홉, 담배 |
| 아젤라산 | 노난이산 | $HO_2C(CH_2)_7CO_2H$ | 상한 기름 |
| 올레산 | 9-옥타데칸산 | $CH_3(CH_2)_7CH$ $= CH(CH_2)_7CO_2H$ | 올리브유 |
| 카프로산 | 헥산산 | $CH_3(CH_2)_4CO_2H$ | 염소 치즈 |
| 트라이플루오로아세트산 | 트라이플루오로에탄산 | $CF_3CO_2H$ | 합성 화학물질 |
| 파라벤 | 4-하이드록시벤조산 | $HOC_6H_4CO_2H$ | 딸기와 포도 |
| 팔미트산 | 헥사데칸산 | $CH_3(CH_2)_{14}CO_2H$ | 기름과 지방의 지방산 |
| 폼산 | 메탄산 | $HCO_2H$ | 개미 |
| DHA | 도코사헥사엔산 | $C_{21}H_{31}CO_2H^*$ | 생선기름(오메가-3) |

* 아라키돈산은 탄화수소 사슬을 따라서 4개의 이중결합이 있으며, DHA에는 6개가 있다.

**카이랄성(Chirality)** 분자가 하나가 다른 것의 거울상인 점만 다르게 두 가지 형태로 존재할 수 있는 능력이다. 새로운 약품을 설계할 때 보통 거울상 중 한 가지 형태만 활성형이라는 것이 밝혀진다. 그것이 기능 저하가 생겨 병을 유발하는 효소와 상호작용할 것이다. (다른 형태는 바라지 않는 부작용을 일으킬 수도 있다.) 오늘날 목표는 활성형만 얻는 것이고 필수적인 카이랄성을 가진 약품만을 전문으로 만드는 회사도 있다.

**케라틴(Keratin)** 천연의 단일 가닥 **고분자**로서 아미노산 사슬로 구성되며 황을 포함하는 두 가지 아미노산인 시스테인과 메싸이오닌의 비율이 높다. 케라틴은 머리카락과 손톱의 고분자이다. 황 원자 때문에 케라틴은 비소, 수은, 납과 결합할 수 있다. 머리카락 분석은 중독의 경우에 감식 증거로서 중요한 역할을 하며, 머리카락 시료가 보존되었다면 역사상 유명한 사람들이 어떤 독성 원소의 영향을 받았는지를 진단할 수도 있다.

**콘택트렌즈 재료(Contact lens materials)** 기체 투과성 고분자를 보라.

**쿼츠, 사차 암모늄 화합물(Quats, Quaternary ammonium compounds)** 암모늄 이온, $NH_4^+$에 기반을 둔 것으로서 암모늄 이온은 암모니아($NH_3$) 분자에 수소 이온, $H^+$이 첨가된 것이다. $NH_4^+$의 수소는 유기 원자단으로 치환될 수 있으며 이것을 사차 암모늄 화합물이라고 한다. 이것은 전하 균형을 맞추기 위하여 염화 이온 같은 음전하가 필요하다. 이론상으로는 수백만 가지의 화합물이 가능하지만 상업적으로 몇 가지가 중요하다. 4개의 원자단 중 3개가 메틸기이고 4번째가 산이면 화합물은 전기적으로 중성이 되며 이것을 베테인, $(CH_3)_3N^+CH_2CO_2^-$이라고 한다. 마찬가지로 질소에 결합되어 있는 원자단에 따라서 여러 가지 베테인이 가능하지만 몇 가지만 중요하다. 사차 암모늄 화합물은 계면활성제, 섬유 유연제, 방부제로 사용된다.

**키틴**(Chitin) 서로 결합된 고리형 탄수화물 분자 사슬로 구성되며 기본적으로 셀룰로스와 같지만 고리에 OH기 대신에 아세틸아미노기(NHCOCH₃)가 있는 점이 다르다. 셀룰로스와 마찬가지로 키틴은 물에 녹지 않는다. 아세틸 부분을 제거하면 아미노기가 남아서 변형된 키틴이 된다. 이것은 맥주나 주스의 탁한 기운을 제거하는 데 이용될 수 있다. 이것으로 셀로판(셀룰로스로부터 만들어짐) 같은 얇은 판 모양으로 변형될 수 있으며 이런 것은 천천히 녹는 의약품 캡슐과 포장재를 만드는 데 이용된다. 이것은 항균 성질을 지녀서 식품을 보존하는 데 특히 유용하다.

**탄수화물**(Carbohydrates) 초기 화학자들이 잘못 이해하여서 이름이 잘못 붙여진 것이다. 탄수화물에 대한 일반 화학식은 $C_6H_{12}O_6$인데 이것이 대강 $6C + 6H_2O$와 같아서 탄소 원소와 물의 조합으로 보이므로 프랑스의 게이뤼삭(Joseph Gay-Lussac, 1778~1850)과 테나르(Louis Thénard, 1777~1875)가 그것에 탄-수화물이라는 이름을 붙였다. 그러나 이 이름은 화학적 행동과는 전혀 상관이 없다. 탄수화물의 다른 이름은 당(saccharide)인데 이것은 라틴어의 '달다(saccharum)'라는 말에서 유래하였다. 탄수화물기를 나타내기 위하여 '글리코'라는 접두사도 사용되는데 이것은 그리스어의 '달다(glukus)'라는 말에서 유래하였다. 따라서 예를 들면 당단백질이라는 말은 단백질이 결합된 탄수화물을 나타내며 당지질은 지방(지질) 분자가 결합된 탄수화물을 나타낸다.

자연에서 가장 풍부한 탄수화물은 포도당(글루코스)이며 이것은 단당류로서 화학식은 $C_6H_{12}O_6$이다. 다른 흔한 단당류에는 과당과 갈락토스가 있다. 두 개의 단당류가 서로 결합하면 슈크로스와 같은 이당류($C_{12}H_{24}O_{12}$)가 된다. 슈크로스는 포도당+과당이며 보통의 설탕이다. 다른 이당류에는 포도당+갈락토스인 젖당(락토스)과 포도당+포도당인 맥아당이 있다. 올리고당류는 세 개 이상의 단당류가 모여서 만들어진 사슬이며 다당류는 수백 개의 단당류가 중합체 사슬로 연결된 것이다. 흔한 다당류의 예에는 녹말과 셀룰로스가 있다.

**트라이클로산(Triclosan)**  페놀의 염소화된 유도체로서 화학명은 5-클로로-2-(2,4-다이클로로페녹시)페놀이며 화학식은 $C_{12}H_7Cl_3O_2$이다. 페놀은 벤젠 고리에 하이드록시기가 결합된 것이며 화학식은 $C_6H_5OH$이다. 트라이클로산은 분자에 그런 고리가 두 개 있다.

**파라벤(Parabens)**  화학식이 $HOC_6H_4CO_2H$인 파라-하이드록시벤조산에 기반을 둔 화학물질 집단의 일반명이다. (화학자들은 4-하이드록시벤조산이라고도 한다.) 이 산은 산으로 사용되지는 않지만 $CO_2H$기의 산성 수소가 유기 원자단으로 치환되어 에스터로 되며 벤질, 아이소뷰틸, 뷰틸, n-프로필, 에틸, 메틸에스터가 있다. 이런 것을 벤질파라벤, 아이소뷰틸파라벤 등이라고 하며 오염을 일으키는 세균을 살균하는 제품에 첨가된다. 파라-하이드록시벤조산은 천연적으로 딸기와 포도에 들어 있다.

**플루오린화 탄소(Fluorocarbons)**  수소가 플루오린 원자로 치환된 탄소 화합물. 예를 들면 메틸기 $CH_3$가 트라이플루오로메틸기 $CF_3$로 될 수 있다. 수소를 플루오린으로 치환하면 불연성 같은 분자의 성질에 근본적 영향을 준다.

**황 화합물(Sulfur compounds)**  황에 수소나 탄소 원자가 결합하면 아주 고약한 냄새를 내는 화합물을 생성한다. 다음은 이 책에서 언급한 것들이다.

| 화학명 | 화학식 | 천연 원천 |
| --- | --- | --- |
| 황화수소 | $H_2S$ | 단백질 분해 |
| 메탄싸이올 | $CH_3SH$ | 냄새 나는 숨 |
| 황화다이메틸 | $CH_3SCH_3$ | 송로버섯 |

| 화학명 | 화학식 | 천연 원천 |
|---|---|---|
| 이황화다이메틸 | $CH_3SSCH_3$ | 타이탄 아룸 백합 |
| 3−메틸−3−설파닐−헥산−1−올 | $CH_3CH_2CH_2C(CH_3)(SH)CH_2CH_2OH$ | 겨드랑이의 세균 |

**ABS[poly(Acrylonitrile-Butadiene-Styrene)]** 폴리(아크릴로나이트라일−뷰타다이엔−스타이렌)의 약자로서 최종 생성물에 원하는 성질을 부여해주는 기본 단위체들이 혼합되어서 만들어지기 때문에 **공중합체**라고 한다. ABS는 어린이 장난감, 자동차 계기판, 인조손톱을 만드는 데 광범위하게 이용된다.

아크릴로나이트라일, 뷰타다이엔, 스타이렌은 각각 중합될 수도 있다. 아크릴로나이트라일이 중합되면 폴리아크릴로나이트라일이 생성되며 이것은 부드러운 의류용 섬유(오를론이나 코텔 상표로 팔림)로 이용되며, 뷰타다이엔에서는 폴리뷰타다이엔 또는 합성고무가 생성되고, 스타이렌에서 생성되는 폴리스타이렌은 우수한 단열재이다.

**HEMA(HydroxyEthyl MethAcrylate)** 화학식이 $CH_2 = C(CH_3)(CO_2CH_2CH_2OH)$인 2−하이드록시에틸 메타크릴산에서 형성된 고분자이다.

**pH** 산성도나 알칼리도를 나타내기 위하여 사용되는 용어로서 실제로는 분자 이온종인 $H_3O^+$(흔히 $H^+$로 적음)의 농도를 측정한다. 이 이온은 산이 물에 녹았을 때 형성되는 활성 성분이다. 이 이온의 농도는 매우 넓은 범위에서 변하기 때문에 측정하기 쉽도록 pH라고 하는 특수한 척도가 필요하다. pH는 로그척도로서 농도를 10의 지수승의 음수로 표시한다. 예를 들면, 중성 물에서 $H_3O^+$ 농도는 매우 낮아서 리터당 $10^{-7}$개의 이온이며 이때 pH는 7이 된다. pH 척도는 산에 대해서 역수 척도이므로 센 산일수록 pH는 낮아진다. 보통의 산성 범위는 1(아주 셈)에서 7(중성 물)까지이며 로그이기 때문에 pH 1

인 산은 pH 7인 중성 물보다 $H_3O^+$가 100만 배 더 많다는 것을 의미한다.

pH 척도는 알칼리 조건의 7부터 14까지 확장될 수 있으며 여기에서는 $OH^-$가 더 우세하고 $H_3O^+$ 농도는 100만분의 1까지 더 떨어진다. 1부터 14까지의 pH 전체 구간의 차이는 1조 배가 된다. 그럼에도 우리는 일생 생활에서 전체 범위에 해당하는 물질들을 쉽게 볼 수 있다.

**일생생활에서의 산과 알칼리**

| pH | | 대표물질 | 활성 화학물질 |
|---|---|---|---|
| 0 | 산성 | 화학 시약 | 진한 황산 |
| 1 | | 위산 | 묽은 염산 |
| 2 | | 레몬 주스 | 시트르산 |
| 3 | | 식초 | 아세트산 |
| 4 | | 토마토 주스 | 아스코르브산(비타민 C) |
| 5 | | 맥주, 빗물 | 탄산($H_2CO_3$) |
| 6 | | 우유 | 락트산 |
| 7 | 중성 | 혈액 | |
| 8 | 알칼리성 | 바닷물 | 탄산칼슘 |
| 9 | | 탄산수소염 | 탄산수소나트륨 |
| 10 | | 마그네시아 밀크 | 수산화마그네슘 |
| 11 | | 가정용 암모니아 | 암모니아($NH_3$) |
| 12 | | 정원용 석회 | 수산화칼슘 |
| 13 | | 하수구 청소제 | 수산화나트륨 |
| 14 | | 부식 소다 | 진한 수산화나트륨 |

**PMMA[Poly(Methyl MethAcrylate)]** 단위체 출발물질인 메타크릴산메틸로부터

생성된 고분자로서 화학식은 $CH_2 = C(CH_3)(CO_2CH_3)$이다.

**PVP**[Poly(Vinyl Pyrrolidone)]  고분자인 폴리(바이닐 피롤리돈)의 약자. PVP를 공기 중에 방치하면 공기 중에서 무게의 15% 가량의 수분을 흡수하며 이것은 물과 결합하는 능력 때문이다. 이것은 샴푸, 치약 같은 여러 가지 개인 위생용품에도 사용되며 편지 봉투나 우표에 발라진 동물성 접착제를 대신하는 접착제이다.

**T-세포**(T-cells)  백혈구의 한 종류로서 면역계에서 중요한 역할을 한다. 골수에서 생성되며 비장과 림프 결절에 저장된다. T-세포는 4년까지 살 수 있다.

# 찾아보기

# 멋지고 아름다운 화학세상

초판 인쇄 2020년 7월 10일
초판 발행 2020년 7월 15일

**지은이** 존 엠슬리
**옮긴이** 고문주
**펴낸이** 조승식
**펴낸곳** 도서출판 북스힐
**등록** 1998년 7월 28일 제22-457호
**주소** 서울시 강북구 한천로 153길 17
**전화** 02-994-0071
**팩스** 02-994-0073
**홈페이지** www.bookshill.com
**이메일** bookshill@bookshill.com

**ISBN** 979-11-5971-230-2
**정가** 15,000원

# 원소 주기율표

| 1 H 수소 | | | | | | | | | | | | | | | | | 2 He 헬륨 |
|---|---|---|---|---|---|---|---|---|---|---|---|---|---|---|---|---|---|
| 3 Li 리튬 | 4 Be 베릴륨 | | | | | | | | | | | 5 B 붕소 | 6 C 탄소 | 7 N 질소 | 8 O 산소 | 9 F 플루오린/불소 | 10 Ne 네온 |
| 11 Na 소듐/나트륨 | 12 Mg 마그네슘 | | | | | | | | | | | 13 Al 알루미늄 | 14 Si 규소 | 15 P 인 | 16 S 황 | 17 Cl 염소 | 18 Ar 아르곤 |
| 19 K 포타슘/칼륨 | 20 Ca 칼슘 | 21 Sc 스칸듐 | 22 Ti 타이타늄/티탄 | 23 V 바나듐 | 24 Cr 크로뮴(크롬) | 25 Mn 망가니즈(망간) | 26 Fe 철 | 27 Co 코발트 | 28 Ni 니켈 | 29 Cu 구리 | 30 Zn 아연 | 31 Ga 갈륨 | 32 Ge 저마늄/게르마늄 | 33 As 비소 | 34 Se 셀레늄(셀렌) | 35 Br 브로민/브롬 | 36 Kr 크립톤 |
| 37 Rb 루비듐 | 38 Sr 스트론튬 | 39 Y 이트륨 | 40 Zr 지르코늄 | 41 Nb 나이오븀/니오브 | 42 Mo 몰리브데넘 | 43 Tc 테크네튬 | 44 Ru 루테늄 | 45 Rh 로듐 | 46 Pd 팔라듐 | 47 Ag 은 | 48 Cd 카드뮴 | 49 In 인듐 | 50 Sn 주석 | 51 Sb 안티모니/안티몬 | 52 Te 텔루륨/텔루르 | 53 I 아이오딘/요오드 | 54 Xe 제논/크세논 |
| 55 Cs 세슘 | 56 Ba 바륨 | 57~71 란타넘족 | 72 Hf 하프늄 | 73 Ta 탄탈럼/탄탈 | 74 W 텅스텐 | 75 Re 레늄 | 76 Os 오스뮴 | 77 Ir 이리듐 | 78 Pt 백금 | 79 Au 금 | 80 Hg 수은 | 81 Tl 탈륨 | 82 Pb 납 | 83 Bi 비스무트 | 84 Po 폴로늄 | 85 At 아스타틴 | 86 Rn 라돈 |
| 87 Fr 프랑슘 | 88 Ra 라듐 | 89~103 악티늄족 | 104 Rf 러더포듐 | 105 Db 두브늄/더브늄 | 106 Sg 시보귬 | 107 Bh 보륨 | 108 Hs 하슘 | 109 Mt 마이트너륨 | 110 Ds 다름슈타튬 | 111 Rg 뢴트게늄 | 112 Cn 코페르니슘 | 113 Nh 니호늄 | 114 Fl 플레로븀 | 115 Mc 모스코븀 | 116 Lv 리버모륨 | 117 Ts 테네신 | 118 Og 오가네손 |

## 란타넘족

| 57 La 란타넘/란탄 | 58 Ce 세륨 | 59 Pr 프라세오디뮴 | 60 Nd 네오디뮴 | 61 Pm 프로메튬 | 62 Sm 사마륨 | 63 Eu 유로퓸 | 64 Gd 가돌리늄 | 65 Tb 터븀/테르븀 | 66 Dy 디스프로슘 | 67 Ho 홀뮴 | 68 Er 어븀/에르븀 | 69 Tm 툴륨 | 70 Yb 이터븀/이테르븀 | 71 Lu 루테튬 |
|---|---|---|---|---|---|---|---|---|---|---|---|---|---|---|

## 악티늄족

| 89 Ac 악티늄 | 90 Th 토륨 | 91 Pa 프로트악티늄 | 92 U 우라늄 | 93 Np 넵투늄 | 94 Pu 플루토늄 | 95 Am 아메리슘 | 96 Cm 퀴륨 | 97 Bk 버클륨 | 98 Cf 캘리포늄 | 99 Es 아인슈타이늄 | 100 Fm 페르뮴 | 101 Md 멘델레븀 | 102 No 노벨륨 | 103 Lr 로렌슘 |
|---|---|---|---|---|---|---|---|---|---|---|---|---|---|---|

### 범례

- 비금속
- 준금속
- 전이후금속
- 알칼리금속
- 알칼리토금속
- 전이금속
- 할로젠
- 불활성기체
- 란타넘족
- 악티늄족